Автор-составитель

Александра
Маринина

Были
90-х

ТОМ 1
Как мы
выживали

Москва
2017

УДК 821.161.1-94
ББК 84(2Рос=Рус)6-44
   Б95

Совместно с АСТ

Автор-составитель *Александра Маринина*

Оформление серии *Алексея Дурасова*

В оформлении обложки использованы фотографии:
© Алексей Федосеев, Юрий Тутов / РИА Новости.

Во внутреннем оформлении использованы фотографии:
© Александр Лыскин, Александр Макаров, Алексей Бойцов,
Алексей Федосеев, Валерий Шустов, Владимир Вяткин,
Владимир Родионов, Владимир Федоренко, Дмитрий Коробейников,
Игорь Михалев, Илья Питалев, Олег Кулеш, Олег Ласточкин,
Павел Горшков, Птицын, Тутов, Юрий Абрамочкин, Юрий Сомов /
РИА Новости

Б95   **Были** 90-х. Том 1. Как мы выживали / авт.-сост. Александра Маринина. — Москва : Эксмо, 2017. — 352 с.

ISBN 978-5-04-089696-7

Трудно найти человека, который бы не вспоминал пережитые им 90-е годы прошлого века. И каждый воспринимает их по-разному: кто с ужасом или восхищением, кто с болью или удивлением... Время идет, а первое постсоветское десятилетие всё никак не отпускает нас. Не случайно на призыв прислать свои воспоминания откликнулось так много людей. Сто пятьдесят историй о лихих (а для кого-то святых) 90-х буквально шквалом ворвались в редакцию! Среди авторов — бывшие школьники, военные, актеры, бизнесмены, врачи, безработные, журналисты, преподаватели. В этой пронзительной коллективной исповеди нет ни грамма художественного вымысла или политической пропаганды, радужных мифов или надуманных страшилок. Всё написано предельно искренне, слова идут от души, от самого сердца! И вот результат: уникальные свидетельства очевидцев, самый компетентный, живой и увлекательный документ эпохи. Эта поистине народная книга читается на одном дыхании. Опубликованные здесь рассказы, эссе и зарисовки — подлинная реальность, которую сегодня трудно найти на ТВ и в кино, которую вряд ли рискнут издать журналы и газеты.

Александра Маринина

УДК 821.161.1-94
ББК 84(2Рос=Рус)6-44

ISBN 978-5-04-089696-7

Благодарности

Выражаем благодарность всем авторам сборника и партнерам за помощь в создании и популяризации книги.

За эксклюзивное интервью, экспертное мнение и участие во встречах с участниками конкурса историй и авторами сборника благодарим:

писателя, журналиста, преподавателя, литературного обозревателя газеты «Комсомольская правда» Олега Жданова;

историка-медиевиста, заслуженного профессора Российского государственного гуманитарного университета, доктора исторических наук Наталью Басовскую;

музыканта, продюсера, писателя, лидера и основателя культовой группы «Мегаполис» Олега Нестерова;

писателя Владимира Карпова;

писателя Анну Берсеневу;

писателя Владимира Сотникова;

писателя Юрия Буйду;

музыканта, народного артиста России Юрия Розума;

режиссера, народного артиста РСФСР Владимира Меньшова;

писателя, драматурга Юрия Полякова;

певицу Маргариту Суханкину;

певца Андрея Губина;

телеведущую Александру Буратаеву;

певца, народного артиста РСФСР Льва Лещенко;

протоиерея Всеволода Чаплина;

писателя, ведущего программы «Умницы и умники», заведующего кафедрой мировой литературы и культуры факультета «Международная журналистика» МГИМО Юрия Вяземского;

режиссера и писателя Владимира Аленикова;

руководителя Российского медико-реабилитационного центра заболеваний опорно-двигательного аппарата, академика, профессора, доктора биологических наук, народного артиста России Валентина Дикуля;

космонавта-испытателя Павла Виноградова;

писателя, ученого-востоковеда, экономиста, основателя и президента независимого научного центра «Институт Ближнего Востока», профессора Евгения Сатановского;

актера театра и кино Владимира Пермякова;

сеть «Московский дом книги» за популяризацию и распространение книг, посвященных 90-м годам, и проведение творческих встреч с автором-составителем сборника «Были 90-х» Александрой Марининой.

Особая благодарность Ирине Козловой и Кларисе Пульсон за все творческие инициативы и усилия по поддержке проекта на всем его протяжении и во всех его проявлениях.

Интервью и комментарии наших экспертов вы можете прочитать на сайте «Народная книга»
http://nk.ast.ru/
Модератор сайта «Народная книга» — Георгий Гугнин.

Особая благодарность Московскому дому книги и его руководителю Надежде Ивановне Михайловой за проведение встреч с автором-составителем сборника, организацию тематической выставки-продажи книг о жизни в 90-е годы и активное вовлечение читателей в народный проект «Были 90-х».

Специальные благодарности:

За организацию акции «90-е годы за 1 день» и сбор историй для книги благодарим начальника отдела методической работы и инноваций ГБУК г. Москвы «ЦБС «Новомосковская» Александру Стеркину, директора Центральной библиотеки № 21 ЦБС САО ГБУК г. Москвы Дарью Беленову и начальника отдела маркетинга и рекламы ЦБС САО ГБУК г. Москвы Жанну Хохлову.

За информационно-рекламную поддержку проекта благодарим Межгосударственную телерадиокомпанию «МИР» и лично руководителя службы интернет-вещания Марию Чегляеву, а также редакцию журнала «Антенна-Телесемь» и лично заместителя главного редактора Станислава Бабицкого за информационную поддержку и помощь в сборе историй.

БЛАГОДАРИМ ВСЕХ УЧАСТНИКОВ КОНКУРСА «НАРОДНАЯ КНИГА. БЫЛИ 90-х»!

Все истории конкурсантов опубликованы на сайте «Народная книга» http://nk.ast.ru/

Предисловие
от автора-составителя

АЛЕКСАНДРЫ МАРИНИНОЙ

Когда меня пригласили стать автором-составителем сборника народных историй «Были 90-х», многие знакомые искренне мне сочувствовали: «Тебе будет очень тяжело, на тебя обрушится поток рассказов о горе, унижении, обнищании, о разочарованиях и рухнувших надеждах, о войне, о преступлениях и мерзостях...» Честно признаться, я поверила этим предупреждениям и внутренне мобилизовалась, готовилась не утонуть в море слез и горестных воспоминаний.

Но оказалось, что меня обманули. И я сама тоже обманулась. Чему я — признаюсь искренне — невероятно рада! Через четверть века люди вспоминают девяностые годы прошедшего столетия, как правило, без ужаса и трагизма. Это не значит, что они забыли. Они все помнят. Но прошло время, и даже на самое тяжкое, самое печальное мы умеем взглянуть порой спокойно, а порой даже с улыбкой. Моря слез не случилось. Случилось прикосновение к мудрости, к человеческому, личностному взрослению, к обретению нового взгляда, нового понимания каких-то вещей, событий, чувств и мыслей.

В разделе «И все рухнуло...» собраны истории о том, как полетели под откос надежды и ожидания, планы и расчеты, уверенность в завтрашнем дне и преданность выбранной любимой профессии. Название раздела «Мы выживали и выжили!» говорит само за себя и в комментариях не нуждается, как не нуждается в комментариях и раздел «Война». В разделе «Бизнес по-русски и не только» — пестрая картина успешных и неуспешных попыток заработать деньги предпринимательством, чаще всего — торговлей и перегоном подержанных автомашин из Европы.

Читая присланные истории, нельзя было не обратить внимания на то, как по-разному видят эпоху девяностых люди в зависимости от возраста: те, кто был ребенком, ощущают эти годы совсем не так, как те, кто проживал в этот период свою молодость, и уж тем более совсем не так, как люди зрелого и старшего возрастов, выросшие и сформировавшиеся в «доперестроечное» советское время. Иллюстрация этого — раздел «Взгляд с разной высоты».

Да, взгляд с высоты разного возраста — разный. Но и взгляд на одни и те же события или проблемы с разных точек зрения, с позиций разных жизненных ситуаций тоже не одинаков. В разделе «Об одном и том же» истории объединены в пары и тройки: казалось бы, рассказы на одну и ту же тему, а насколько же они отличаются друг от друга! Отличаются и фактурой, и настроением, и финалом.

«Железный занавес» отменили, свободный выезд за границу дали! И мы столкнулись с той самой жизнью, которую знали только по кинофильмам и книгам и увидеть которую собственными глазами, пощупать собственными руками зачастую даже не надеялись. Чего только мы не представляли об этой жизни! А оказалось, что все, мягко говоря, не совсем так... И огромное изумление наше, когда мы вдруг поняли, что такое разность менталитетов: ни мы иностранцев не понимаем, ни они нас. Истории о первых столкновениях с «вожделенной заграницей», о первых впечатлениях, восторгах и разочарованиях, — в разделе «Все не так, все не такие».

«Крупным и мелким мазком» — это зарисовки. Ситуаций, впечатлений, судеб, эмоций — всего, чего угодно. Это просто истории. О некоторых из них вы можете сказать: ну и что особенного? Такое могло случиться где угодно и когда угодно, необязательно в 90-е и необязательно в России. Возможно, вы будете правы, если так подумаете. Но мне кажется, эти истории не могли бы произойти, если бы не соединились воедино необходимые составляющие: перемены в стране и присущая только нашему человеку ментальность.

Число историй, рассказанных с улыбкой, оказалось столь велико, что лучшие из них собраны в отдельную рубрику. Очень надеюсь, что чтение этой главы сборника поднимет читателю настроение. И в самом конце книги — несколько текстов, которые словно подводят итог, отвечая на вопрос: так какими же все-таки были эти пресловутые 90-е?

Может показаться, что жизнь в последнем десятилетии XX века была, в общем-то, неплохой и даже почти веселой. Может. Если опираться только на тексты, собранные в этот сборник. Но на самом деле все мы понимаем, что тексты написаны теми людьми, кто счел для себя возможным принять участие в этом проекте. Людьми, которые пережили 90-е со всеми тяготами и невзгодами, не сломались, выжили и сохранили силы и энтузиазм, для того чтобы написать свою историю. Поэтому не будем утверждать, что нашему сборнику «Были 90-х» присущ энциклопедический охват и полномасштабная картина жизни страны в тот период. Это, безусловно, не так. Наш сборник — всего лишь зеркало мыслей, чувств и воспоминаний тех людей, которые сочли нужным ими поделиться. А сколько их, тех, кто не выжил, не выбрался, не выстоял! И сколько страшных и горьких историй они могли бы рассказать! Но не рассказали...

Александра Маринина

И все рухнула...

КЛАРИСА ПУЛЬСОН

Москва

В 90-е годы — аспирантка,
журналистка. В наши дни —
книжный обозреватель
в «Российской газете»,
«Новой газете», «Читаем вместе»,
главный редактор портала
«Книги моей жизни».

КУРЬЕРША

Вика закончила филфак с красным дипломом, поступила в аспирантуру, готовила диссертацию по Писемскому. Она была дотошная, не халтурила, работа шла медленно. К тому же она с четвертого курса работала — лаборанткой на родной кафедре. В начале перестройки вышла замуж за препода с истфака. Как только стало можно, муж зарегистрировал кооператив и, договорившись с нашей типографией, стал печатать книги — репринты, учебку и, с учетом потребностей публики, переводные детективы, что-то даже переводил сам. Сам грузил, сам развозил пачки, даже торговал у перехода на Пушкинской по выходным сам. Все без отрыва от чтения лекций. Пока все ныли — вкалывал, в 93-м купил развалюху, одно название — машина, главное — ездила. За это время Вика родила двоих и почти добила Писемского. Правда, зрение у нее окончательно испортилось — заказывала специальные очки с линзами, отчего взгляд был особенно беззащитным. А так — все хорошо. К 95-му они, как говорили не в наших кругах, «поднялись». Новая «Нива», в кооперативе — три наемных сотрудника, и новое жилье — большая двухкомнатная квартира. Забрали свекровь из маленького уральского городка. Съездили в Италию, муж читал курс по медиевистике, давно мечтал, Вика всем привезла подарки, а себе — красивую и удобную сумку на колесиках радужной расцветки (не чета нашим пенсионерским), которую смешно называла торбой. Через год, зимой, Вика только-только родила третьего сына, мужа убили, забрал тираж поздно вечером и, видно, поехал не по той дороге. Ни машины, ни книг, а он с проломленной головой на обочине. Прожил еще сутки.

Расклад такой — почти слепая Вика, старшему сыну — девять, младший — в пеленках, и старушка, которая не понимает, куда подевался сын. С уставными документами на ООО и прочим наследством оказались большие проблемы, выходило, что жена погибшего еще что-то кому-то должна, умные люди посоветовали отступиться. Отступилась. Выяснилось, что на работу ее никто не возьмет: кто «по глазам», кто по «семейному положению». Даже уборщицей устроиться не могла — и тут, оказывается, нужно хорошее зрение. Тогда друзья и коллеги, подумав, предложили ей ставку лаборантки на все той же родной кафедре. На такую зарплату уже не соглашались даже иногородние студентки. Она умудрялась все делать дома, вызванивала, договаривалась, документацию, благо что и как делается, еще помнила. Бумажки отвозила на работу два раза в месяц, в дни зарплаты. Когда заходила в комнату, народ опускал глаза — Вика ходила в длинной юбке (зимой — темная, летом, посветлее), кофты на пуговках, выцветшие водолазки, что-то неописуемое на ногах, особенно когда холодно, бесформенные куртки мужа. И огромная для ее невеликих размеров торба на колесиках, цветная радуга превратилась в мутные разводы. Оттуда она вытаскивала стопки аккуратных бумаг — от руки написанные протоколы заседания кафедры и все остальное. Торба была на все случаи жизни: в ней и картошка, и капуста, и хлеб, и книги, и детская обувка из ремонта... Потом умерла бабушка, значит, минус ее пенсия. Стало еще веселее. И тут случилось. Вику на улице окликнула бывшая соседка-одноклассница, можно сказать, подруга. Потащила в кафе, стала расспрашивать, попыталась угостить. Вика отказывалась, говорила — лучше детям. Подруга успокоила, что и детям будет. Просидели довольно долго. Подруга сказала, что обязательно придумает, как помочь: «Не, не в долг, я ж понимаю».

Спустя неделю Вике позвонил мужчина с густым голосом и назначил встречу — собеседование на квартире. Предложение оказалось совсем неожиданное для нее — отвезти-привезти — курьерша. На все слова, что ходит не очень уверенно, и со зрением беда, ей ответили: «Вы нас вполне устраиваете». С тех пор три-четыре раза в неделю Вика со своей торбой ездила по разным местам: иногда квартиры на окраинах, иногда офисы в центре, рынки, непонятного назначения заведения... Алгоритм был один и тот же: она приезжала по адресу, который утром называли по телефону, там ее сажали на стульчик, давали воды или чаю, забирали ее торбу в соседнее помещение, минут через сорок возвращали в наполненном состоянии и говорили, куда ехать. Адрес просили не записывать. Она приезжала туда, ее снова сажали в предбаннике, забирали торбу, возвращали опустошенной, давали денег и говорили: «До свидания». Одна такая «ходка» стоила квартальной зарплаты лаборантки. Пару раз в месяц приходилось ездить на электричке в недальнюю область, тогда платили больше.

Она ни разу ни о чем не спросила. Ей ни разу никто ничего не объяснил. Она, если совсем честно, почти про это и не думала. Про то, что купит по дороге и привезет в торбе детям — думала, а про остальное — нет. Радовалась про себя, что рассмотреть ни места, ни людей не может, и адреса быстро стирались из памяти.

После кризиса 98-го «ходок» стало меньше, потом вроде снова вошли в ритм, так что кризис Викиного семейства почти не коснулся. Все потихоньку стало сходить на нет к Миллениуму. Однажды мужчина с густым голосом сказал, что работы для нее больше нет. Дал что-то вроде выходного пособия. В конверте. Обычно ей совали купюры в руки. Напоследок предложил выпить, она почему-то согласилась. Пошли на кухню, мужчина разговорился, после нескольких рюмок спросил: «Знаешь, что возила?» Вика отрицательно помотала головой. «Деньги ты возила, деньжищи, — заржал он. — Миллионы. Не рублей!» И налил себе еще.

Все это она мне рассказала на следующий день почти спокойным голосом. Больше не знает никто. Даже теперь уже совсем взрослые дети.

АЛЕКСАНДР ФИЛИЧКИН

Самара

До 90-х — архитектор.
В 90-е — инженер-строитель.
В настоящее время — архитектор
в проектном институте.

ПОМОЙКА

В начале девяностых годов моя мама кое-как скопила немного денег, пошла в магазин и приобрела очень нужную вещь. В тот же день новый диван привезли в нашу скромную квартиру. После чего я занялся его собратом, который служил нам верой и правдой более двадцати лет. Сняв боковины, я распотрошил длинное сиденье со спинкой и разобрал старый предмет мебели.

Разбирая кучу обломков, я обнаружил две пружинные панцирные сетки. За долгие годы работы они ничуть не потускнели и блестели так, словно только вчера сошли с конвейера. Несмотря на отличный внешний вид, девать их мне было совершенно некуда, а применить не к чему. Поэтому я взял обе решетки и понес их на помойку вместе с прочим мусором.

Когда я подходил к контейнерам, то увидел, что впереди меня шагают двое крепких мужчин среднего возраста. Должен сказать, что они были одеты ничуть не хуже меня — архитектора с большим стажем. На обоих виднелись почти новые кожаные куртки, в меру поношенные джинсы и вполне приличные кроссовки.

Один из моих попутчиков вдруг говорит:

— Смотри, рубль. Берем?

— Берем! — отвечает его товарищ. Нагибается, поднимает с асфальта пустую бутылку из-под пива и сует ее в матерчатую авоську. Они идут дальше, и второй мужчина начинает рассказывать:

— Вчера вечером встретил Кольку из соседнего подъезда. Ну, тот самый, с которым мы дружили в школе. Мужик вышел из прекрасной тачки. Отлично упакован, с золотой гайкой на пальце и толстой цепью на шее. Мы немного поболтали. Он рассказал, что отлично устроился, все у него в полном порядке.

К концу нашего разговора Колян достал из дорогой куртки навороченный телефон. Пощелкал кнопками и назвал мне свой номер. Я нашел в кармане потертую бумажку, шариковую ручку и на всякий случай записал цифры. После чего он меня спрашивает:

— А какой у тебя сотовый?

Я честно отвечаю:

— У меня нет мобильника.

Он сильно удивился:

— Как же ты обходишься без него?

— Да так, — пожал я плечами.

— Ведь это же очень удобно, — начал он меня уговаривать: — Всегда можно соединиться с кем хочешь. Поговорить. Назначить стрелку. Купи себе обязательно и сообщи мне свой номер. Мы с тобой созвонимся.

— Непременно, — отвечаю я, а сам думаю: «Ну, звякнешь ты мне и предложишь: — Давай встретимся! — Потом спросишь: — Ты сейчас где? Я за тобой заеду. — И что я ему отвечу? — Извини, мол, никак не могу. Сейчас я шарюсь по помойкам!»

Товарищи по несчастью приблизились к мусорной площадке и принялись деловито рыться в полупустых баках. Следом за ними подошел я. Захотел как-то помочь обнищавшим людям и ничтоже сумняшеся предложил:

— Мужики, возьмите пружинные сетки. Вон они как блестят, наверняка сделаны из нержавейки. Сдадите в пункт приема металла. Выручите какие-то деньги.

Один из искателей вторсырья бросил беглый взгляд на предложенные мной предметы и хмуро пробурчал:

— Нет, это обычная сталь. Скорее всего... — и, не задумываясь, назвал несколько букв и цифр, видимо, обозначавшие тип сплава.

Ошеломленный его быстрым и точным ответом, я положил никому не нужные железки возле контейнера и направился домой. Шел и думал:

— Или этот человек раньше был хорошим металлургом, который мог определить на взгляд марку стали, или на худой конец работал на заводе и сам клепал сетки для диванов.

Отойдя на полсотни метров, я наткнулся на давнего школьного приятеля, с которым когда-то учился вплоть до восьмого класса. Потом он связался с плохой компанией, совершил что-то преступное и даже сидел два или три раза.

Похоже, он тоже заметил меня издалека. Остановился и поджидал, когда я подойду ближе. Пока я двигался к бывшему однокашнику, он задумчиво смотрел на тридцатипятилетних мужиков, рывшихся в мусорных баках.

Мы поздоровались, и он возмущенно сказал:

— Надо же дойти до такого скотского состояния.

— Может быть, людям жить не на что, — попытался я их оправдать. — Вот и собирают всякий хлам, чтобы не умереть с голоду.

— Да лучше я убью какого-нибудь чинушу и сяду в тюрьму на всю жизнь, чем буду лазать по помойкам, — резко оборвал меня старый знакомый.

Я не нашел что сказать в ответ. Мы молча пожали друг другу руку на прощание и пошли каждый своей дорогой.

ЕЛЕНА РЕХОРСТ
Копенгаген

До 90-х — преподаватель.
Во время 90-х — разнорабочая.
После 90-х — преподаватель.
В настоящее время — домохозяйка.

СВЕЧИ В ТЕМНОТЕ

В 1991 году, когда Советский Союз приказал долго жить, мы в одночасье оказались в другом государстве — независимой Эстонии. Все русскоязычное население новой страны невольно разбилось на три группы. Первая группа тотчас засобиралась в Россию. Люди обивали пороги российского посольства, искали в России родственников, место работы или учебы... Вторая группа тоже начала паковать чемоданы. Но не в Россию. Свое будущее они видели на Западе. Создалась группа «Канада». Другие почему-то выбрали Аргентину. Но большинство рвануло в Финляндию. Ну а в третью группу вошли те, кто уезжать никуда не хотел или не мог. Да и куда ехать человеку, родившемуся и всю жизнь прожившему в Эстонии? Но были еще и такие, кто вообще оказался между небом и землей.

Предприятия закрывались, люди оставались без работы, а найти новую было невозможно. Поэтому все хватались за любую возможность хоть как-то заработать деньги. И вот в это время в Эстонию вдруг приехал известный австрийский кинорежиссер Максимилиан Шелл со своей тогдашней женой Натальей Андрейченко. Он решил снимать здесь свой фильм «Свечи в темноте», рассказывающий об обретении Эстонией независимости. В газетах было объявлено о наборе людей в массовки. Желающих оказалось так много, что люди занимали очереди с ночи для того, чтобы пройти отбор. Это было неудивительно, сумма за один съемочный день обещалась по тем временам просто баснословная — 100 крон. Но брали не всех. Меня и еще несколько девушек отобрали сразу, и вскоре мы приступили к своей новой работе. В основном все съемки были ночными. Мы должны были ходить со свечами или участвовали в каких-то других уличных сценах, нас снимали на развалинах монастыря Святой Бригитты... Стояла зима и было очень холодно. В перерывах между съемками мы бегали греться в автобус. Когда под утро съемки заканчивались, нас всех развозили по домам. Я и еще одна девушка Катя жили на окраине Таллина, а развозить начинали с тех, кто жил в центре. Поэтому домой мы приезжали уже утром. В одну из поездок Катя немного рассказала о себе. Получилось так, что она как раз и оказалась между небом и землей.

— Моя мать уже несколько месяцев была без работы после того, как ее сократили с «Двигателя». Отчим перебивался случайными заработками, но их никак не хватало. Они с матерью все чаще начали выпивать, а все разговоры сводили к переезду в Россию. Своего будущего здесь они не видели. Моего с младшей сестрой мнения они никогда даже не спрашивали. У матери где-то в Свердловской области имелись дальние родственники. К ним они и решили пока переехать. Но я не хотела никуда переезжать, я родилась здесь и переезд куда-то меня пугал. Я несколько раз говорила матери, что не хочу уезжать, и решила стоять на своем. Тем временем отчим нашел каких-то людей, которые помогали переселенцам. Квартиру мы не могли продать, так как за нее имелся уже огромный долг, и к нам несколько раз приходили предупреждения о выселении. Когда настал день отъезда, я просто сбежала.

Жить мне было негде, в паспорте стояло, что из Эстонии я выписана. Несколько дней я мыкалась, пока не очутилась на свалке. Там оказывались в конце концов все, кому некуда было деться. Некоторые жили целыми семьями. Все оказались здесь по разным причинам. Многих обманули с переездом, и они оказались без денег и без документов, кто-то потерял работу и жилье, были здесь и образованные люди. С питанием проблем не было. Соки в картонных упаковках, хлеб, сыр, колбасы, фрукты — все можно было найти, да и одежда красивая попадалась. Но без выпивки на свалке не выжить. Она заглушает запах. Поэтому пить приходилось каждый день. Мы собирали металл, бутылки. Так незаметно прошло два года. Я испортила здоровье. У меня началась астма, болела печень, легкие, и я поняла, что надо как-то попытаться выбраться отсюда. Я с детства мечтала стать актрисой и когда случайно узнала о съемках, сразу приехала сюда. Мне было так интересно посмотреть, как снимается фильм, да еще и самой в этом поучаствовать. А тут еще увидела объявление в газете, что приглашаются девушки на высокооплачиваемую работу за рубеж для работы танцовщицами в ночном клубе. И документы для выезда обещали сделать. Я набралась смелости и позвонила по указанному телефону. Мне назначили встречу. Игорь, мужчина, пришедший на встречу, заверил, что документы сделать не проблема. Работать нужно будет в ночном клубе в Германии, а танцевать обучат на месте. Я уже ушла со свалки, живу вместе с двумя другими девушками в квартире, которую Игорь нам пока снял перед отъездом. Я так благодарна Игорю, без него я бы никогда не выбралась со свалки.

— Да ты с ума сошла! — ужаснулась я. — Ты, наверное, забыла на свалке все свои мозги! Разве не понимаешь, во что можешь влипнуть? Везде только об этом и пишут, чтобы предупредить таких безмозглых дур, как ты!

Катя только рассмеялась на мое предостережение.

— Не думаю, что там будет хуже, чем на свалке, думаю, что справлюсь.

— Но ты можешь... — начала я.

— Нет, — прервала меня Катя, — не могу.

В это время автобус остановился возле моего дома.

— До завтра. — Я махнула Кате на прощание рукой и вышла.

На следующий вечер Катя не пришла на съемки. Не пришла и потом. Больше я ее никогда не видела. Что с ней случилось? Надеюсь, что она осуществила свою мечту и стала актрисой. Или вместо Германии попала в какой-нибудь турецкий бордель? Вернулась опять на свалку? Или, может, нашла какого-то богатого иностранца и преспокойно живет где-нибудь на берегу моря... А может, давно уже умерла, и никакие свечи никогда больше не осветят в темноте ее дорогу...

ИРИНА МИЛОПОЛЬСКАЯ
Москва

В молодости сыграла главную роль
в фильме «Накануне» (реж. В. Петров,
1959 г.), до, в и после 90-х работала
врачом-психиатром в России.
Кандидат медицинских наук.
Писатель, автор романов
«Педофил», «Порок сердца»

ПСИХИАТР

Часть 1
НА ПРИЕМЕ

Прием в поликлинике начинался в восемь часов, и ровно без четверти восемь Елена Сергеевна вошла в свой кабинет. У дверей уже собралась очередь, человек восемь-десять, и это было довольно много для той тихой ведомственной поликлиники, где она трудилась консультантом-психиатром почти уже четыре года. Быстро надела белый халат и переобулась в легкие разношенные туфли, сбросив насквозь промокшие сапоги. Привычным жестом достала из сейфа личную печать, тонометр и две пачки рецептурных бланков: одну для обычных лекарств, вторую — номерную, особо учетную — для сильнодействующих. Здесь она редко прибегала к ним. Машинально, по старой привычке потянулась к телефону, стоявшему на ее письменном столе, и также машинально отвела руку: некому теперь было звонить, некого спросить, как прошла ночь, как самочувствие. Мама умерла полгода назад. Тяжелая холодная глыба непоправимого горя шевельнулась в груди и на время притихла.

Елена Сергеевна не один десяток лет работала психиатром. Все, кажется, прошла: и «острые» отделения в психбольницах, и немыслимые по напряжению, тяжести и даже опасности приемы в районных психоневрологических диспансерах. Все пережила: и посещения на дому в одиночку, и госпитализации с помощью милиции опасных, агрессивных больных, и нападения. Недавно оформила пенсию. Смешно теперь вспомнить, как собирала все справки о зарплате, отовсюду, где когда-то работала по совместительству. Пенсия получилась маленькая, жалкая, примерно как у всех. Жить на нее было нельзя. Продолжала работать. Но не из-за денег. Просто она давно уже не мыслила своей жизни без этой работы, без своих пациентов. Не то чтобы она их любила, нет, но она была очень тесно связана с ними, она участвовала в их жизни, помогала им жить. Они стали для нее почти родственными душами. Они не страдали тяжелым эндогенным психическим расстройством, а были просто особенно душевно уязвимыми, эмоционально ранимыми, попавшими в сложные жизненные ситуации — среди ее пациентов таких было немало.

С течением лет она, в конце концов, совершенно отчетливо поняла: из «большой» психиатрии нужно уходить. Бесконечные очереди, конвейер тяжелых больных с бредом, галлюцинациями. Порой к концу смены у нее колени и руки дрожали от напряжения, щеки пылали, давление зашкаливало. А тут еще совсем недавно прямо на приеме в своем кабинете умерла ее коллега, Нина Михайловна — острый обширный инсульт.

Работу нужно было менять срочно, по жизненным показаниям. И ей повезло: освободилось место в солидной, довольно известной московской поликлинике. И многие ее пациенты с «пограничными» невротическими проблемами, а порой уже и их дети и внуки, которых она вела годами, те, кто не был связан необходимостью строгого учета в диспансере, пошли за ней в эту поликлинику и продолжали у нее лечиться.

Теперь наконец у нее настала совсем иная жизнь, по-истине жизнь на «заслуженном отдыхе»: всего-то четыре-пять человек на приеме и не с психозами, как прежде, а с невротическими расстройствами, семейными пробле-мами, неразделенной любовью и просто тех, кто нуждался в совете, сопереживании, участии и помощи.

Сегодняшний прием обещал быть несложным: судя по подобранным историям болезни, все пациенты были по-вторными, всех она уже хорошо знала. Первой в кабинет вошла Анна Егоровна Ставицкая: маленькая интеллигент-ная старушка в неизменной белоснежной блузке с бантом вместо воротника. Жила она вдвоем с мужем, детей у них не было. Муж Анны Егоровны страдал онкологией и после тяжелой, как оказалось, бесполезной операции испытывал страшные боли. Он плакал и от этих невыносимых болей, и оттого, что невольно мучает свою жену, с которой про-жил почти пятьдесят лет, и она плакала вместе с ним, сама делала ему перевязки — медсестры было не дождаться, а тут еще и врач отказался выписывать ему анальгетики. Без лишней щепетильности сказал им обоим, что в таком состоянии надо ложиться в хоспис, где есть все лекар-ства, а не напрягать без пользы докторов. В хоспис Анна Егоровна мужа, естественно, отдавать не хотела, добыва-ла обезболивающие любыми, в основном нелегальными, путями за большие деньги. Она выглядела страшно изму-ченной, бледной. Ну что тут можно было поделать? Елена Сергеевна пообещала через своего главврача связаться с главным онкологом района, выписала на сей раз силь-нодействующие успокаивающие и снотворные, в основ-ном для мужа, как могла утешила Анну Егоровну, обняла ее и проводила из кабинета. Как жаль было эту старую женщину, и что ей еще предстоит! Сердце сжималось.

Павел Петрович Красносельцев, член Союза художников, на сей раз был без своего элегантного твидового пиджака и галстука. Всегда подтянутый и энергичный, сегодня он выглядел непривычно бледным и растерянным. Оказалось, что ночью у его жены внезапно, впервые в жизни возник эпилептический припадок. Вызвал «Скорую», та отвезла жену в известную на всю страну городскую больницу, что на Ленинском проспекте, с предположительным страшным диагнозом: опухоль мозга. А в больнице свободных мест в неврологии нет, персонала нет, врача не дождешься. Пришлось самому бегать по отделению в поисках врача, а тот все отмахивался, мол, работы у него невпроворот. Наконец, догадался сунуть ему в карман все деньги, что были у Павла Петровича с собой — только тогда он и подошел к его жене. В палате для нее места так и не нашлось, оставили в коридоре. Тут же поехал домой: привез матрац, два комплекта нового постельного белья, две ночные рубашки и халат — в больнице ничегошеньки не было.

Бедный Павел Петрович чуть не плакал, у него заметно дрожали руки. Господи! Какое несчастье! Долго Елена Сергеевна утешала, убеждала, что все обойдется, что припадок наверняка имеет сосудистое, а не онкологическое происхождение, и успокаивала его как могла, и опять сильные снотворные и транквилизаторы выписывала и взяла с него слово, что он обязательно придет к ней через пару дней, — когда сможет, без всякой записи.

Что же это за день сегодня такой несчастный! Ни одного спокойного планового визита! Хотя нет, вот, кажется, у Зои Васильевны все хорошо. Пришла просто что-нибудь «для памяти» выписать, давление померить. Вообще-то у Зои Васильевны единственный сын страдал дебильностью, она приводила его как-то к Елене Сергеевне. И как только среднюю школу ему закончить удалось? Об этом можно было только догадываться. Семья была далеко не бедной, у отца был свой бизнес. И вот теперь их Славик стал настоящим «банкиром», то есть в приличный банк устроился на очень хорошую зарплату и даже собирается себе джип купить. Правда, водительских прав у него нет, и, скорее всего, получить он их не сможет. Быть может, Елена Сергеевна поспособствует им, не безвозмездно, конечно. Нет? Не сможет? Как жаль! Они так рассчитывали на нее! Но ничего страшного, они обязательно найдут выход из положения. Ушла важной походкой, видно было, что гордится своим сыном. Ладно, было бы им хорошо. Кому-то же должно быть хорошо в этой жизни.

И все-таки сегодня был какой-то особенно несчастливый день. Не успела Елена Сергеевна чуть-чуть расслабиться, как на пороге кабинета возникла Люся Незнамова, давняя ее пациентка, на сей раз вместе со своей непутевой, единственной, поздно родившейся дочкой Мариной.

Люся недавно похоронила мужа 53 лет. Все началось с того, что его сократили из КБ, где он прослужил не один десяток лет. КБ собирались ликвидировать, в его помещении уже обустраивался коммерческий ресторан. Устроиться инженером в ту пору было просто нереально, нигде инженеры почему-то не требовались. Решил зарабатывать деньги извозом: была у него почти новая «шестерка», которую, конечно, было жаль, но другого выхода не было. Переживал, что опустился на такой уровень, что не смог вписаться в новую жизнь, стал выпивать. Однажды двое пассажиров, которых он вез в Домодедово, ударили его сзади чем-то металлическим по голове, выбросили по дороге в каком-то перелеске и угнали машину. Виталик только на другое утро добрался домой, а осознав все, что с ним произошло, и понимая, что «шестерку» его никогда не найдут, да и вообще никто искать ее не будет, выпил бутылку водки и повесился на спинке кровати.

Осталась Люся с восемнадцатилетней дочкой Мариной вдвоем, а та не на шутку увлеклась игрой в автоматах, казино и деньги на игру добывала по-всякому, ничто ее не останавливало.

Такая вот новая болезнь, примета нынешнего времени: игромания, то есть непреодолимая страсть к азартным играм, тяжелая патология, сродни наркомании. Врачи плохо ее знали, раньше о ней почти ничего не слышали и лечить ее толком не умели.

В настоящий момент Марина была беременна, сама не зная от кого, и срок беременности был уже слишком большой — аборт делать было поздно: боялась сразу все матери рассказать. Спасти ситуацию теперь могла лишь серьезная справка о необходимости прерывания беременности по медицинским показаниям. К примеру, у девочки тяжелая реактивная депрессия и даже суицидальные намерения, так вот она тяжело все случившееся переживает. Ни о чем Марина на самом деле не переживала, улыбалась во весь рот, в руках держала какой-то журнал мод. Как будто все происходящее вообще ее не касалось.

Люся плакала, умоляла помочь им. Ну что было делать, как не помочь? Люся столько уже пережила, да она просто скатится в депрессию, из которой вытащить ее будет немыслимо сложно. Так уже было у нее после смерти мужа.

Елена Сергеевна справку на специальном бланке оформила, у главного подписала, объяснив все, как есть, круглую печать поставила у главной медсестры. Все сделала грамотно и в истории болезни все правильно записала, чтобы никто придраться в случае чего не смог. Люся опять плакала, теперь уже от радости, пыталась ей коробку конфет вручить. Елена Сергеевна отказалась, им самим еще эта коробка пригодится. Ушли довольные. Знакомый гинеколог у Люси был. Да еще и успокаивающие ей выписала. Ровно через год выдала Люся свою дочку за горячего финского парня и тот увез ее на далекий финский хутор. Там уж ей было не до игровых автоматов.

И так все продолжалось до конца рабочего дня, пришлось даже задержаться на час. Елена Сергеевна, убирая рецепты в сейф, с удивлением заметила, как похудела пачка сильнодействующих, и еще она почувствовала, что руки у нее дрожат и щеки горят. Совсем как раньше после приема в диспансере. Давление измерять не стала, боялась. Просто надо было немного пешком пройтись, успокоиться. А завтра предстоит такой же рабочий день. Может быть, более тяжелый, но уж точно — не более легкий.

Часть 2
ДО И ПОСЛЕ ПРИЕМА

Ночью выпал первый снег и из окна все вокруг выглядело ослепительно-белым, чистым, праздничным. Хотелось скорее выйти из дома и вдохнуть свежий морозный воздух.

Елена Сергеевна отправилась на работу пешком. Она любила эту пешую прогулку длиною в час, когда можно было спокойно подумать и о вчерашнем дне, и о том, что предстояло сделать в дни ближайшие.

А в ближайшие дни предстояло ей лететь в Тольятти, а оттуда уже на машине ехать в Самару. Раньше нечастые полеты были настоящим праздником, началом отпуска, отдыха где-нибудь у моря. Теперь же она стала бояться самолетов. Особенно после недавней командировки в Архангельск. Летела местной авиалинией на маленьком «Боинге», который, похоже, прожил не одну жизнь в разных странах и на разных континентах: он был каким-то обшарпанным, во время полета издавал странные надрывные звуки, будто страдал старческой астмой и никак не мог продышаться. Ремни безопасности не застегивались, столик висел на одном шарнире, а само кресло никак не могло принять вертикальное положение, как требовали бортпроводницы. Так она и летела всю дорогу полулежа, а когда самолет, резко подпрыгнув, наконец приземлился, Елена Сергеевна мысленно поблагодарила Бога за то, что в один конец дорога была преодолена.

Теперь лететь ей предстояло на очередную региональную конференцию психиатров и неврологов с лекцией по антидепрессантам, а по сути, с целью внедрения на российский фармацевтический рынок очередного импортного препарата, производимого во Франции. Фирма-производитель и поставщик этого антидепрессанта в Россию, наскоро проведя клинические испытания и регистрацию, теперь продвигала его самым настойчивым, едва ли не агрессивным способом. Все необходимые инстанции, начиная с Фармкомитета и заканчивая скромными медицинскими представителями в Москве и регионах, были ублажены и простимулированы, естественно, каждый на соответствующем уровне. Теперь оставалось только донести до практических врачей, которым предстояло назначать именно этот препарат и никакой иной, утверждая, что он самый эффективный, самый безопасный, что принадлежит он к препаратам новейшего поколения и ни один его конкурент ему и в подметки не годится.

На самом деле, и Елена Сергеевна знала об этом, препарат этот имел лишь новое торговое название и абсолютно ничем выдающимся от своих собратьев по классу не отличался. Однако лекцию прочитать согласилась, ничего криминального в ее информации не было, и за это она получит сто долларов, а поскольку лекций предполагалось две — вторая в Самаре, то и получить она должна целых двести долларов. Это тогда была для нее весьма значительная сумма.

Деньги эти нужны ей были позарез, не на тряпки или какую-нибудь женскую блажь, а просто на жизнь. Зарплату не выдавали уже третий месяц и ничего в ближайшее время не обещали, а денег в доме не то чтобы совсем не было — просто их сумма достигла критически минимального уровня.

Ей надо было еще собрать дорожную сумку, уже несколько дней стоявшую в прихожей, и доработать слайды для лекции, чтобы все было абсолютно убедительным и практические доктора отныне назначали своим пациентам только этот антидепрессант — самый эффективный, единственный в своем роде. Нужно сказать, что после ее лекций объемы продаж всегда взлетали многократно и ее, как палочку-выручалочку, звали в самые разные регионы страны, и Елена Сергеевна почти всегда соглашалась.

Потом она вспомнила о талоне, который уже пару недель лежит в ее кошельке, — еще, не приведи бог, пропадет, срок годности истечет. Надо его в ближайшее время отоварить. Достался он ей случайно, повезло. Из райздрава спустили несколько вещевых талонов для передовиков производства, и они с шумом, криками, обидами и нешуточными спорами распределялись на общем собрании коллектива. Теперь, будучи счастливой обладательницей этого талона, простояв ночь в живой очереди у Краснохолмского универмага, она могла по госцене, без всякой переплаты купить себе югославские или чешские сапоги — какие достанутся, а если уж совсем немыслимо повезет, то китайский пуховик за 130 рублей.

В тот раз ей действительно повезло: совсем уж неожиданно достался еще и набор китайских кастрюль из нержавейки, он стоил целых 30 рублей, немыслимо дорого для медиков их поликлиники, и все, на сей раз дружно, от него отказались. Никто из сотрудников не смог позволить себе такую роскошь.

И еще она думала, перешагивая через грязные лужи от быстро растаявшего ночного снега, что жизнь вокруг как-то уж очень быстро меняется и совсем не в лучшую сторону. Вот, к примеру, денег не платят, так ведь и купить на них нечего. Магазины стоят зловеще пустые, все давно сметено с прилавков, даже самые дешевые залежавшиеся консервы, даже простые крупы, соль. Хорошо еще, что их поликлиника вовремя заключила договор с соседним продуктовым магазином, и теперь каждую среду после работы врачи, медсестры и санитарки выстраивались в очередь в темном грязном коридоре магазина, с черного хода, чтобы с улицы незаметно было, и по списку получали свой заказ: иногда даже замороженную курицу и полбатона колбасы или баночку сайры, а уж кильки в томате или пакет гороха, что прилагались в нагрузку, тоже были теперь совсем не лишними...

Отработала день. Закончила прием, чувствуя себя измотанной и разбитой. По дороге домой зашла в соседний гастроном. От него теперь только одно название и осталось: пустые полки, пустые холодильники. Даже для камуфляжа нечего выставить. Просто шаром покати. И народу нет. Может, еще к открытию какие-то продукты и выбрасывали, да ведь такие очереди с шести утра собирались, вряд ли что-то уже через десять минут кому-нибудь доставалось. Все сметалось в мгновение. Но у Елены Сергеевны в этом магазине работал грузчиком ее давний пациент Леня. Он еще в раннем детстве перенес тяжелую травму головы, и с тех пор мучился страшными головными болями и бессонницей. Он часто приходил к своему доктору за лекарствами, за советом. Иногда, когда Лене совсем плохо становилось, Елена Сергеевна давала ему ненадолго, на недельку, больничный, чтобы он просто отдохнул, отоспался.

Увидев своего доктора, Леня метнулся в подсобку и неприметно передал ей небольшой пластиковый пакет, а в нем пачка сливочного масла, две пачки творога, две коробочки сметаны и совсем уж немыслимая роскошь — связка толстых сарделек! И чек аккуратно лежал сверху. Деньги Елена Сергеевна Лене также незаметно отдала, а переплату Леня у нее никогда не брал — доктор ведь!

Да, действительно жизнь менялась не к лучшему, и этот день оказался не исключительным, таким был теперь почти каждый прием: кто-то потерял огромные деньги в МММ, кто-то, вложив все средства да еще и в долги влезши на долевое строительство квартиры, тоже все потерял — квартиры в строящемся доме продали дважды. Кто-то от полной безнадеги взялся челночить и бесследно исчез по дороге из Китая. И спросить не с кого было, и пожаловаться тоже некому — еще и на бандитов нарвешься! Ни власти, ни милиции, ни закона.

На дворе стоял 1994 год.

И опять у Елены Сергеевны было по двадцать пациентов на приеме, и у всех — свои проблемы, свое горе. И чем она могла им, по сути, помочь? Вновь и вновь пропускала все через себя, переживала все вместе с ними, вела долгие душеспасительные беседы, утешала, успокаивала и все выписывала и выписывала не просто успокаивающие, но антидепрессанты, и все то, что когда-то назначала в диспансере, и пачки рецептов летели теперь одна за другой, и конца и края всему этому не предвиделось.

И самой последней каплей отчаяния, утраты всяческих надежд на что-нибудь хорошее в этой жизни было увидеть совершенно случайно на стихийном рынке у «Детского мира» на Дзержинке свою однокурсницу по мединституту Верочку Селиванову. Доктор медицины, известный аллерголог, интеллигентка далеко не в первом поколении, она стояла, закутавшись в старый шерстяной платок, и продавала, по-видимому, свою норковую шапку, стопку старинных книг и тарелку зелено-голубого кузнецовского фарфора.

И Елена Сергеевна поняла, что больше всего этого не выдержит, что так она себя душевно исчерпала, что ей и отдавать своим пациентам больше нечего: ей самой уже нужна и психотерапия, и успокаивающие да просто покой. И ей припомнились слова отца, сказанные им совсем незадолго до ухода: «Старость не бывает счастливой, но она должна быть спокойной» и еще: «Не бойся изменить свою жизнь, даже если жить тебе осталось всего один день».

И она решила уехать в Германию, была у нее для этого маленькая семейная зацепка. Нет, не навсегда, месяца на три-четыре. Оформила дополнительный отпуск за свой счет, всем своим пациентам выписала лекарства на полгода и раздала памятки, как их принимать в том или ином случае, пообещав вернуться в сентябре, твердо веря в это.

А все-таки на сердце было тяжело. Куда она едет, зачем? Она и звуки немецкой речи совершенно не воспринимала — удел военного поколения. И что-то подсказывало ей, что уехать тяжело, а вернуться будет еще труднее. Но она обязательно вернется! И слезы стояли в горле, и так хотелось подхватить свой маленький чемоданчик и вернуться скорее домой.

В зале отлета около нее оказалась группа молодых людей, судя по одежде — спортсменов. Они оживленно что-то обсуждали, смеялись, были возбуждены скорой поездкой за границу, а на спортивной сумке одного из этих ребят стоял транзистор, а из транзистора негромко звучал старый, душу рвущий марш — «Прощание славянки». И Вера Сергеевна не выдержала и тихо заплакала — заплакала горько, какими-то безнадежными, бесконечными слезами и остановиться никак не могла. Хорошо еще, что тут же объявили посадку и ей пришлось идти к самолету.

В конце концов ей можно сказать, повезло. Она попала в замечательный, знаменитый на весь мир старинный романтический немецкий городок с фантастически прекрасным видом на отроги Шварцвальда, полями и лугами весенних нарциссов и крокусов, цветущими магнолиями и камелиями. Она приехала в этот город в апреле. И квартиру ей сразу хорошую снять удалось, правда, под самой крышей, зато с потрясающим видом на знаменитый Старый замок, визитную карточку этого города. И воздух здесь был прозрачный и чистый, и в магазинах было так всего много, просто немыслимое, наверное, даже избыточное изобилие. И она постепенно успокоилась и стала отдыхать от своей прежней суетной жизни, и чувствовала, что ей физически хорошо, как никогда.

Но если бы кто-нибудь на свете знал, как тосковала она по прежней сумасшедшей своей жизни, и все думала и думала о своих пациентах, как они там без нее, как нехорошо, что она их, по сути, бросила. И многие из них часто снились ей во сне, а просыпаясь, она иногда потихоньку плакала и точно знала, что очень многое отдала бы за то, чтобы опять войти в свой кабинет и пригласить на прием первого пациента. Но сделать она этого уже не могла.

А табличку с ее регалиями не снимали с ее кабинета целых два года: все ждали ее возвращения...

АЛЕКСАНДР РАЛОТ

Краснодар

До 90-х — сотрудник Министерства хлебопродуктов. В 90-е (начало) — представитель комбината.
В 90-е (конец) — представитель издательства. После 90-х — сотрудник международной компании.

ГАРФИЛЬД
И ДРУГИЕ СОБЫТИЯ

Так уж получилось, что теперь уже в далеком 1998 году я фактически стал безработным.

Наверное, многие помнят, что именно в тот год в нашей стране, несмотря на все увещевания «глубоко уважаемого» президента случился «дефолт», слово для нас совершенно непонятное, но весьма ощутимое. В силу полученной мною специальности и выбранной профессии в те годы занимался я оптовой поставкой зерна на самый что ни есть Дальний Восток. И вот согласно этому самому «дефолту» возросшие транспортные расходы сделали поставки абсолютно бессмысленными. Следовательно, меня и моих коллег — абсолютно безденежными. Двоим моим малым деткам объяснить отсутствие на старинном комоде традиционной шоколадки «Аленка» еще как-то можно, но вот отсутствие на обеденном столе их любимой каши с молоком — дело практически невозможное. Кроме того, в силу своего возраста они слово «дефолт» еще не выговаривали, а раз его нельзя выговорить, то значит, и говорить не о чем!

Все понимающая супруга занялась полной инвентаризацией наших съестных припасов, а я стал рыться в недрах бездонной Всемирной паутины.

«Требуется распространитель периодической печатной продукции для крупного столичного издательского дома. Оплата сдельная» — громко прочел я, надеясь, что услышу от своей благоверной одобрительный возглас.

В самом-то деле. Закупать огромные партии зерна и отправлять их на мельницы бог знает куда у меня получается, а уж распространять какие-то там газеты и журналы, наверное, не труднее будет. Короче, отправил я в столицу свое резюме, и почти мгновенно пришел от них «полный одобрямс». Наверное, желающих занять такое «хлебное» место было не очень-то много. А дальше-то чего. Получил я на вокзале с проходящего поезда несколько китайских полосатых сумок с газетами, бланки накладных, и все. Иди, торгуй, предлагай. Взял в руки одну газету — специальная — компьютерная. Стал читать. Осилил две страницы, иногда встречались даже знакомые слова, правда, в основном глаголы. Отложил сию печатную продукцию в сторону и уже собирался лечь на свой любимый диван с чувством исполненного долга. Но подрастающее поколение с перемазанными мордашками (значит, мама откопала что-то съестное в наших «авгиевых конюшнях») решительно потянули меня в сторону улицы. Уверяя на своем детском языке, что для них наступил «потехи час».

Мои потомки носились сломя голову по парку, а я занимался аутотренингом. Пойду по компьютерным салонам, по радиорынку, по заводам всяким — буду эту газету предлагать, киоскерам буду предлагать, на почту пойду. Куда угодно пойду, но мордашки моих детей должны быть чумазыми и главное — сытыми! По всей видимости, Господь услышал мои мысли, и дело пошло, мало того, хорошо пошло, можно сказать, успешно пошло. У нас в городе про эту газету еще никто и слыхом не слыхивал, а Интернет еще не стал тем, чем он является сейчас. Дальше больше, за компьютерной газетой последовали журналы для врачей и для автолюбителей. Еженедельные и ежемесячные. И наконец, дорогое наше издательство сподобилось на выпуск детского издания. Красочного, яркого, я бы даже сказал — толкового.

Руководство предполагало сделать журнал флагманом всей издаваемой линейки. Правда, и конкурентов на детском журнальном рынке было у него немало. Так что ты, дорогой наш представитель в регионе, давай уж расстарайся, обеспечь нам соответствующую нишу.

И я старался. Бегал по школам и библиотекам, я уже не говорю про почты, детские поликлиники и парикмахерские. Но толку было мало. Новая продукция, она и есть новая. Покупатель должен попробовать ее на зуб, примерить, привыкнуть и только потом — возможно — полюбить!

Возвращаюсь как-то поздно вечером, волочу высунутый язык на плече от усталости.

Экран монитора мигает символом очередного письма — начальствующего циркуляра.

«Вам надлежит поехать на побережье, по детским санаториям, домам отдыха и лагерям. Там в большом количестве сконцентрирован наш потенциальный покупатель! Отправляем вам очередную партию товара и Гарфильда. Обеспечьте своевременный прием!»

В уставшей голове роились мысли.

«Встать утром, мчаться в аэропорт, потом еще сто семьдесят километров по забитой дороге на море. Да еще и не одному, а с каким-то Гарфильдом. Черти его несут на мою голову. Не было печали».

И терпение мое лопнуло.

Пальцы сами собой, независимо от моего мозга забарабанили по клавишам — ответ.

«Груз получу, проблем нет. Все оговоренные точки на побережье будут полностью мною окучены. Но вот этого еврея прошу ко мне не командировать, справлюсь сам — без помощников. Ваш региональный представитель...»

Все, спать. Надеюсь, они меня там, в Москве поймут.

Нет, меня не поняли, совсем не поняли.

Утром компьютер выдал ответ.

«Региональный представитель, сообщаю вам, что Гарфилд — это кот. А именно герой одноименного комикса. (Желательно, чтобы вы впредь хотя бы изредка читали журналы, которые имеете честь распространять!) Вам отгружен костюм Гарфильда в полный рост. Именно в нем вы будете раздавать детские журналы во всех оговоренных точках!»

Я оторвал взгляд от монитора. За спиной стояли уже одетые для похода в парк мои милые малыши. Они смотрели на меня и молчали. Ради этих дорогих мордашек я буду котом Гарфильдом, чего бы мне это ни стоило!

ИГОРЬ КЛЮЕВ

Москва

До 90-х — инженер, в 90-е — инструктор по теннису, после 90-х — работа в интернет-сфере.

ЗАПИСКИ ЧЕЛНОКА

1992 год. Курс доллара, начав со скромной высоты 30 рублей за доллар, быстро преодолел высоту 500 рублей к концу года, но скоро выяснилось, что это только начало рекордного взлета. Институтские заказчики работ, значительная часть которых оказалась после Беловежской Пущи на территории независимых государств, перестали перечислять деньги. Сам же институт по примеру Союза развалился на несколько фирм с независимыми счетами. Наш отдел оказался слишком научным, чтобы частники стали перечислять ему деньги. Мы стали числиться сотрудниками без зарплаты со свободным графиком посещения. Все стало с ног на голову. 25-летний стаж работы, который еще недавно был пропуском без очереди к профкомовскому распределителю, где выдавались квартиры, машины, дачные участки, дефицитные путевки в санатории, оказался обузой — труднее переучиться на то, за что могли заплатить деньги в условиях рыночной экономики.

1993 год. И поехали… В Турцию за товаром. Конечно, не все. Лауреаты с 25-летним стажем раздумывали. Заграничный паспорт оформлялся за три дня и без всяких анкет. Начальный капитал — 300 долларов, но в 93-м это было богатство. Где взять? В институте, в самом центре, между корпусами рядом с цементной скульптурой, изображающей женщину, держащую в руках нечто среднее между моделью первого спутника и ядром расщепленного атома, образовался клуб-обменник, где бывалые мешочники/челночники делились опытом и могли даже дать в долг капиталистические денежные знаки. Статья УК о спекуляции валютой еще не была отменена. Но кто в 93-м обращал внимание на законы. Революция. Свобода. Даже телепрограмма Невзорова «600 секунд» не очень пугала. Наконец паспорт получен, деньги взяты в долг, лишняя сотня долларов, превышающая разрешенную к вывозу сумму, зашита в трусы. Готовы ехать в Стамбул, на Восток, но для нас, бывших «невыездных», это сладкая неведомая заграница. Для нас это был Запад.

Где-то там, высоко над Киевским вокзалом, проносились спутники, а инженеры, причастные к их созданию, уже в ранге челночников попивали чаек в вагоне поезда, который двигался, если смотреть оттуда, сверху, по большой дуге, все больше отклоняясь на юг. Через Украину в Румынию, потом в Болгарию. В Болгарии пересадка на автобусы, и оттуда прямо на Восток — в Стамбул. При подъезде к границе с Румынией разговор в вагоне только о том, что стоит ли перепрятывать лишние сто, а у некоторых и двести долларов из интимных мест на теле в укромные места в вагоне. Например, в плафон купейной лампы или полые держатели на стенах. Наконец поезд остановился, и по вагону пополз шепот — таможня идет. В вагон неторопливо вошла полноватая женщина средних лет, представитель украинской таможни в форме таможенной службы Советского Союза, и, приятно улыбнувшись, сказала: «Кто запрятал деньги в ботинки, доставайте». Потом, найдя взглядом два побледневших лица, добавила строго, уже обращаясь только к ним: «Вы и вы».

И вот поезд пополз к мосту через речку мимо рассыпающейся, потемневшей избушки, похожей на сгорбленную старушку. Мост — это граница, и сразу за ним белые блочные пятиэтажки румынского городка и дети в цветастых шапочках. Свершилось — и в каждой следующей анкете в графе «был ли ты за границей» мы могли с гордостью писать «Да».

В Болгарии пересели на автобусы. Долго поднимались и потом спускались по серпантину дороги, преодолевая перевал. Где-то недалеко гора Шипка, место русского подвига и славы, а нас, не убоявшихся позорного звания мешочников, водитель-турок катит мимо, в Турцию. Март. Деревья без листьев, и от этого поросшие лесом горы перевала выглядят, как головы с поредевшей шевелюрой. После перевала дорога прямо стрелой в Стамбул. Через два часа пути из дороги вырывается одна из полос и под прямым углом уносится вправо. Там Греция. Там Парфенон, статуи олимпийских богов. Но наш путь только прямо, в Стамбул. За джинсами, кожаными куртками, махровыми халатами и яркими цветастыми пластиковыми мусорными ведрами, которые в Москве уходили сразу с двойным «отбоем» — мечта любого челночника.

Ночь. Аморфная темень справа, слева, сзади, и только спереди фары автобуса нащупывают твердую дорогу. И вдруг, как это бывает в длинных коридорах коммуналок, когда свет пробивается из-под двери туалета, полоска света в направлении нашего движения. По мере нашего приближения она расширяется, становится заревом и наконец, выплескиваются, как праздничная иллюминация, залитые светом витрины магазинов. Нет, это не был Стамбул, а всего лишь мелкий городишко, выпрыгнувший из темноты на нашем пути, но все, с десяток магазинов на центральной улице были готовы торговать в два часа ночи. Какой контраст с Москвой 93-го года, тогда еще тускло освещенной и сонной в ночное время.

Рассвело. Вокруг низкие каменистые холмики без всякой растительности во все стороны, до горизонта. После нескольких часов неменяющегося пейзажа впереди показался холм большего размера, который по мере приближения стал превращаться в нагромождение домов. Нагромождение домов разбилось на улицы, заполненные плотной толпой. Вот и Стамбул.

Что покупать? Где покупать? По группе пронеслось — нужно покупать прямо с фабрик, чтобы купить дешевле, чем в магазине. Бывалые челночники тем временем исчезли по своим, известным только им адресам. Мы, новички, в растерянности остались на улице. Постепенно нас стали плотным кольцом окружать мальчишки — уличные торговцы. Вооруженные сияющими, как с фотовыставки, улыбками, предлагали купить пачку из пяти носков за один доллар. Но их дружелюбность обманчива. Неопытные челночницы, которые по привычке носили деньги в сумочках, попадали в группу риска. Были случаи, когда их окружала ватага таких вот улыбчивых ребят. Один выхватывал сумочку, другой бросался под ноги преследователей, и все врассыпную в узкие кривые улочки. Языкового барьера не было — все турки, вовлеченные в торговлю с нами, знали несколько слов, необходимых для обмена денег на товар по-русски. Скоро начали находиться фабрики. Как оказалось, фабрики — это двух-, трехкомнатные квартиры в обычном жилом доме.

В одной комнате турок торговался о цене. Чтобы выманить у нас побольше долларов, угощал чаем в маленьких прозрачных стаканчиках. В других комнатах в это время турчанки отстрачивали продукцию. Почти на всей продукции красовалась этикетка — «Made in Italy». Через два дня деньги потрачены. Товар, упакованный в тюки, выносится и укладывается горой на тротуар перед гостиницей. Подъезжает наш автобус. Новички в шоке — размеры горы товара очевидным образом превышают размеры автобуса. Через пару часов подгоняют еще один автобус.

Начинается коллективная загрузка тюков. Задняя дверь закрывается, весь товар заносится через переднюю дверь. Если получится, то останутся и для нас сидячие места. Не получилось. Поедем, лежа на тюках — так тоже комфортнее, если только под тобой не окажется тюк с пластиковыми ведрами. Поездка в Турцию семидневная, и к концу пятого дня — отъезд из Стамбула, все новички уже становятся закаленными челноками. Это же Константинополь. Мы чувствовали себя рыцарями, возвращающимися из крестового похода, — бесстрашными и непобедимыми.

В три часа ночи добрались до турецкой границы. Встали толпой у автобуса. Таможенник в отглаженном кителе, аристократично попивая чаек из прозрачного стаканчика, стал брезгливо посматривать на наши небритые физиономии бывших лауреатов и кандидатов режимных наук. Пополз слух — таможенный досмотр, а это значит, полная выгрузка и потом снова загрузка автобуса. Что делать, пока ждем? Начали играть в футбол пустой консервной банкой. Разогрелись. Таможенник, забыв про чай, смотрел на нас с открытым ртом, и чай холодел в его стаканчике. Ура! Досмотр отменили. Четыре утра. На болгарской стороне, в харчевне, открытой для челночников, пили водку, закусывая горячим сочным мясом. Здорово.

Наш перегруженный автобус медленно ползет по серпантину к верхней точке перевала. Лежа на тюках под крышей автобуса, хорошо видишь заснеженный край дороги. Автобус чуть покачивается, как трос под канатоходцем. Последние триста-четыреста метров до верхней точки слышно, как надрывается двигатель на первой передаче, все, переползли.

В Болгарии перегрузка на мелкой железнодорожной станции, от которой два часа — поездом до Софии. Поезда, проходящие к Софии и обратно, делают 10-минутную остановку, достаточную для немногочисленных болгар, следующих в столицу и обратно с парой чемоданов. То, что станция стала перевалочным пунктом для челноков, расписание не учитывает, и мы имеем только 10 минут на перегрузку из автобуса мешков. Но в реальности поезд стоит на станции часами, до полной перегрузки товара. Этот феномен объясняется тем, что руководство станции было по совместительству владельцами туристических агентств. Туристические агентства в Москве собирали челночников и везли до этой станции в Болгарии, а автобус до Стамбула и обратно организовывали уже болгары. Поэтому мы были на станции не только пассажиры, но и клиенты.

Погрузка затягивается. Дополнительных вагонов не будет, и со всем товаром нужно утрамбовываться в единственный, который есть. Наконец, облегчение — весь товар в вагоне. Поезд трогается. Руководительница группы ползет по мешкам и по нам к купе проводников, чтобы отдать лист с именами пассажиров, так как поезд международный и будет пересекать границу. Последний вызов — до болгарской границы, а это два часа езды, нужно все мешки убрать по купе из вагонного коридора. Болгарские таможенники очень интеллигентны — никаких угроз таможенного досмотра, но коридор должен быть свободен от мешков. Мешки в купе выкладываются слоями, образуя ровную плоскость-постель для четырех человек, на челночном называемую «сексодром». Слои мешков поднимаются все выше и выше. Наконец, последний мешок уложен, все без сил, впереди Москва.

ПЕТР МУРАТОВ

Новосибирск

До 90-х — научный сотрудник
НИИ, кандидат биологических
наук, в 90-е — «торгаш» (хотя
продолжал числиться в штате
НИИ до 2004 года), после 90-х —
заместитель директора компании
«Экологическая техника».

И СЛАДОК МНЕ МОЙ ГОРЬКИЙ, МОЙ, ПАТРИОТА, ХЛЕБ...

На момент прихода в нашу страну эпохи рынка я еще полноценно трудился в науке, связывая с ней, родимой, свое будущее. Рынком грезили, его идеализировали, считая панацеей от всех бед в экономике. Однако пришел черед «рыночных реформ», увертюрой которых стала «шоковая терапия», и иллюзии быстро испарились. Рынок широко «улыбнулся», и все сразу увидали его «зубки». Как говорится, «за что боролись...»

Однако я еще не до конца понимал, что, по Булгакову, Аннушка уже «разлила масло» на рельсах истории, и судьба моего НИИ молекулярной биологии предрешена. Накануне мною было проведено испытание новой вакцины, шла обработка результатов. Ставшие хроническими задержки зарплат воспринимались философски. Все ожидали: вот-вот что-то наладится. А как иначе?! Ведь мы, наивные горячие сторонники молодой российской демократии, совсем недавно перевернули страницу «мрачного тоталитарного прошлого». И впереди только светлое будущее с неминуемым торжеством саморегулирующегося рынка и демократических ценностей! Но время шло, а ситуация и не думала улучшаться.

Идею торговать книгами мне с моим товарищем Женей подбросил сотрудник нашего института Валера, разоткровенничавшись однажды за кружкой пива. Его родители жили в селе неподалеку от Новосибирска. Перед тем как навестить родителей, он прикупал книжек на оптовой ярмарке и, наценив вдвое, перепродавал их в правлении колхоза. Валера даже договорился с односельчанкой, и уже она торговала его книжками за малую долю. Вскоре его доход от книготорговли превысил институтскую зарплату.

Мысль показалась интересной. Мы с Женей поехали на ярмарку — она занимала здание Дома культуры, начинавшего крениться набок, авиазавода имени Чкалова и примыкавшую к нему площадь. Купленные книги уместились в чемоданчике. Брали, руководствуясь интуицией, и на первый раз она нас почти не подвела. Торговый дебют состоялся в деревне Ново-Пичугово: мы сочли знаковым тот факт, что она стояла рядом с местом окончательного разгрома сибирского хана Кучума отрядами Ермака. В институте на тот день взяли по отгулу.

И пошло-поехало. Сперва, изъездив округу, торговали сами со столиков. Со временем обзавелись мелкими оптовиками на местах, а также сдавали книжки на реализацию в книготорги по области. Превратились фактически в посредников, сами уже не торговали: притомляла местная шпана, косившая под рэкет.

Тем временем в нашем институте начался «великий исход»: научный люд повалил за границу, в основном в Штаты. Первым, еще в начале 91-го, отбыл начальник моей лаборатории. И.о. начлаба стал мой одногодок Игорь Дмитриев. На оформление отгулов мы с Женей и вовсе махнули рукой — просто не выходили на работу, и все. В институте наше отсутствие замечали. Однако Игорь имел то же «звание», что и я, а потому субординация была весьма условной. Небольшой откат и вовсе снял все вопросы по поводу моего отсутствия. Кое-кто в отделе недовольно бухтел, но я не брал это в голову. Научные темы финансировались все хуже и хуже, ближайшие перспективы НИИ окутаны туманом, основная забота большинства пилигримов от науки — как можно быстрей свалить за рубеж. Каждый выживал как мог. На дворе стоял 1992-й — первый год «шоковой терапии».

Но вот возникла проблема: нераспроданный товар, или, в просторечии, «висяк», который, согласно договору, возвращали наши оптовые клиенты. «Висяк» стал скапливаться в угрожающих количествах. Куда его девать? Ответ напрашивался один: распродать на чкаловской ярмарке, ибо там раскупалось все. Попутно можно было попробовать перепродать только что купленное тут же, на ярмарке. А что? Интересная идея, хотя и спекуляция в чистом виде.

Но я все мучился «интеллигентскими» комплексами, ведь меня, кандидата наук, могли увидеть сотрудники нашего института в амплуа, столь презираемом ученым людом. Мы с Женей не афишировали род своей новой деятельности, хотя некоторые о чем-то догадывались, торговали далеко от города. Дмитриеву, получавшему откат, трепать языком было незачем. А тут никуда не денешься: вот он — торгаш, барыга! «Ученый» называется! Тьфу!

Однажды на меня на ярмарке нарвался один наш сотрудник. Минут пять он с презрительной улыбочкой наблюдал, как я торгую, а потом горестно изрек: «Охо-хо, и это — кандидат наук!» Я смущенно замялся. Выручила моя супруга, торговавшая рядом. Чувствуя мое смятение, она быстро с ним «разобралась»: «Так, что берем? Ничего? Тогда чего пялимся? Быстренько проходим мимо, не задерживаемся!» Впоследствии, не раз оказываясь в подобной ситуации, я, как выражается наш президент, больше «сопли не жевал». Мгновенно надевал бравую хамоватую ухмылочку: да, а вы разве не знали? А вот так вот! Иногда даже пытался их немного позлить, изрекая: «Стране миллион честных предпринимателей нужнее миллиона статистов от науки!» Ведь еще совсем недавно советская идеология гордилась тем, что треть всех научных сотрудников мира насчитывалась в стране «победившего пролетариата». Впрочем, на бесспорности своего утверждения относительно «нужности» не настаиваю.

Тем временем «исход науки» продолжался. Отъезжали целыми семьями вместе со своими умненькими детишками. Мы с Женей как-то насчитали более пятидесяти «слинявших за бугор» семей, которых лично знали. Большинство сотрудников моей лаборатории свалили, в том числе и Дмитриев. Признаюсь, я тоже мучительно решал — ехать не ехать, ехать не ехать... Умом понимал — вроде бы надо, но сердце решительно сопротивлялось.

Помню, как все мы, оставшиеся, с волнением ожидали приезда первых отпускников-эмигрантов — ну, как там, как, как, как?! Приехали — один, другой, третий... Лоснящиеся мордашки почти у всех округлились, а в высокомерных взглядах читался один вопрос: «ну, че, вы все еще здесь?» Нет, многие из них вели себя вполне тактично, но кое-кто просто захлебывался слюнями, давясь байками про заморские «чудеса». Иногда их поросячий восторг выглядел настолько неестественно, что закрадывалось сомнение: а не самоутверждаются ли ребята за мой счет? Казалось, все свое высокомерие и снобизм «слинявшие», за неимением другой «аудитории», решили излить на нас, своих вчерашних коллег, оставшихся на Родине. И чем менее успешны они были «там», тем больше, по закону компенсации, они пытались «отыграться» на нас здесь. Одна особа договорилась до почти расистского утверждения: «Все делятся на две группы — тех, кто еще не уехал, и на тех, кто не сможет уехать никогда!» Вторая группа, по ее логике, состояла сплошь из представителей «низшей расы». Подобные слова жалили очень больно, ведь крыть в ответ нам тогда было абсолютно нечем... А когда я пытался что-то вякать про любовь к Родине, кое-кто из представителей «высшей расы» смеялся мне в глаза.

Первыми из нашего института уехали «маячки» — ученые, в полном смысле слова. Я подумал, что, наверное, это оправданно, ведь их квалификация дорого стоила, ее необходимо было сохранить. Потом пошел «второй эшелон» — те, кто послабее: цепная реакция, «массовый психоз», полагал я. Но когда поехал «третий эшелон», захотелось крикнуть, мол, вы-то какие, к черту, «ученые»? И я понял: «крысы бегут с корабля». Хотя многие из «третьих» вполне могли бы попробовать реализовать свои способности в других сферах дома: предприимчивых, оборотистых ребят среди них хватало.

Тему отъезда для меня на веки вечные закрыл в 1996 году мой бывший шеф, за что я ему крайне признателен. Он был существенно старше меня, на порядок более авторитетен как ученый и, проживая за океаном к моменту нашего с ним разговора уже несколько лет, преуспел там, пожалуй, больше всех из знакомых мне пилигримов. Выпендриваться передо мной ему было незачем, поэтому я, немного страшась ответа, откровенно спросил:

— Скажи честно, надо уезжать?

Шеф отвернулся и минуту смотрел в форточку — я терпеливо ждал.

— Знаешь, если ты здесь не бедствуешь и относительно комфортно себя ощущаешь, я бы не советовал. Запомни, что бы ни пели тут наши, почти все они там — старшие лаборанты, а никакие не ученые. Я многих из них держу в поле зрения. По крайней мере, на различных конференциях и симпозиумах регулярно вижу лишь нескольких из них.

А последняя его фраза и вовсе поставила жирную точку в этом вопросе:

— Первое время, и довольно долго, было предельно тяжело, хоть удавись...

М-да... И добро бы все они, «новообращенные», там, за бугром, были счастливы. Ну, не бедствуют, конечно, получая свою ренту с богатства стран, не ими созданного, трудятся в меру сил на ненавистного американского «дядю», одновременно боясь и лебезя перед своими боссами. Как пел когда-то Окуджава: «И горек мне мой сладкий, мой эмигрантский хлеб...»

Помню, сидели как-то у меня дома с одним из моих бывших коллег (он приехал из Штатов в отпуск). Пили водочку под соленые грузди и помидорчики, пели под гитару кээспэшные песни. Спрашиваю: «Знаешь, чем отличается исполнение этих песен здесь и там? Здесь я их пою, а там бы их скулил». «Бывший» ничего не ответил, только вздохнул.

Я, конечно, не имею права осуждать всех уехавших, да и альтернатива их отъезду, которую сам же описываю, не мед. Перефразируя Окуджаву, можно сказать: «И сладок мне мой горький, мой, патриота, хлеб...»

Сегодня я могу достаточно объективно сравнивать два огромных сообщества людей: бизнеса и науки. Быстро соображающих, комбинирующих, стратегически и тактически мыслящих игроков среди бизнесменов больше, ведь в бизнесе, особенно крупном, без этого не выжить. Но интеллектуальный уровень у научных сотрудников выше. Впрочем, не берусь угадать, сборная какого из этих сообществ победит, к примеру, в двустороннем шахматном турнире. В бизнесе полно бывших «тружеников науки», но вот способность «чистого» бизнесмена стать ученым крайне сомнительна. И не дай бог, чтоб вновь настали времена, когда кандидаты наук рядами и колоннами шли бы в торгаши.

РОМАН

СОВСЕМ
НЕ МИРНОЕ ВРЕМЯ

Одно из самых ярких впечатлений связано почему-то с празднованием Нового 1992 года. 1991-й выдался голодным, магазины, мягко говоря, совсем не радовали изобилием. В домашнем холодильнике тогда тоже хоть шаром покати.

Жили мы тогда в городе Пензе, в небольшом, но очень уютном микрорайоне Западная Поляна. Я работал инженером в НИИ «Контрольприбор», здание которого располагалось в пяти минутах ходьбы от дома. Жена преподавала историю в школе, тоже рядом с домом.

Декабрь 91-го выдался очень тяжелым, в магазинах были только килька в томате, морская капуста, макароны и, кажется, уксусная кислота. Естественно, из такого незамысловатого списка продуктов ни одно праздничное блюдо приготовить было нереально. Но выход все же нашли. Отец моей жены работал в автомастерской и вместо денег за ремонт пробитого радиатора для 24-й «Волги» взял с ее владельца засушенные грибы. Их-то мы на Новый год и приготовили. Шампанское тогда достать даже не пытались, вместо него было немного вина, оставшегося с каких-то предыдущих торжеств. Что-то еще удалось достать по талонам.

По традиции, Новый год мы встречали большой семьей: приехали наши родственники со всей области, с других городов. Приехал двоюродный брат из Душанбе, куда его, инженера по радиоэлектронике, распределили после окончания института. И тетка из Нижнего Ломова, работавшая в ту пору на маслодельном заводе. Она помогла с заготовками, а потом решила пройтись по магазинам, вдруг что еще для праздничного стола попадется. Вернулась удивленная: «У вас даже сливочного масла нет?! Да у нас на заводе все холодильные склады им забиты, не знаем куда девать! Как же так?!»

Вот и мы до сих пор себя спрашиваем: «Как же так-то?» Заводы и фабрики работают в привычном режиме, все склады забиты продуктами, а в магазинах — пустые прилавки... Потом, когда в первых числах января отпустили цены, в магазинах внезапно все появилось. Пусть и в десять раз дороже, но зато стало реально купить колбасу разных сортов, рыбу, шампанское. И пресловутое нижнеломовское масло.

Кстати, тот Новый год был последним, который мы встречали все вместе. Дальнейшая жизнь разбросала всех так, что о судьбе некоторых родственников мы даже и не догадываемся. Двоюродный брат со своей женой вернулся из Душанбе в апреле 1992-го, когда там стали серьезно притеснять русское население. В Пензе он пытался открыть свой бизнес, связанный с радиоэлектроникой, ездил челноком в Польшу, но после нескольких встреч с крепкими ребятами в спортивных костюмах, пытавшимися загнать его под свою «крышу», отошел от всего этого, взялся за бутылку. Брат часто любил повторять: «В мирное время». Он имел в виду период до 1991 года, потом мирного времени уже не было.

А летом 1994 года мы с женой и сыном переехали из Пензы в Тюменскую область. После сокращения из НИИ я радикально сменил профиль работы, много лет трудился на буровой установке, добывал нефть. А жена так до сих пор историю и преподает.

С переездом тоже связана одна крайне неприятная история, едва не закончившаяся трагедией. Сын тогда заканчивал третий класс. А учился он не в той школе, где преподавала его мать, а в другой — чуть подальше от дома, но это было его принципиальное условие: не хотел, чтобы мама была его учителем и классным руководителем, почему-то стеснялся, думал, из-за этого к нему будут плохо относиться в коллективе. И вот в последний учебный день перед торжественной линейкой окна школьной аудитории изрешетила автоматная очередь. Дети не на шутку испугались, приехала милиция. Оказалось, две местные группировки что-то не поделили, ну и не придумали ничего умнее, как устроить разборку на пустыре близ школьного дворика. К счастью, никто не пострадал. Просто чудо какое-то: один из учеников только-только закончил отвечать у доски и сел за парту. И сразу же грохнули выстрелы...

АЛЕКСАНДР ШАБАНОВ

Москва

Переводчик (с начала карьеры
в 1995 году профессия не менялась).

ОБМЕН

1993 год. У себя в вузе я староста группы. Обязанности почетные и не слишком обременительные... кроме единственного раза в месяц, когда звание приходится отрабатывать по полной — дня выдачи стипендии. Получаю деньги на весь свой микроколлектив и после раздаю каждому, что причитается.

То еще, следует отметить, развлечение... В крошечном помещении перед окошком кассы всегда толпа, старшекурсники норовят пролезть без очереди, знакомый подзывает знакомого, кого-то удается одернуть, кого-то нет. Но зато когда после часа стояния в духоте и толкотне вываливаешься в коридор, удовлетворенно прячешь честно заработанные деньги в карман, смахиваешь пот со лба и понимаешь, что усилия не пропали зря.

Учебный год заканчивается, позади и жаркая июньская пора экзаменов. Наступают каникулы. Почти все мои одногруппники разъезжаются кто куда прежде очередной положенной выплаты.

— Слушай, — говорят мне, — мы тебе доверяем... Давай, ты за нас стипуху получишь за все лето, а мы в сентябре ее у тебя заберем!

Вообще-то мало какому студенту (и мне в том числе) пришло бы в голову отказываться от денег на все лето. Но основной контингент моего вуза — детки дипломатов и тому подобной публики. Один или двое разве что предпочитают получить деньги сами, но большинство устраивает «оптовый» вариант. Мажоры, что сделаешь... Ладно, пусть будет так.

Однако итоговая сумма выплат на десять — ладно, пусть даже восемь — человек более значительна, чем несколько средних зарплат по стране. Выходя из кассы с парой запечатанных плотных пачек в сумке, чувствую себя значительным, как отделение Госбанка... и ответственным ничуть не менее. Дома старательно запрятываю «сокровища» среди бесчисленных книжных томов. Пусть спокойненько себе полежат в укромном местечке до самого сентября!

Но не проходит и недели, как небо рушится и с грохотом погребает под собой землю. Объявлен всеобщий обмен денежных купюр.

Вообще-то это мы один раз проходили. Пресловутая «павловская реформа» — кто ее не запомнил?! Каково это: проснуться с утра и из новостей услышать, что все свои накопления, всю имеющуюся наличность ты обязан перевести в новые дензнаки, да притом еще уложиться с этой процедурой не более и не менее как в ТРИ ДНЯ!

Что творилось в отделениях Сбербанка в те зимние дни, 23—25 января 1991 года...

А усугублялся всеобщий шок еще и тем, что по инерции, сохранившейся с конца восьмидесятых, мы еще сохраняли остаток доверия к правительству. Да, полки магазинов стремительно пустеют, зреет политическая напряженность, всеобщая озлобленность растет... Но ведь есть же грань, которую переступить невозможно! Не далее как несколько недель назад — чуть не накануне еще! — выступал по телевизору малосимпатичный толстяк с поросячьим рыльцем, министр финансов, столько обещавший прежде вывести страну на правильный экономический путь, и, глядя прямо в камеру, чуть не честным словом ручался, что никаких неожиданных реформ, никакого обмена денег не будет!

Чтобы потом последовало вот это объявление: в следующие три дня...

За границей, кричали одни из нас тогда, министр, вот так откровенно солгавший народу, немедленно уходит в отставку! Так то за границей, цинично усмехались другие. Но мы же сегодня равняемся на заграницу, как же можно, снова вопили первые.

А большинству не было дела до подобной дискуссии вообще. Все были слишком заняты: не только срок обмена был ограничен свыше всякого предела, но требовалось еще и предоставить справку, откуда, из какого источника, появилась у человека подлежащая обмену наличность.

Заявлено было, что обмен старых купюр на новые затеян, чтобы вывести за штат накопления теневых дельцов. Что-де честный труженик свои кровные обменяет спокойно... при наличии соответствующего документа.

Не знаю, как насчет «теневых дельцов» (на эту тему поразмыслите сами), а те, кого я знал, с кем жил рядом и с кем встречался, были в панике.

Помню, домашний телефон раскалялся. Знакомые звонили знакомым в поисках тех, у кого по какой-то причине накопления были меньше предельной суммы, и можно было попросить обменять чьи-то еще деньги. Бегали, собирали справки, стояли в диких очередях в сберкассы, падали в обмороки, дергались, как под действием электротока — и не верили, что все это происходит с ними, в их родной стране, в которой, оказывается, и вот так можно было поступить с людьми.

Помню, несколько месяцев спустя после того, первого обмена случайно открылась какая-то книга с дальней полки, и в ней обнаружились пятьсот рублей, припрятанные когда-то «на черный день». И моя несгибаемая, стальная, железобетонная бабушка плакала, глядя на фиолетовые полусотенные билеты: деньги, которые копила небогатая ее мама, не тратя ничего сверх необходимого, которые могли бы пойти на что-то хорошее или быть так нам полезны в это безвременье, в результате «павловской реформы» превратились в прах, в ненужные цветные бумажки. Не забуду этого дня. Никогда.

Но за два года тогдашний шок как-то сгладился, отступил, отодвинутый на второй план тем, что происходило вокруг. Все прошло... есть ли смысл вспоминать такой негатив?

А смысл-то, оказывается, имелся.

Конечно, какое-то время бродили уже смутные слухи, велись дебаты: мол, покупательная способность рубля падает, а цены бешено растут... как бы с этим быть... вроде бы подготавливаются меры... Но какие меры, что — а главное, когда — будет сделано, понятно, «широкие массы» представления не имели.

И вот оно, грянуло!!!

Скажу совершенно честно: на сей раз шквал окружающих эмоций в основном прокатился мимо меня, потому что моя проблема заслоняла мне чужие. Известие об обмене денег (а главное — о предельных объемах такого обмена, которые, как же без этого, тоже были поставлены!) погрузило меня в леденящий ужас. У меня на руках такая сумма, которая практически перекрывает дозволенную — и я не смею, не имею права просить родных помочь мне с обменом, потому что это лишило бы семью всех имеющихся средств. И в то же время как я буду в сентябре отчитываться перед ребятами за утраченную ими трехмесячную стипендию?!

Я рванул в институт в состоянии безумной надежды и полного отчаяния. Готовый, если мне откажут в обмене, не то голыми руками вырвать решетку в окошке кассы, не то ломиться на прием к ректору, министру, президенту... Но везение меня не оставило: в опустевший каникулярный вуз слетелось немало таких же бедолаг, как и я, и стипендию всей группы замотанная кассирша обменяла мне по ведомости на новые купюры без единого возражения.

Бывали, впрочем, во время этого обмена и забавные эпизоды. Вот такой, например...

Июль 1993-го. Ошалелый, взбудораженный мужчина звонит своему товарищу по работе.

— Ну?! Как быть?! Надо же что-то делать! Мы ж только-только зарплату получили! Как-то что-то надо с деньгами решать!

— А я свои еще в пятницу обменял, — с философской безмятежностью отвечает собеседник. — На колбасу.

Действительно, аккурат перед самым объявлением о «реформе» семейство практически на всю сумму свежеполученных зарплат с большим запасом закупило продуктов на дачу... Посему «светопреставление» встретило, что называется, «с чувством глубокого удовлетворения»: наличных в доме не оставалось буквально ни копейки.

Мы выживали и выжили

ВИКТОРИЯ БОЧАРОВА

Новгородская область

До 90-х — студентка.
В 90-е — учитель русского языка
и литературы. После 90-х — учитель
русского языка и литературы.

Я и 90-е

История выживания

Никогда не думала, что 90-е годы — плохо и страшно. В это время проходили мои веселые студенческие годы, а после сразу же родилась дочь. Я, деревенская девчонка, училась на филфаке в областном центре, городе Великий Новгород. Родители деньгами помочь особо не могли, давали только на самое необходимое. В принципе, в режиме экономии на месяц растянуть было можно. Да, и это учитывая, что периодически в общежитие отправлялись мешки с картошкой, морковкой, свеклой, тушенкой и прочими деревенскими дарами. Да мы не так сильно и заморачивались на тему «будет ли сегодня ужин». Нет так нет, поедим хлеб с чаем.

Первый момент, который запомнился, — это наш очередной с подружками поход за продуктами на дешевый рынок. В магазин мы ходили реже, так как там было все дороже. Приходим мы со списком продуктов на неделю, где все рассчитано до копеечки, и понимаем, что чего-то не понимаем. Везде нас встречают какие-то непонятные и жуткие ценники, нагло ухмыляющиеся нам в лицо. На бутылке растительного масла, издеваясь над покупателями, находится ценник из магазина норковых шуб. Чуть позже добрые люди объяснили нам, в чем дело, обозвав все это безобразие каким-то непонятным, и от этого тревожным словом. Но мы все-таки не ушли пустыми. На недельный бюджет удалось приобрести четвертинку черного хлеба, банку просроченной сметаны и рулон подмокшей туалетной бумаги. Правда, последняя была жизненно важна и необходима после употребления второй по счету покупки. Чего мы только не ели в это время! Макароны жареные, макароны вареные, макароны с водой, суп с сухими грибами и тушенкой, борщ из свежей крапивы. Однако это было время и жизненных открытий, время расцвета русского рока, на котором мы все взрослели. Особенно любимы были Бутусов и Цой. Их песни знаю наизусть и часто слушаю. Эта любовь к их творчеству и сейчас с нами.

Очень интересные и необычные блюда довелось мне попробовать и у родителей. Маму сократили, совхоз, где работал отец, развалился. Денег не было даже на буханку хлеба. Особенно тяжко было весной, когда старые припасы подъелись, а новые еще не выросли. Из всех имеющихся овощных остатков готовился отличный постный супчик под названием «ботвинья». Если честно, на вкус он был так себе, но, когда проголодаешься, очень даже и ничего. А еще, в отличие от концлагерного рациона, у нас был хлеб. Ржаная мука перемешивалась с отрубями, и из этой чудо-муки выпекался очень хрустящий чудо-хлеб с аппетитной корочкой. Очень вкусный, кстати. А уж когда зачерствеет... Запросто можно этим ломтем и человека убить. Летом было легче: появлялась зелень, грибы, ягоды. Это все можно было продать городским дачникам и на эти деньги уже что-то купить. До сих пор помню счастье, когда первый раз попробовала модный «Сникерс». На вкус, конечно, гадость еще та, но обертка несколько лет висела над моей кроватью как заморская и редкая картина.

Конечно, хотелось модно и красиво одеваться, иметь хорошую косметику, но... «голь на выдумки хитра». Лак для волос прекрасно заменяла сладкая вода, духи — разведенный старый одеколон, а пудру — чуть-чуть детской присыпки младшего брата.

Также 90-е годы научили меня умению не падать духом в любых жизненных обстоятельствах. Так сложилось, что после окончания университета я осталась с маленькой дочерью на руках. Ее отец благополучно самоустранился по причине улучшения собственной жизни. В августе девочке исполнился годик, а в сентябре я вышла на работу в дальнюю школу. Это было единственное место в районе, где требовался учитель русского языка.

Поселок, он же маленькая и глухая железнодорожная станция, находился в сорока километрах от районного центра. Нам дали жилье, маленькую холодную квартирку с двумя печками. Кстати, теперь я просто убеждена, что тот, кто не перезимовал в подобной квартире, не может считать себя опытным и продвинутым советчиком по экстремальным ситуациям. За водой нужно было ходить на колонку, путь до нее составлял метров триста. Доходишь зимой с двумя ведрами по нерасчищенной дороге, а воды нет — замерзла или, как вариант, отключена. А хочется горячего чая попить, поэтому на горячей плите топится в кастрюльке снег. Но это так, к слову.

Прошел сентябрь, октябрь, ноябрь, наступил и декабрь. А зарплату нам, учителям, не выплатили за это время ни разу. Только пару раз давали какие-то копеечки, наверное, для того, чтобы хоть как-то таскали в школу ноги. Как я выживала? Дочь кормили в садике и, спасибо им большое, пока не сильно доставали с требованием оплаты, понимая, что не с чего пока одинокой маме заплатить. Я обедала супчиком или кашей в школе. А вечером мы ужинали кашей с молоком. Спасибо милой женщине

Свете, которую я буду помнить всегда, за то, что раз в два дня она давала нам литр молока. Почти полгода, просто так, так как заплатить за все это я смогла только в январе. Это молоко в то время сильно нас выручало, только оно спасало от урчания в животе.

Поэтому в то время мои мысли, естественно, были заняты вопросом: где и как заработать денег? Я остановилась на мысли, что выращу много-много моркови и осенью сдам ее в заготконтору. Почему именно морковь? Просто она была на тот момент дороже, чем картофель и свекла. Мне выделили двенадцать соток, и вся эта площадь была засеяна самыми недорогими семенами «Морковь "Лосиноостровская"» из черно-белых пакетиков. Сколько же физических сил было потрачено на этот участок! Не успевал пропалываться последний кусочек, как уже снова зарастал первый! Борьба с сорняками велась весь июнь и июль, в августе, обессилев, я просто решила: что вырастет, то вырастет. И вот пришло время сбора урожая...

Такой моркови я не видела никогда... Это были какие-то огромные монстры, а не привычные морковки. Что их заставило уродиться такими без единой крошки удобрения — загадка. Почти неделю морковью наполнялись все новые и новые мешки. Мешки с морковью были на веранде, в коридоре, в сарае — везде, где было свободное место. Заработок этот, конечно, был очень нелегким, но в тот момент оказался супернеобходимым. На вырученные деньги я приобрела маленький холодильник, о котором давно мечтала, а также красивую зимнюю шубку и мягкие валенки дочке. На этой положительной ноте закончилась моя первая предпринимательская деятельность.

Опять же хочу заметить, что все эти жизненные трудности не казались непреодолимыми, возможно, в силу молодости. Все воспринималось как-то естественно. Мы (молодежь 90-х) искали свои пути и дороги и не совсем понимали, где они и насколько они правильны. Все ориентиры, которыми жили наши родители, рассыпались, но не это угнетало, к ним-то мы как раз не успели привыкнуть. Пугало то, что никто не знал, куда идти дальше, все перевернулось с ног на голову, и уже было совсем непонятно, что хорошо, а что плохо. Поэтому, надо признаться, ошибок мое поколение натворило гораздо больше, чем совершило полезных и добрых дел.

ЛАРИСА ПОПОВА

Москва

ШЕЛ АВГУСТ 91-го ГОДА

Москва. Шел август 91-го года. Я тогда работала воспитателем в детском саду. А сад наш находился на улице Панферова, которая расположена перпендикулярно Ленинскому проспекту. Обычно детей забирают в 18 часов, начале седьмого вечера. А тут за некоторыми детьми родители припозднились. Мобильных тогда не было, срочно связаться нельзя. Ждем. Через какое-то время прибегают взволнованные мамы и говорят: «Лариса Анатольевна, извините за опоздание, Ленинский не могли перейти, танки идут и идут, видно, с Кантемировской дивизии». Это был августовский путч.

А потом я помню голодное время: карты москвича, талоны на сахар, водку, табачные изделия, стиральные порошки.

К нам в детский сад привезли гуманитарную помощь — бананы. Распределяли так: каждому ребенку по пять бананов в шкафчики клали. Родители были рады такому подарку. В магазинах кефир и молоко стали дефицитом. Купить можно было только утром, вечером уже ничего не купишь.

Моя школьная подруга, которая жила в Ленинграде, написала в письме, что в городе не может купить хозяйственного мыла. Я ей на почту пошла посылку отправлять с хозяйственным мылом. Люди, которые в это время находились на почте, удивлялись: «Это до чего дошло, в Ленинграде уже и мыла не купишь!»

МАРИНА АЛЕКСЕЕВА

Нижний Новгород

В 90-е годы «служила» с мужем на Дальнем Востоке. В 2000 году — начальник отдела на производстве. С 2007 года — учитель начальных классов. Мама троих детей.

ЖЕНА ДЕКАБРИСТА

Наш народ пережил 90-е годы, по сравнению с которыми нынешнее время — это время рога изобилия! Живучесть, выживаемость наших людей достойна только самых высоких похвал!

В 1994 году, в июле, я вместе с мужем, военным моряком, отправилась покорять Тихоокеанское побережье, в славный город Владивосток. Муж только что окончил военное училище в Нижнем Новгороде, факультет ВМФ, и по распределению попал на Дальний Восток.

Первую неделю по прибытии во Владивосток мы жили в гостинице, недалеко от Морского вокзала. А потом у нас закончились деньги, и мы решили предстать «пред очи» командования Тихоокеанского флота с нижайшей просьбой выделить нам какое-то жилье. Командование показало нам «дулю», развело руками, мол, «служебного жилья нет, и в ближайшем будущем не предвидится». И поселились мы на госпитальном судне «Обь», в одной из кают.

Наступил август, во Владивостоке температура воздуха была 30 градусов плюс высокая влажность. Ощущалось, будто на улице все 50 градусов жары, а не 30. Я ожидала своего первенца, страдая токсикозом, плохой переносимостью жары и прочими «прелестями» своего состояния. Помывочная на судне находилась в самом конце, в матросской душевой. Чтобы попасть туда, нужно было выстоять очередь. Приблизительно к часу ночи, отстояв очередь в душ, наскоро помывшись, добредаешь до своей каюты и падаешь в кровать. А ночью в нашей каюте разгуливали крысы, огромными полчищами совершая набег на еду, оставшуюся от ужина. Они прыгали по нашим подушкам, по одеялу, стучали коготками по полу и по столу.

Почти через месяц такой «веселой» жизни я взвыла и мы с мужем решили снимать квартиру. После долгих и мучительных поисков мы наконец-то нашли комнату в двухкомнатной квартире на проспекте 100-летия Владивостока, у женщины-казашки, которая показалась нам очень милой и порядочной. Поселились мы на 8-м этаже, лифт не работал, т. к. постоянно не было света. А я беременная. Небольшое лирическое отступление. Кто не знает, во Владивостоке свет и вода были только ночью или по 2 часа утром, днем и вечером. В остальное время не было ни света, ни воды. Ночью нужно было приготовить еду, постирать, все вымыть... Как в одной русской сказке: «Ночью попрядешь, поткешь, повышиваешь, пошьешь и опять — спи-отдыхай!

Ну, под утро белье постирать, которое надо — поштопаешь да зашьешь и — спи-отдыхай!»

Практически все деньги мы отдавали за съемное жилье, ели пайковые консервы, крупы, овощи, которые мужу выдавали на судне. Хозяйку нашей съемной квартиры звали Айшолпан — в переводе с казахского языка Шолпан Венера, утренняя звезда. Имя означает — красивая, как Венера. По-русски она звалась Аллочка.

Аллочка рылась у нас в мусорном ведре, выясняла, что мы едим. Дескать, вдруг хорошо питаются, надо бы цену на комнату повысить.

Прожили мы у нее 4 месяца. А в ноябре Аллочка нам заявляет, чтобы мы через неделю съезжали, не объясняя даже причин. Ни просьбы, ни слезы не помогали. Мне через 2 месяца рожать.

Нашли мы себе четвертое место квартирования, улица 40 лет Победы, рядом остановка Школьная. Сдавала родственница сослуживца мужа, Наталья. Вся семья ее сестры умерла, остался 9-летний племянник. Она забрала его к себе, а квартиру сдала нам.

В конце января у меня родился сын Алешка. И начались «веселые» дни: пеленки, кормления... Нет воды и света постоянно. Так прошел месяц. От постоянного недосыпания и недоедания я было похожа на «зомби», с огромными синяками под глазами. Мужу задерживали зарплату, пайковые не выплачивали. Закончились запасы крупы, консервов. Зато мужу периодически выдавали на работе тельняшки, носки, какие-то шарфики. Скопилось их у нас в шкафу небольшое количество, и я решила их продать и купить еды. У мужа был выходной после дежурства на судне, я оставила месячного Алешку с ним. Надела валенки и рукавицы мужа, намотала бабушкин платок и пошла заниматься бизнесом, как говорили раньше.

На площади Баляева в то время был «китайский» рынок, там торговали разными товарами, привезенными из дружественного нам Китая.

Перед рынком стояли в ряд бабульки с домашними заготовками, с хрусталем, посудой, лекарствами, старой обувью... И я пристроилась со своими тельняшками рядом с бабушкой, которая продавала огурчики. Был февраль, стоял жуткий мороз. Непривычная к долгому стоянию на улице, через полчаса я почти превратилась в сосульку, но мужественно приплясывала и нахваливала свой товар, памятуя о том, что мне нужно добыть денег на еду. Через некоторое время появились трое парней, вальяжно прогуливающихся между рядами и собирая «дань». Их еще называли «быки», или рэкетиры. Ходили они всегда по три человека: один впереди, а двое других — сзади, охрана. Подходят ко мне, просят денег, а у меня нет, я еще не наторговала. И тогда первый выхватывает у меня несколько тельняшек, разворачивается и уходит. Я бегу за ним, бью его по голове оставшимися тельняшками, кричу, чтобы отдал. Один из его «охранников» толкнул меня, я упала. Тельняшки «отстоять» не удалось. Размазывая по щекам слезы, как побитая собака, поскуливая, возвращаюсь на свою «торговую точку».

В тот день я все-таки продала все тельняшки. Какая-то женщина пожалела меня и приобрела их оптом, все 5 штук. Сказала, что мужу и сыну, пригодятся зимой. И я купила у рядом стоящих бабулек картошку, немного соленых огурчиков и почти счастливая пошла домой кормить свою семью. Мужу ничего не рассказала про «налет» на рынке, а то бы он меня больше не отпустил.

Периодически я стала ходить на рынок продавать «лишние» полотенца, носки, посуду, чтобы купить еду или что-то из одежды ребенку. Стояла и на улице Школьной, и на площади Баляева. Только получив первый негативный опыт, стала хитрее. Завидев впереди «быков», сворачивала свой товар и отходила в сторону. А когда они уходили, возвращалась на место.

Так пролетело еще 1,5 года нашей кочевой жизни. Мы опять вынуждены были менять жилье, уже в пятый раз. Нашли мы квартиру недалеко от улицы Школьной. Это была 1-комнатная квартира, на 6-м этаже. Дом, в котором находилась наша новая квартира, заслуживает отдельного описания. Это было очень длинное здание из красного кирпича. У нас бы в таком доме было минимум 5 подъездов. А в том доме был один подъезд, посередине. Из каждого коридора выход в квартиры налево и направо. По

7—8 квартир в каждом крыле, как в общежитии — очень длинный коридор и много квартир. Мы жили в левом крыле, в самом дальнем конце коридора.

И вот в один не совсем прекрасный день на 5-м этаже, под нами, начался пожар. Я дома одна с сыном. Муж уехал на 2 месяца в командировку, в какую-то Чажму, ремонтировать судно. Телефона нет, друзей и знакомых нет, воды и света тоже нет. Хватаю ребенка (ему 1,5 годика) и пытаюсь выскочить в коридор. Там все в дыму, начинаем задыхаться. Как в американском боевике «Выхода нет». Забегаем обратно в квартиру, накидываем на себя одеяла, т. к. на улице зима, и выскакиваем на балкон. Молодцы пожарные, приехали очень быстро и не дали нам замерзнуть или задохнуться.

В этом же доме, на первом этаже, был коммерческий ларек, в котором продавали всякие вкусности: жевательные резинки, конфеты, шоколадки. Эти ларьки еще называли «комок». Денег постоянно нет. Сидим вечером с мужем, хочется вкусненького. Наскребем немного денег, купим шоколад «Альпен голд», с желейной клубничной начинкой и весь вечер пьем чай, растягиваем удовольствие. Вот оно, настоящее счастье!

Так что, не верьте никому, кто жалуется на то, что сейчас трудная жизнь!

ЛЮДМИЛА СМЫКОВА

Нижний Новгород

До 90-х инженер-проектировщик. В 90-е — в декретном отпуске и одновременно уличный продавец. После 90-х — инженер-проектировщик, далее главный специалист проектного института.

КАК Я ГРЕБЛА ЗОЛОТО ЛОПАТОЙ

А я в 90-е умудрилась родить, в 41 год, остаться одна с ребенком, похоронить мать...

93-й год, наша организация в глубоком кризисе, впереди у меня декрет, а женатый отец моего ребенка уже возил товары из Китая, у них торговля шла вовсю, благосостояние росло. Там благополучие, здесь нищета, слухи о некоем женихе, которого мне нашла подруга. В итоге отец ребенка бросил меня.

А я была счастлива ожиданием своего малыша! Отложила денег на черный день, родители — пенсионеры, помощи ждать неоткуда. Нового жениха обмануть не могла, тихонько отодвинула его.

В январе 1994 года у меня родился сын. Во время беременности причуд особых не было, правда, ужасно хотелось манной каши, но манка в магазинах была только для участников войны. По талонам женской консультации давали сахар и творог, а вот манку нет.

Наш губернатор Немцов роженицам комплекты для новорожденных дарил и небольшое пособие. Правда, нас в роддоме было раз-два и обчелся: шестиместная палата заполнялась трое суток! Это крупный роддом в городе-миллионнике!

Дальше пошли будни, сначала терпимо, потом скудно. Сбережения взяла из банка: старенький холодильник не выдержал жары 1994-го. Потом кланялась ему — банк через месяц лопнул, не сломайся холодильник, все равно ни с чем бы осталась. У меня еще был вклад в крупном, любимом населением банке — на полмашины накопила, пригодился — купила аж два килограмма сливочного масла!

Через год перестали платить вовремя пособие, нашла подработку: в подземном переходе стиральный порошок импортный продавала, мне его привозили на дом, накладные, разрешение на уличную торговлю, все чин чином. Порошок отличный, шел на ура, на ежедневную зарплату хоть еды покупала. Звали они меня постоянно работать в свой магазин, многие мои подруги побросали свои дипломы, и на рынок, а мне жалко стало свою инженерную работу. Два годика сыну исполнилось, и я вышла на полдня. Скоро детсад дадут, жизнь налаживается, но тут слегла мама. Водила по врачам — на одну руку она опирается, за другую сынок цепляется, семенит рядом, томится по очередям.

Добрались до онкодиспансера, оказалось, это конечный пункт. Пока ухаживала за мамой, на надомную работу перешла, даже в больничный коридор чертежи таскала. Ненадолго сестра приехала из другого города, ночевала с сынишкой моим, пока я ночью у мамы дежурила.

Через полгода мамы не стало, сынок стал в садик ходить. Пособие матери-одиночки не получала: моя зарплата превышала прожиточный минимум на 30 рублей. Выжила. Сейчас удивляюсь — как? Немного помогал мой отец (подарки на дни рождения мне и внуку). Но там жадная рука его второй жены руководила: «Люда богатая, ей вон даже детские не положены».

Кстати, детские стали платить, потому что тем, кому зарплату задерживали по три месяца, как мне, несмотря на богатство 30-рублевое, полагалось выплачивать пособие. Только соцзащитная дама мое заявление выбросила со словами: «Вы богатая!»

Помню, с грустью ответила ей: «Лопату только купить не на что». «Какую?» — спросила она. «Да золото грести чтоб было чем!»

Пришлось жаловаться, но год почти так и пропал — заявление-то первое выкинули, словно и не обращалась я.

Выжили, садом немного кормились, грибы, ягоды в лесу. На работе наладилось понемногу, до главного специалиста дослужилась. Домишко в саду недавно достроили, сын вырос, окончил университет. Выжили!!!

Его отец нажил много богатств — огромный коттедж в элитном поселке. Явился через годы, сыну уж лет 18 было. Пока думала, брать ли его, он взял и умер внезапно. На его богатства нашлись другие наследники, среди них есть и весьма пьющие. Но это, как говорится в одной передаче на НТВ, совсем другая история!

НАДЕЖДА КОВАЛЕВА

Вишневогорск, Челябинская область

Работала и до сих пор работает учителем.

СТУДЕНЧЕСКИЕ 90-е

Девяностые годы были для нашей семьи студенческими.

Живем мы в небольшом городке за 150 километров от вузовских городов. Понятно, что наши дети в основном туда и поступали. У нас было две дочери-студентки, с разницей 3 года. Школу окончили с медалью. На наше счастье, обе поступили на бюджетные места в ЮрГУ, в то время это еще было доступно. И жили в общежитии, недорого. Но дед как предвидел: «С двумя студентами без штанов останетесь». Пока училась только первая дочь Лена, мы еще как-то перебивались. Сажали 10 соток картошки, закатывали по 200 банок огурцов, столько же помидор, салатов. Свой сад позволял экономить на продуктах, а свой труд не считается. Сейчас уже не могу поверить, как я успевала за вечер и ночь по 20—30 банок готовить. И ведь все уходило. Каждую неделю мы отправляли с автобусом сумки с продуктами — банки солений, варений, салатов, картошка, овощи, фрукты из сада. И обязательно пирог с картошкой и пирожки. Бывало, входишь в автобус, а в нем не запах бензина, а пирогами пахнет. Много нас, таких родителей, было. В то время никто багажные отделения не проверял, вот в воскресенье и забивалось это пространство сумками, пакетами для студентов. Водителю, конечно, давали на сигареты, но часто он и не брал ничего. А на автовокзале уже встречали наши детки автобус, разбирали свои сумки, часто неподъемные (с подружками, друзьями приходили), и питались неделю всей комнатой, а часто и друзей подкармливали. Старшая дочь, когда начала работать, варенье лет 10 не ела. Наелась, говорит, за студенческие годы. Утром хлеб с вареньем, если не успели приготовить что-то на обед, то опять хлеб с вареньем. Чай с вареньем, денег-то давали только на самое необходимое.

С одеждой тоже приходилось выкручиваться. Хорошо, хоть девчонки были не избалованы. Да и остальные студенты, похоже, были в основном нашего уровня. Единственное — я всегда дочерей спрашивала: «Вы не хуже других одеты?» Старшая дочь еще в школе научилась шить. В то время в школе в старших классах обучали какой-то специальности, и в нашей школе старшеклассницы учились на швей и даже получали удостоверения, что окончили профтехучилище. Шить ей нравилось, фантазия была, так что нарядами себя обеспечивала.

На зиму купили ей на рынке кроличью шубку, понятно, что китайскую. На вид была приличная. Через месяц все кусочки меха стали рваться, вот и пришлось самим перешивать. Но года на три хватило. Правда, постоянно подшивали.

Осенью дали младшей дочери деньги на зимние сапоги и наказали покупать не на рынке, а в магазине. Еще по старой памяти верили, что уж в магазине товар хорошего качества. Приезжает она домой на выходные в новых сапогах, я дверь в квартиру открыла, встречаю. Она поднимается по лестнице, а за ней черные кусочки остаются на ступеньках. Это подошва рассыпается. Слезы. На другой день уезжать, не отпустишь же ребенка в мороз без теплой обуви. А денег нет, и занять в то время было не у кого. В поселке только пенсионеры более или менее стабильно пенсию получали. Ладно, одна из коллег подрабатывала продажей обуви, дала новые сапоги в долг.

А когда дочь через день пошла в торговый центр с чеком, чтобы вернуть сапоги, этот отдел уже был закрыт, и никто не знал, куда он переехал.

Трудно было, но молодость есть молодость. И сейчас студенческие годы вспоминаются ими как что-то яркое и светлое. Несмотря на то что в жизни все устроились по-разному, они сохранили дружбу, поддерживают отношения.

ГЕОРГИЙ БАРАБАНОВ

Калининград

До 90-х служба в армии: Германия, Афганистан. В 90-е уволен в запас в звании полковника. После 90-х — военный пенсионер.

ВОСПОМИНАНИЯ ПОЛКОВНИКА

О себе. Я, Барабанов Георгий Николаевич, проживаю в Московском районе города Калининграда, на острове Канта. Пенсионер Министерства обороны. Полковник в отставке. Ветеран боевых действий.

В 1993 году ушел по доброй воле на пенсию. Решил, что боевому офицеру не пристало служить в «потешных войсках». В те годы так было: сегодня не знаю, что будет завтра. По несколько месяцев не платили (в том числе и офицерам, и всем остальным военным). Армию «дооптимизировали» так, что в полку на построении стояла треть рядового состава, треть прапорщиков и треть офицеров. Лейтенанты ходили старшими в наряд по кочегарке, по столовой и т. д. Боевой подготовки не было вообще.

Были порушены семейные узы, забыты традиции, исчезли надежда и вера в будущее. Люди вешались, спивались, сходили с ума. В том числе и в армии. Нечем было кормить детей. Легче застрелиться, чем смотреть в голодные детские глаза! Начал расцветать беспредел. Бандюки делили имущество и сферы влияния. Много людей пропадало.

Купил я на выходное пособие сад (4 сотки) в 10 минутах ходьбы от дома. Бабка Анфиса продала сад потому, что ее дед как-то с вилами остался на ночь караулить грядки в саду. Этими вилами его и закололи. Звереть начали люди! Слева небольшое озеро Круглое, справа — небольшое озеро Длинное. В 4 утра ходил поливать грядки и рыбачил. Ловил плотву, карасей и линей. Вечером с 16 часов все повторялось. Гонял бомжей, которые все на огородах «вычищали», несли сумки к магазинам. Там шел обмен: бабке — сумку, а она бомжу — бутылку дешевой «паленки». Позже такой обмен стал называться иноземным словом «бартер».

* * *

Как-то вечером, в 17 часов, подъехала машина, вышел полноватый, невысокий вальяжный мужчина. Шофер постелил одеяло, поставил бутылку водки, нарезал колбасы и хлебушка. Старшой позвал и меня в компанию. Я не отказался и пропустил одну. Шофер назвался Германом из Казахстана. Мой земляк, так как сам я из Кустаная. Выпили, разговорились:

— Кто такой?

— Пенсионер.

— А почему такой молодой?

— Служил.

— Где служил?

— Сибирь, Германия — дважды, Комсомольск-на-Амуре, Афган, Прибалтика.

— А человека убить можешь?

— Могу. Только мне трудно доказать, что он этого заслуживает.

— Ладно, если будет надо, то найдем (это он Герману).

На этом знакомство и закончилось. Я ушел продолжать рыбалку, а они посидели со своими какими-то разговорами минут тридцать, собрались и уехали. Больше мы не встречались. Потом только до меня дошло, что это была самая настоящая вербовка и я мог стать киллером, если бы к тому времени не имел квартиры и денег на прожитье. А эти мне больше не встречались, у них в те времена жизнь была коротка.

* * *

На рынке пострадал кто-то из мелких милицейских чинов. На халяву он захотел выиграть у наперсточников. Забрали они у него за проигрыш кожаную куртку. Ушел, а через полчаса нагрянул ОМОН. Так разбирались по всему рынку, что пару недель южные хлопцы в городе не маячили. Мораль сей басни — своих не обижай, отомстят!

* * *

В саду жену спрашиваю, что она посадила? Взошла метровая полоска чего-то. Жена говорит: «Выдерни, это мак». «Нельзя, — говорю, — наркоманы спилят яблони в отместку».

Как-то идем мы с ней домой, и у уличной торговки вижу морковь. «Смотри, — говорю жене, — точно как у нас». Дома переоделся и пошел в сад. Грядка моркови пустая. В сердцах я повыдергивал весь мак, бросил все в кучу морковной ботвы и перетоптал. Получилось так, будто это все второпях проделали бомжи. На следующий день на табличке с номером своего садового участка читаю надпись черным маркером: «Кто сюда залезет — труп. Гарик». И еще большая буква «М» написана с одной длинной ногой со стрелкой на конце. Больше с дачи у меня ничего не пропадало, хоть кошелек с деньгами забудь!

* * *

Прибежала из сада жена: «Перекапывала грядку с цветами. Наткнулась на какую-то трубу. Позвала деда-соседа. Он сказал: «Убегай, дочка, это бонба». Пошел я в сад, пару раз копнул грядку — точно, большой снаряд, головой ушедший в землю. Отправил жену в милицию. Вернулась с двумя рядовыми милиционерами. Саперы будут только в понедельник. Милиционеры не поверили, что это снаряд. «Копните еще поглубже». Я показал им заливное отверстие, закрытое плашкой на трех болтах, и следы от нарезов. «Если не верите, то вот вам лопата, после того, как я уйду, минут через пять, можете сами копнуть поглубже». Но почему-то такой вариант им не понравился. Копать не стали, ушли за забор. Вечером я собрался идти домой, милиционеры все ходят за забором. «И сколько вы будете ходить?» — «Хоть до понедельника». Слишком много было охотников выплавить два ведра взрывчатки. Я засыпал и задерновал место, где был снаряд, замкнул калитку, и тогда они ушли домой. В понедельник прибыла группа разминирования. Я к тому времени сам вырыл снаряд, и мы, обвязав его веревками, волоком оттащили до машины. Осталось затащить неподъемную находку на «Урал» с песком. Саперы обвязали носовую и хвостовую части снаряда. Два человека в кузове за веревку и три человека с земли начали его поднимать. И тут лопнула веревка около взрывателя. Если бы мы его приподняли, а веревка лопнула с другой стороны, то разнесло бы и «Урал», и нас всех. Саперам я высказал все, что думал: «Таких безответственных и неподготовленных саперов у меня в полковой роте, а потом и в инженерном батальоне никогда не было. Вы были обязаны проверять свой инструмент тщательно. Благодарите Бога за то, что сегодня он в руководители вам дал пехотного полковника!» Позднее в одном из справочников я нашел информацию о том, что на Кенигсберг было выделено две батареи 302,6 мм гаубиц из резерва верховного главнокомандования. Один из этих «огурцов» (ровно метр длиной) и пролежал у нас в саду 50 лет. Бог и меня хранил — при ремонте забора я не забил ни одного кола кувалдой. Только ямы копал и заливал раствором столбы.

* * *

1993-й или 1994 год. В газете «Калининградская правда» читал статью. Купила женщина на базаре мясо — вырезку. Дома начала разделывать и обнаружила пистолетную пулю. Позвонила в милицию. Забрали на экспертизу. Оказалась человечина... «О дальнейшем расследовании сообщим...» До сих пор тишина.

* * *

1992—1994 годы. Осенью горели в селах запасы сена: по 100—120 тонн. Поджигатели передвигались на мотоциклах. Скот оставался на зиму без корма. Гнали его на убой на мясокомбинаты прямо стадом в Польшу с рогами, копытами и шкурой на сосиски.

* * *

1995—1997 годы. Точно не помню. И снова статья в газете «Калининградская правда». Полковник запаса писал, что имеет на руках копию плана Ельцина поэтапной передачи Калининградской области Германии. И опять молчание...

АЛЕКСАНДР ФИЛИЧКИН
Самара

САХАР

В начале девяностых сорокалетний Евгений перенес обширный инфаркт. Три месяца лежал в клинике, после чего был отправлен домой долечиваться. Срок реабилитации подходил к концу, и молодой инвалид чувствовал себя вполне сносно. Тем более что и робкая весна уже начала несмело вползать в родной город.

В тот солнечный день теща вернулась с улицы и сообщила:

— В оптовый магазин привезли сахарный песок в мешках по пятьдесят килограммов. Нужно купить, потому что так получается гораздо дешевле, чем на развес. Возьми саночки и сходи. Привезешь к подъезду, а сосед поможет занести на третий этаж. Я уже с ним договорилась.

Евгений не стал пререкаться. Молча оделся и отправился выполнять поручение. Дорога до магазина не заняла много времени. Евгений заплатил деньги, получил покупку и сунул чек в карман. Грузчик вытащил мешок на крыльцо, положил на салазки и помог закрепить.

Мужчина взял в руки веревочку, привязанную к санкам, и тронулся в обратный путь. На небе не было ни облачка. Радостно галдели воробьи, соскучившиеся по теплу. Солнечные лучи миллиардами бликов играли на кристалликах льда и отражались в тысячах маленьких лужиц. Большие лужи приходилось обходить стороной. Самые обширные форсировать вброд. Незаметно для себя он оказался на тротуаре, зажатом с одной стороны стеной дома, а с другой обледенелым сугробом.

Евгений задумался:

— «Возвращаться назад — далеко. Пройти рядом со стеной невозможно. Там воды больше, чем по щиколотку». — Тут он увидел, что вдоль высокого сугроба тянулась узкая, кочковатая полоска льда, с поперечным уклоном в сторону воды. По пути в магазин он не обратил внимания на это препятствие и легко преодолел узкое место. Поэтому и сейчас не ощутил никакой тревоги. Быстро двинулся вперед и был уверен, что салазки катятся за ним по пятам.

Они и вправду катились до тех пор, пока одно из полозьев не налетело на небольшой выступ, расположенный со стороны сугроба. Почувствовав торможение, Евгений обернулся и заметил, что саночки стояли, опасно накренившись в сторону лужи. Мужчина встревожился и стал тихонечко тянуть веревочку на себя. Транспортное средство почти перелезло через ледышку, когда подвижный сахарный песок шелохнулся.

Сквозь полупрозрачную пластиковую мешковину хорошо просматривалась страшная картина. Крупинки сахара пришли в движение и, с едва слышным шорохом, пересыпались из верхней части мешка, в нижнюю. И чем быстрее они перемещались, тем скорее салазки теряли равновесие. Наконец, центр тяжести повозки сместился настолько, что она «сыграла оверкиль». Полозья блеснули на солнце, и дорогая покупка оказалась в луже.

Забыв об инфаркте, Евгений подскочил к салазкам. Выхватил их из воды и бегом оттащил на сухое место. Поставил на полозья и опрометью кинулся к своему дому. Возле крыльца торопливо отвязал поклажу. Бросил санки, ворвался в подъезд и поспешил наверх. Все это время из мешка текло, словно из прохудившегося ведра. Вода растворила часть сахара, и густой сироп лился на ступени. Чтобы спасти брюки, мужчина держал покупку на вытянутых руках и сдавливал ее, как Самсон глотку льва.

Мухой взлетев на третий этаж, Евгений с шумом ввалился в квартиру. Теща взглянула на зятя и мертвенно побледнела. Что напугало женщину до такой степени, он так и не узнал. То ли вид запыхавшегося инфарктника, с мешком в вытянутых руках, то ли густая жижа, заливающая пол.

Однако предаваться размышлениям не было времени, нужно было спасать продукт. Теща кинулась в комнату и расстелила на столе несколько газет. Евгений нашел ножницы и вскрыл мешок. Сахар высыпали. Быстро разровняли и отделили сухой от влажного. Мокрые крупинки слегка потемнели и уже начали слипаться.

Нужно сказать, что сироп из мешка заляпал весь пол в комнате и коридоре. Поэтому посыпанный в спешке сахар упал уже на подготовленную поверхность. Белые кристаллы захрустели под ногами. При каждом шаге тапочки приставали к полу. После чего отрывались с чмокающим звуком.

Не чувствуя усталости, Евгений кинулся наводить порядок. Вымыл полы в комнате, в коридоре и на кухне. Отстирал войлочные чувяки. Вспомнил о салазках и вышел на лестницу. Снизу слышался голос соседа:

— Сволочи, залили все какой-то гадостью. Ноги не оторвешь.

Евгений двинулся вниз и почувствовал, как прав мужик. Ноги липли к ступеням с такой силой, что он ощутил себя мухой, попавшей на клейкую ленту. Обескураженный, он вернулся в квартиру. Наполнил ведро теплой водой и пошел мыть лестницу. Все три этажа. Дело двигалось плохо, и воду пришлось сменить шесть раз. Когда он возился во входном тамбуре, в подъезд вошла жена.

Как всегда, она пришла с работы усталая и раздраженная. Нужно ли говорить, что рассказ Евгения не добавил ей хорошего настроения. Наступил вечер, и на семейном совете решили: в связи с тем, что с деньгами туго, то неза-моченный сахар есть так. Влажный оставить до лета. Нужно будет варить компоты, варенье, делать домашнее вино.

За ночь сахар высох. Прочно слипся и превратился в монолитную плиту площадью со столешницу. Пришлось Евгению отламывать небольшие пласты величиною с тетрадный лист. Затем дробить их клещами и молотком на более мелкие куски, похожие по размеру на комовой сахар. Теща помогала собирать и ссыпать готовый продукт.

Этим трудоемким процессом мужчина занимался практически целый день. Благодаря чему сахар оказался на его руках, лице, волосах и на всех горизонтальных поверхностях! Вечером мужчине опять пришлось вымыть полы во всей квартире.

Уставшая теща решила перед ужином попить чаю. Достала пакет с новым, незамоченным песком. Зачерпнула ложечку и бросила в кипяток. В следующий миг, из глубины вынырнули темные крупинки размером с маковое зерно. Они весело плавали на поверхности и быстро растворялись, отчего вода приобретала грязно-серый оттенок.

Женщина подцепила один шарик и раздавила его между пальцами. Подушечки мгновенно покрылись жирной массой и окрасились в густой антрацитовый цвет. Теща попыталась оттереть грязь тряпкой. Она легко размазывалась, но кожа почему-то не очищалась. Насколько смог понять Евгений, это была газовая сажа, гранулированная хитрым технологическим способом.

Весь оставшийся вечер ушел на эксперименты. Мужчина попытался просеять сахар ситом. Он думал, что черные шарики пройдут сквозь решето, а крупинки застрянут. Но «белая смерть» и гранулированная сажа настолько привыкли друг к другу, что не хотели разлучаться.

Евгений попробовал отделить одно от другого старым дедовским способом. Так, как поварихи отбирают камушки из крупы. Он насыпал горсть продукта на стол и начал вручную откидывать песок в одну, а сажу в другую сторону. Но сахар не крупа, его кристаллы намного мельче зерен. С такой работой не справилась бы ни Золушка, ни ее подручные мыши.

Немного подумав, Евгений попробовал разделить ингредиенты при помощи холодной воды. Однако и при низкой температуре они растворялись вместе, а сироп становился грязно-серым. Кипячение раствора также ничего не дало.

Оставалось только одно — выбросить весь несъедобный сахар. И тут Евгений вспомнил, что у него сохранился чек. Он поспешил в прихожую и влез в карман куртки. Бумажка лежала на месте. Теща заявила, что пойдет к продавцам. Предъявит сахар с сажей и потребует замены. Настроение у всей семьи поднялось. Домочадцы сложили подмоченный продукт в мешок, а сверху разместили сухой.

Утром теща взяла чек, насыпала в полиэтиленовый пакет стакан сахара и пошла в магазин. Долго скандалила, но все же добилась своего. Вернулась усталая, но весьма довольная.

— Евгений! — сказала она с порога: — Бери мешок и вези назад, хозяин обещал вернуть деньги.

К ее удивлению, зять категорически отказался. Вся эта долгая «опупея» уже сильно отразилась на его сердце, и после всех переживаний он чувствовал себя хуже, чем раньше. Поэтому снова нянчить мешок он попросту боялся. Инфаркт, как оказалось, дело нешуточное. Недовольная родственница немного поворчала и пошла за помощью. Сосед, здоровый парень лет двадцати пяти, вошел в положение. Согласился снести груз с третьего этажа и отвезти в магазин.

Евгений крепко завязал горловину и помог соседу устроить поклажу на плече. Теща выпустила всех в подъезд. Закрыла дверь и пошла впереди. Следом двигался сосед. Сзади шествовал Евгений с санками. Женщина спустилась на первый этаж. Открыла обе двери. Придержала створки и услужливо пропустила нагруженного помощника.

С грузом на плече парень двинулся сквозь тесный и чрезвычайно низкий зазор. Чтобы пройти, ему пришлось немного присесть и буквально протиснуться в первый проем. Оставалось последнее препятствие, и молодой человек начал пробираться сквозь вторую узость. Вдруг мешок за что-то зацепился. Носильщик этого не заметил и сделал шаг вперед. Невесть кем вбитый в косяк гвоздь легко проткнул редкую ткань. Мешковина затрещала, разорвалась, и сахар низринулся вниз.

Теща отчаянно закричала. Евгений буквально окаменел. Сосед в сердцах сбросил мешок с плеча. Из распоротого бока незадачливой тары песок медленно высыпался на бетонный пол. Белая горка росла и росла.

Далее все участники драмы действовали молча и слаженно, без слов понимая друг друга. Сосед подхватил мешок и, зажав дыру как можно плотнее, пошел наверх, в квартиру. Тонкая белая струйка сахара буквально по пятам отмечала его путь.

Евгений дома взял ведро, веник и совок. Вышел на лестницу и стал заметать рассыпанный продукт. Теща бегом вернулась в квартиру и быстро нашла мешок, похожий на тот, который порвали. На самое дно уложили то, что удалось собрать с лестницы. Сверху насыпали сахар, оставшийся в поврежденной упаковке. Сосед усердно помогал. Наконец, горловину крепко завязали и осмотрели результаты труда. На первый взгляд торба меньше не стала.

Опять все пошли вниз, и опять сосед нес мешок на плече. Однако перед тамбуром он остановился. Аккуратно опустил поклажу на пол и замер. Евгений вышел на улицу, нашел половинку кирпича и с остервенением заколотил все гвозди, которые во множестве торчали из косяка и дверей.

Расправившись с ними, Евгений распахнул обе створки. Сосед взял мешок за горловину и, неся его перед собой, осторожно просеменил вперед. Миновал тамбур и вышел на крыльцо. Бережно, как младенца, разместил поклажу на санках и крепко привязал. Взялся за веревку и потащил груз к магазину.

Теща шла сзади. Согнувшись в три погибели, она придерживала мешок обеими руками. Когда салазки миновали злополучную лужу, Евгений тяжело вздохнул. Вошел в подъезд и ощутил, как сахарный песок заскрипел под ногами. Всю лестницу до третьего этажа снова нужно было мыть.

ЕКАТЕРИНА МИНЕЕВА

г. Московский

Юрисконсульт на предприятии черной металлургии, продавец вещевого рынка, лифтер, сотрудник нотариальной конторы, пенсионер.

НАША ЖИЗНЬ В 90-е

Так сложилось, что начало 90-х мне пришлось встретить на Украине.

Вот несколько печальных воспоминаний о том времени.

ВВЕДЕНИЕ «ДЕНЕЖНЫХ КУПОНОВ»

...В один из рабочих дней сотрудников предприятия, на котором я работала в аппарате управления, обязали принести и сдать в отдел кадров паспорта для передачи наших паспортных данных в райисполком.

Объяснялось это тем, что грядут изменения в порядке пользования денежными купюрами.

Эти изменения не заставили нас долго ждать.

В день выдачи заработной платы в кассе предприятия по одной из ведомостей выдали денежные купюры, а по другой «денежные купоны».

Эти первые купоны представляли собой узенькие полоски обыкновенной бумаги, на которой на печатной машинке были отпечатаны цифры достоинством определенной денежной купюры (например, 5 рублей, 10 рублей, 25 рублей и т. д.).

Каждый купон был заверен подписью председателя райисполкома и печатью райисполкома.

При этом нам было разъяснено, что без подтверждения денежной купюры «купоном» деньги в магазинах и иных торговых точках приниматься не будут. Как вспомнил на днях мой сын, впоследствии купоны стали печататься на цветной бумаге. Они у него сохранились до сих пор.

Ну, что испытал каждый из нас от этой новости, долго рассказывать.

Сколько было случаев, когда люди теряли эти купоны или по неосторожности могли просто порвать (а рваные не принимались), и деньги без них превращались в ничто.

Сколько пришлось видеть слез, слышать ругани и негодования от этого нововведения.

ОПЛАТА ТРУДА БАРТЕРОМ

Но на этом испытания не закончились. На работу все ходили исправно, но вскоре заработную плату частично стали выплачивать бартером.

Наше предприятие специализировалось на добыче железной руды. Поставки производились в основном на экспорт за рубеж: в Польшу, Венгрию, Югославию.

В обмен на железную руду получатели начали расплачиваться товарами народного потребления: одеждой, обувью и др. Вот тогда впервые мы увидели кофты из мохера со стразами (или стекляшками) и другие «прелестные» вещи.

В эпоху дефицита они казались сказкой. Каждому хотелось иметь какую-то определенную вещь, но не каждому везло. Во избежание обид и конфликтов администрация с профкомом поступили мудро. Распределение бартерных вещей было решено производить по жребию.

Происходило это в следующем порядке: из склада предприятия в определенный день привозился бартер.

В обеденный перерыв работников приглашали в кабинет председателя профкома, и каждый тянул жребий, в котором указывалось наименование товара.

После жеребьевки наступал период обмена. Коридоры управления пестрели объявлениями об обмене, т. к. выигранная одежда и обувь практически никому по размеру не подходили, и работа в такие дни на ум не шла никому.

Некоторые пытались продать бартерный товар на рынке, но так как в Кривом Роге основная масса жителей трудилась либо на шахтах, либо на горно-обогатительных комбинатах и «Криворожстали», то все были осчастливлены бартером, с деньгами было туго, этот вариант зачастую был проигрышным.

ПРИОБЩЕНИЕ К СЕЛЬСКОХОЗЯЙСТВЕННОМУ ТРУДУ

По весне всем желающим администрация предприятия предложила земельные участки в размере двух соток под огороды.

Мы, конечно, дружно все схватились за землю. Даже те, кто раньше понятия не имел, где что растет, принялись высаживать картофель, лук, морковь и др.

Первые всходы были радостью. Потом колорадский жук и сорняки радости поубавили, и многие поняли, что работа в поле не сахар. Огороды находились далеко от общественного транспорта, часто не наездиться. Но энтузиазма и надежды на урожай не терял никто.

Дабы досрочно «добрые люди» не помогли, мы сами организовывали охрану огородов.

И вот наступило время сбора урожая. Не у всех он был богатый, но дорог тем, что выращен своим трудом. Выбрали все, до последнего клубня.

А вот с транспортировкой начались проблемы. Бензин был в дефиците. Транспорт на вывоз овощей выделялся один раз в определенный день. Но не все могли в этот день уложиться.

Но и тут нашлись и выручили свои же умельцы, которые в цехах начали мастерить очень удобные тележки, состоявшие из небольшого кузовка, двух колес и ручки. В честь действующего в тот период президента Украины Кравчука, приобщившего не только нас к сельскому труду, тележки эти талантливым народом Украины были прозваны «кравчучками». Ими жители Украины пользуются до сих пор.

ЗАМЕНА МЯСА СОЕЙ

До сих пор вспоминает мой сын те дни, когда я, как и другие матери и жены, не имея возможности купить мясо, готовила блюда из сои.

Продавалась она в замороженном виде, темная, какими-то пластинами. Готовила с картошкой как жаркое. Иногда делала из нее «гуляш» с подливкой. Сын говорил, что было вкусно и полезно, т. к. в сое много белка.

Много чего пришлось на эти 90-е... не говоря уже о том, что денежные сбережения наши, доверенные наивными нами, тружениками, государству, приказали долго жить.

Но мы выживали как могли и выжили.

Смогли сберечь себя, свои семьи, детей, душу и совесть.

АЛЕКСАНДР ШАБАНОВ

Москва

ДВЕСТИ ГРАММОВ ЕДЫ...

Внимание всей страны приковано к телевизорам: каждый день показывают заседания Госдумы. Какие там фильмы и развлекательные передачи! Большинство испытывает шок и твердокаменное убеждение, что от наблюдаемых жарких прений что-то зависит в их собственной судьбе. Сказанное депутатами без конца обсуждают на работе и дома, отстаивают друг перед другом даже бабушки на лавочках у подъездов.

А тем временем жизнь становится все «веселее» и «веселее». Полки магазинов, раньше всего лишь не блиставшие разнообразием, теперь попросту пусты — абсолютно пусты. Яркая иллюстрация — тогдашний известный анекдот: «Взвесьте мне, будьте добры, двести граммов ЕДЫ». — «Пожалуйста. Приносите — взвешу».

Там, где «выкидывают» что-нибудь, мгновенно разрастаются сотенные очереди. Стояние в очередях — основное времяпрепровождение первых нескольких годов десятилетия. Нет ничего, вообще ничего. Недостает даже лекарств в аптеках; за обыкновенной ватой нужно как следует побегать, а при удаче еще и отстоять длинный хвост. На предметы первой необходимости введены талоны; продавая по ним товар, продавщицы в магазине отрезают бумажный квадратик, как в блокаду, и подкалывают к чеку. В начале месяца, когда талоны отовариваются, в магазинах яростная толкотня и мат. Клич времени: «Больше двух единиц в одни руки не отпускать!» Талоны на водку играют роль валюты при расплате с сантехниками. Некурящими быть очень выгодно — талоны на сигареты с радостью обмениваются у коллег и знакомых на талоны сахарные: консервация для людей, перешедших, без преувеличения, «на подножный корм», первейшее дело. Наиболее смелые и «идущие в ногу со временем» не обменивают талоны, а торгуют ими.

Вместе с талоном нужно предъявить новый вид удостоверения, «карточку москвича». Без нее покупка не состоится. На каждую карточку разрешено отоварить строго определенное количество талонов. Карточки недавно умерших родственников не сдают: по ним можно получать еду еще какое-то время. Предъявление подобных карточек несет в себе легкий оттенок каннибализма. Что-то подобное описывают в книгах о нацистских концлагерях: трупы скончавшихся утром прятали до вечера, чтобы забрать причитающуюся мертвецам пайку.

Вы помните, что такое распродажи? Нет, не эти, под яркой надписью «SALE!!!» за вымытым стеклом, означающей, что на менее популярные из-за смены моды и сезона модели немного снижена цена. Распродажи образца 90-х. Кто забыл, напомню: это когда по дому или по предприятию распространяют талоны, которые дают право в определенный день и время ВОЙТИ в какой-нибудь универмаг, где на прилавках ЕСТЬ КАКИЕ-НИБУДЬ товары. Талоны с предприятий более ценные — в магазинах, куда они открывают двери, ассортимент пошире и поизысканней. Тем не менее и от жэковских талонов никто не отказывается.

К магазину приходят часа за два до открытия. Пятачок перед ним отгорожен металлическими конструкциями, проход между железяками всего один, его охраняют милиционеры. Внутрь пускают только обладателей талонов. За загородкой плотная людская масса.

Толпа давит со всех сторон. Скованные цепями металлические ограждения скрипят и шатаются. Наступает час открытия. Чей-то вопль: «Время!», «Хватит нас тут держать!» Кто-то изнутри с опаской отпирает двери, люди скопом устремляются в магазин, отчаянно рвутся, толкаясь всем телом, работая локтями, будто первым вломившимся в зал полагается миллионный приз. Рассыпаются по отделам, образуют плотно сбитые очереди... Сметают ВСЕ. Нужное и ненужное, без разницы. Свитера деревенской вязки, столовые сервизы ленинградского фарфора, дрянную бытовую технику, одеяла и подушки, студенческие кеды, кофты и пальто — часто не своего размера, хватают без примерки, лишь бы ВЗЯТЬ: если не подойдет тебе, перепродашь соседу, и время, время уходит, нужно успеть еще в три очереди в разных отделах универмага, потеряешь очередь — становись в хвост снова, так можно и вовсе уйти без покупки! Все потные, расхристанные, ошарашенные... Кругом хриплые, яростные голоса, багровые от жары и напряжения лица, бешеные, бессмысленные глаза; от людей прет волна животной какой-то злобы к окружающим, что мешают протиснуться, посмотреть, оценить, приобрести.

Кое-что мы купили тогда, причем даже и не только из вещей первой необходимости. Но я вернулся домой больным совершенно и сказал матери: НИКОГДА больше я не позволю себе вмешаться в толпу. До сих пор тяжело вспомнить то безумие, нерассуждающий порыв неизвестно к чему и эту злобу, море, океан свирепой злобы... И до боли жаль тех людей, запутавшихся, растерянных перед новыми реалиями, людей, что утрачивали человеческую душу от страха, что если сегодня, сейчас не обеспечат себя и своих близких, завтра это может оказаться и вовсе невозможным.

В начале девяностых многим пришлось освоить совершенно незнакомые им прежде специальности...

Вы еще помните ассоциации, которые в восьмидесятые вызывало у вас слово «спекуляция»? Воображение сразу рисовало каких-то цыганок, потных дядек и теток у метро, молодых людей, хорошо одетых, но настороженных, всегда с втянутой в плечи головой и бегающим взглядом. Услугами таких личностей пользовались — нельзя было не пользоваться, если требовалось достать хорошую вещь, — но самих их презирали. Слово «спекулянт» было бранным, оскорбительным. Перепродавать какую-либо вещь с переплатой считалось недостойным. С каждым случалось: человек, «оторвавший» после стояния в длинной очереди нечто добротное кому-то из домашних — женское пальто, мужскую меховую шапку или детские туфельки, — не угадывал с размером или фасоном, и от неудачной покупки следовало избавиться. Перепродавали такую вещь, как правило, только знакомым, в крайнем случае знакомым знакомых, да еще чек вкладывали в упаковку или коробку, чтобы, не дай бог, не оказаться заподозренными в жажде наживы! Перепродажа была не более чем способом вернуть потраченные деньги.

С началом же «дикого рынка» спекулянтами вынуждены были сделаться практически ВСЕ. Продавали или меняли талоны на промтовары. Старушки из никогда в жизни не куривших семей поневоле узнавали, чем отличаются папиросы от сигарет, обучались распознавать табачные марки и их сравнительную ценность на черном рынке. «Толкали» за живые деньги подарки от родственников, уехавших за границу. И все это — ломая, перебарывая себя, сдирая вместе с кожей лохмотья прежних этических представлений. Нынешние молодые люди не поверят, а скорее, просто не поймут, о чем вообще речь; но тогда победное шествие торгашества по стране еще только начиналось, и тем, кого обстоятельства заставили заниматься тем, что еще вчера называлось «спекуляцией», было действительно СТЫДНО.

В семье знакомых имелся довольно стабильный источник побочного дохода: им периодически «подбрасывали» приглашения в салон элитной косметики. Не помните, что это такое? Когда в Москве открывались первые торговые точки всемирно известных брендов, доступ в них был ограничен — то ли для борьбы с черным рынком, то ли из боязни, что озверелая толпа снесет весь товар разом вместе с магазином. Распространялись так называемые «приглашения», с ним чинно и мирно можно было войти в не запруженный народом благоуханный парадиз, средоточие дамских мечтаний. Естественно, сотрудники салонов приторговывали «приглашениями» и сами, и находили «распространителей» среди достойных доверия лиц. Иногда за процент, иногда безвозмездно в качестве поддержки для близких родственников. Мои знакомые относились к последней категории. Но та, от кого я слышал эту историю, признавалась: когда решилась продать полученное приглашение в первый раз, чтобы на эти деньги сделать подарок маме на день рождения, она, девочка из интеллигентной семьи, чувствовала себя прямо-таки Соней Мармеладовой.

А спустя очень короткое время продажа приглашений почти на два года сделалась чуть ли не единственным источником дохода для семьи: родители работали в государственном секторе, и как раз в это время там начались чудовищные задержки выплат, зарплату за май давали, например, в сентябре и так далее.

Что можно сказать... Как пишет Александр Бушков, «это было».

Студентка-отличница получает повышенную стипендию... Казалось бы, живи да радуйся. Но, как говорится, «есть нюанс»! Сумма официального оклада у студенткиной мамы... равна сумме этой самой стипендии. Где же это у нас работает мама? Уборщица она или, может, семечками на базаре торгует? А вот и нет: мама у нас — инженер, из тех, которые «делают ракеты», а поскольку в свое время училась на заочном, работать на оборону страны начала с восемнадцати лет, так что к девяностым уже стала ветераном труда. Ну, правда, кроме оклада были еще какие-то выплаты, оформленные как премии, и ах да, еще бесплатный проездной предоставлялся! А иначе выходило бы, что люди еще сами приплачивают, чтобы на работу ездить.

Разумеется, долго подобное издевательство женщина терпеть не стала и к середине девяностых ушла с предприятия в коммерческую структуру, ничего общего с ее прежней специальностью не имеющую. И подобным же образом вынуждены были поступить многие, слишком многие ее коллеги. Вот так тихо, обыденно и на первый взгляд незаметно совершалось государственное преступление: развал советской оборонной промышленности. Угадайте с трех раз, кому оно было выгодно?..

Если говорить о явлениях, существовавших только в 90-е и пропавших позднее, первое, что приходит в голову, — это, конечно же, валюта и обменные пункты.

В советское время за торговлю валютой полагался уголовный приговор — но, как только в законодательство внесены были изменения, доллар прочно сделался второй, если не первой валютой страны. Причем самое интересное, разница между ними поначалу была не так уж велика: еще в начале 90-х доллар стоил меньше пяти рублей. Может быть, первоначально причина лежала в небольшой еще доступности? В том, что был некий шик, доступный только иностранцам, дипломатам и блатным «авторитетам», в том, чтобы вместо перетянутой резинкой рублевой «котлеты» небрежно извлечь пачку зеленых «президентов»? И шик этот очень хотелось перенять личностям классом пониже, чтобы почувствовать себя хоть чуть более значимыми, нежели на самом деле? Ну, пото-му уже все понятно: после денежной реформы 1993 года покупательная способность рубля с треском рушилась в тартарары, цены взлетали ракетой, и доллар из знака принадлежности к «элите» сделался единственным способом как-то гарантировать сохранность своих накоплений. Доллары появились на руках даже у «уборщицы тети Дуси», каждый из нас знал отличительные признаки подлинности заокеанских купюр и курс их купли-продажи. Любая частная фирма выплаты своим работникам назначала и делала только в «платежных знаках Соединенных Штатов Америки», а служащие государственных контор — там, где зарплату не задерживали на несколько месяцев и выплачивали в размере, позволяющем не тратить сразу всю сумму, — сразу после получки бежали в обменник и покупали хотя бы полтинник или сотку баксов. Частные расчеты люди тоже проводили в «зелени». Нормальные диалоги того времени: «Сколько получаешь на работе?» — «Пятьсот "грино́в"» — «О, нормально так!» Или: «Машину почем продаешь?» — «Две "тонны" "бакинских"». — «Сбрось хотя бы до тыщи восьмисот!» Обменные пункты расплодились как грибы, в центральных районах Москвы их было по нескольку штук на одной улице.

Явление было настолько массовым, что засветилось не только в книгах и фильмах на «современные» темы. Вывеска «Обмен валюты» мелькнула даже... в средневековом Париже! Точнее, на улице, игравшей его роль в сериале «Двадцать лет спустя». Помню, при первом его показе мы хохотали как сумасшедшие: д'Артаньян и мушкетеры гордо красуются в седлах... а за спиной у них в течение нескольких секунд не менее гордо проплывает деревянный щит с надписью «Currency Exchange!». Накладку, конечно же, заметили, хоть и с опозданием, и быстренько удалили: сколько ни крутили потом сериал, этот кадр мне больше никогда не попадался. Но ляп вышел знаковый, что ни говори!

Фраза 1998 года (сказанная вполне серьезно, вовсе не анекдот): «Этим летом нас постигли два бедствия: ураган и дефолт. Причем первый принес намного меньше жертв и разрушений, чем второй».

Зарплаты на фирмах тогда все еще выдавали в долларах... Правда, эти доллары сразу же несли в обменник, в магазинах-то розничные товары только за рубли отпускали. Повезло тем августом тому, кого выдрессировали предыдущие годы, и он «разбивал» не более «сотки гринов» зараз, по мере необходимости. А вот кто обменивал всю зарплату целиком...

Причем следует еще отдельно отметить, что к сентябрю резко взвинтились цены не только на товары, привозимые из-за границы, но и на те, которые, казалось бы, к валютному курсу никогда не имели никакого отношения.

А девушка моя, когда осознала размеры подкравшегося полярного зверька, проявила недюжинную предусмотрительность. К сожалению, она-то в тот раз свою получку всю обменять успела, но... Курс рубля рухнул сразу и сильно, однако оставались после этого несколько дней, когда еще не успели скорректировать цены в магазинах. Предчувствуя их стремительный взлет в ближайшее время, моя будущая половинка почти со всей своей рублевой наличностью отправилась в шоп-тур по району и на несколько месяцев вперед затоварилась бытовыми мелочами вроде колготок, мыла, зубной пасты, прочих «средств личной гигиены»... По ее словам, всем закупленным тогда «по старым ценам» она пользовалась еще целый год.

Долгое еще время ценники на любой сколько-нибудь дорогой товар несли на себе две позорные буковки «у.е.». Сколько остряков изощрялось по их поводу! Самой приличной расшифровкой были «убитые еноты».

НАТАЛЬЯ СПОДАРЕВА
Москва

До, во время и после 90-х —
заведующая библиотекой.

ВРЕМЯ 90-х

Событий конкретно только со мной было очень даже много. Наверное, главные — трагические события. Это похороны моих самых дорогих и родных мне людей — это моя мама, Савичева Антонина Филипповна, человек большой мудрости; кладезь народного творчества; мастерица во всех делах, особенно по приготовлению варенья; певунья и большой мой друг. Она в детстве и юности знала все мои тайны. Она ушла в 1993 году.

В 1995 году ушел из жизни мой супруг — Сподарев Виктор Николаевич. Так неожиданно и очень больно. И вот в 35—37 лет осталась совершенно без материальной поддержки. Сын — подросток. Зарплата библиотекаря — копейки. В поиске более денежной работы. Не нашла. Но нашла совместительство, тоже библиотекарем, где проработала ровно 17 лет. Лишена была свободного времени, но зато взамен получила встречи с очень интересными людьми, с богатым жизненным опытом. Вторая работа дала зеленую улицу моему сыну, помогла встать ему на ноги, получить высшее образование, найти профессию, по которой работает и сейчас.

И еще. В 90-х начались наши ежегодные поездки по городам России, знакомство с их историей и культурой. Руководство Ленинского района, в то время мы относились к нему, и все наши 32 библиотеки ЦБС Видное к Общероссийскому дню библиотек получили такой подарок.

Сначала без денежной доплаты с нашей стороны, потом с доплатой на поездку. Мы побывали в городах: Углич, Муром, Мышкин, Владимир, Великий Новгород, Нижний Новгород, Ярославль, Кострома, Орел, Псков, Ленинград, Казань, и конечно, Карелия. Это Петрозаводск, Онежское озеро, Кижи и водопад Кивач. Очень понравился и зарядил на целое десятилетие воздух Карелии, где звенел от чистоты твой голос. Нам попалась удивительный экскурсовод, забылось и имя, и фамилия. Это был человек, влюбленный в свой край, и эту любовь передала нам, случайным знакомым. Очень удивили местные жители, они очень суровы и необщительны. Может, это и свойственно северным жителям, но нам от этого было не очень уютно. Поездки эти сближали нас, поднимали настроение. Из поездок возвращались уставшими, но удовлетворенными.

ДМИТРИЙ ЧАРКОВ

Москва

До 90-х — студент, сын партработника; в 90-е — менеджер, наблюдатель; после 90-х — профессиональный менеджер, MBA.

И БЫЛ У НЕГО СВОЙ КОЛОДЕЦ...

Разговаривая как-то с одним из моих старых добрых приятелей за столиком в уютной московской кафешке, услышал от него такую историю:

— Вот послушай: Семен в прошлом — философ, скажем так. Не великий, нет. Проще говоря, из бомжей — сословие такое. В бочке не сидел, но в лихие девяностые попал под общую раздачу ваучеров с легкой руки Чубайса, как и все в то время, и обзавелся собственным канализационным люком. Вместо прос... простите, двушки, у моря. Конечно, хотелось ему избушку лубяную, а получил ледяную. Но это другая тема. В общем, сидит однажды под Новый год на краешке своего колодца, у дороги, соображает, где каплю шампанского раздобыть, чтобы хотя бы для приличия сопричастность с остальным российским народом почувствовать, и тут вдруг «мерин» с разворота его окатывает снежно-соляной жижей — припорошил слегка и метров в десяти остановился. Выскакивают братки в малиновых костюмчиках да при бабочках — игра слов, однако! — а Семен шасть к себе вниз, от греха. Они к люку — пьяные, веселятся, кричат ему: «Вылезай, бродяга, шампуси нальем». А он сидит впотьмах, ни гугу, забился в дальний угол, крестится только. Те склонились над люком и давай ему кидать вниз чего ни попадя, прямо на матрац его холостяцкий — покуражились вдоволь, ну, и восвояси. Сеня переждал, пока затихло все наверху, зажег свечку и стал разгребать свалившееся на него сверху добро да классифицировать его в соответствии, так сказать, с полученными навыками заведующего в свою бытность советского хозяйства — «завхоз» по-старорусски, им он и был в прошлой своей жизни, как оказалось. В общем, разложил все, как по номенклатурной ведомости, примерно в таком порядке:

«— бутыль спирта питьевого «Рояль» початый;

— кепка норковая иноземная слегка помятая;

— стаканы пластиковые разноцветные, пользованные;

— бутерброды разрозненные — где сыр, где ветчина с зеленью, навалом;

— цепь золотая, с мизинец другана-дворника Вольдемара, длиннющая;

— салфетки одноразовые пользованные, слава богу, не в туалете;

— колечко маленькое золотое, вроде женское;

— часы с браслетом с надписью Rolex, похожи на золотые;

— удостоверение водительское нового образца на красотку Машу Попову, жгучую брюнетку с голубыми глазами — ну, е-о-омае;

— перчатка кожаная одна;

— пачки «зелени» тугие в банковской упаковке ненарушенной — две».

...И звездное московское небо, конечно, над головой. Семен, понятное дело, не стал в ту ночь дожидаться поздравлений от президента и мигом сменил дислокацию, от греха подальше: очевидно же было, что «бабки» и дорогие вещицы выпали из карманов золотой молодежи случайно и что те могут повторно наведаться к нему в любой момент, если вспомнят, конечно, где, что да как с ними приключилось — в те времена народ безбашенный совсем был, и долго-то молодые такие и горячие не жили, если помнишь. Но второй раз на те же грабли Сеня, понятное дело, не стал наступать: зарекся на недвижимость, хватило ему одной проср... простите, двушки. Теперь он, знаешь кто? Именно — хозяин этой самой сети кафешек, где мы сейчас сидим. И ты наверняка сможешь мне сказать, как зовут его нынешнюю жену?

Я вздохнул и улыбнулся в ответ. Тут и экстрасенсом быть не нужно:

— Марией, я думаю. И вместе они, видимо, более пятнадцати лет.

— Вот теперь я верю в магию, — широко улыбнулся мой собеседник.

А я не знал, верить ли в такую чужую звезду или нет. Допускаю, что легенда обросла обязательными в таких случаях непременными подробностями, но на пустом месте они тоже не возникают. Собственно, это дело каждого — верить или нет, ведь объективная реальность от этого не меняется. Но я был заинтригован.

Когда буря девяностых накрыла российскую провинцию безработицей и безденежьем, многие потянулись в столицы — в одну да другую, будто там все как бы обошлось, и люди оставались добрее и бодрее. Наивные мы, однако.

Через некоторое время под каким-то ничем не примечательным предлогом я узнал, что Семена Григорьевича ожидают в маленьком офисе этого кафе ближе к вечеру в среду. Будучи в душе авантюристом из тех самых «лихих», решил посмотреть на «легенду».

Я сидел в дальнем конце зала возле окошка и пил чай, перечитывая какие-то журналы, когда мимо в сторону парковки проехал BMW — тот самый, как я предварительно разузнал. Семен Григорьевич зайдет в офис кафе через служебный вход, поэтому у меня будет возможность с ним пересечься только по его пути туда с парковки: он не давал интервью любопытствующим, просто потому что не было на то ни времени, ни интереса — это мне с предельной откровенностью сообщили в его офисе на Павелецкой площади, куда я предварительно позвонил с наивным намерением просто организовать с ним встречу. В Москве есть и ограничения, однако, помимо возможностей.

Я выскочил наружу и направился в сторону паркинга. Но поздно: он уже быстро направлялся ко входу в здание, а его «семерка» стояла рядом на персональном парковочном месте. Что-то, тем не менее, толкало меня вперед, и я подошел к автомобилю, когда его хозяин уже скрылся внутри бизнес-центра. Черный вычищенный до блеска капот, белый кожаный салон. Возле водительской двери все еще колыхался легкий и еле различимый запах кожи — я много работал с этим материалом и никогда не спутаю с чем-либо его уникальный терпкий аромат: даже выдубленная и предварительно обработанная натуральная кожа способна хранить оттиски информации, запечатлевшейся в ее животных волокнах.

Запах материален. В нем присутствуют феромоны — летучие биологические продукты секреции, способные моделировать поведенческие реакции. Вы наверняка замечали, как порой какой-то запах может вызвать в голове волну воспоминаний или эмоций. Так же, как и определенная музыка — это все ягоды с одного поля, так сказать: волновые вибрации тонкой материи, вызывающие ментальные образы.

Я глубоко вздохнул, полной грудью, и медленно выдохнул. При этом мой взгляд самопроизвольно уперся в землю, а там, в шаге от автомобильной дверцы, — запонка.

Я наклонился за ней, поднял и тут же определил, что на моей ладони в серебряном обрамлении лежит кусочек необработанного аметиста: с природными камушками я тоже знаком не понаслышке. Да, Семен Григорьевич совсем непростой человек, если носит запонки «не в тренде» — ценность этого предмета как раз не в его монетарной стоимости и не во внешней форме, хотя дизайн, безусловно, имеет значение, уж кому-кому не знать, как не…

— Позвольте?.. — вывел меня из оцепенения низкий глуховатый голос.

Я обернулся. Он стоял рядом, напряженно улыбаясь. Затем протянул правую руку ладонью кверху, приглашая меня поделиться находкой. Рука не скрипача и не учителя младших классов. Я молча вернул ему запонку, взглянув в глаза.

— Благодарю вас. — Он повернулся и быстро удалился.

С тех пор я больше никогда не видел Семена Григорьевича.

Но кое-что все-таки он оставил при этом нашем мимолетном «пересечении»: видимо, очень большая доля в легенде об источнике его благосостояния соответствует истине. По крайней мере, свой колодец он действительно отшлифовал теми самыми ладонями в отведенное ему для этих целей время.

ЕЛЕНА РЕХОРСТ

Копенгаген

ПЕРЕЦ, ФАРШИРОВАННЫЙ ГРЕЙПФРУТОМ

— Нет, так жить больше нельзя! — Эту фразу моя соседка Маринка повторяла каждый раз, когда забегала ко мне вечером пожаловаться на ставшую невыносимой жизнь. — Третий месяц подряд зарплату выдают тушенкой. Дети ее уже видеть не хотят. Давай обменяемся на что-нибудь, у тебя что есть?

Мы с Маринкой часто занимались бартером. В новоиспеченной независимой Эстонии зарплату в некоторых местах не платили месяцами, предлагая работникам взамен какие-нибудь продукты. Я же, потеряв работу, подрабатывала на небольшой частной овощебазе, где мы получали от хозяина какие-то гроши и могли взять овощей или фруктов.

В последний раз хозяин вовсе не заплатил.

— Денег нет, хоть режьте, — заявил он. — Берите натурой.

В этот день мы разбирали очень грязный перец. Гнилой выкидывали, остальной мыли, насухо вытирали и раскладывали в тару.

Вечером прибежала Маринка.

— Нет, так жить больше нельзя, — начала она с порога. — Представляешь, до чего дошли, сегодня завезли грейпфруты вместо тушенки.

— Ну и хорошо, тебе же тушенка все равно уже надоела, а тут какое-то разнообразие, — утешила я Маринку.

— А это что? — Маринка удивленно уставилась на целую гору перца на столе.

— Махнемся, — предложила я. — Ты мне грейпфруты, я тебе перец.

— А что с ним делать? — засомневалась Маринка.

— То же, что и с грейпфрутами, — объяснила я.

— Ну, грейпфрут, это все-таки фрукт... — начала Маринка.

— А перец — овощ, кладезь витаминов, — просветила я Маринку. — Можно приготовить рагу из перца с грейпфрутами.

— А что, разве есть такое? — оживилась Маринка.

— Нет, так будет, — пообещала я. — Давай прямо сейчас и сготовим. — Что у тебя есть из продуктов?

— Тушенка, — с готовностью отозвалась Маринка.

— Забудь, — поморщилась я, — что еще?

— Где-то вроде луковица валяется.

— Тащи, — велела я. — А у меня три картофелины найдется.

Маринка исчезла и через несколько минут появилась вновь с сияющей физиономией. В руках она держала пакет с грейпфрутами, небольшую сморщенную луковицу и два яйца.

— Представь, — радостно заявила она, — Надьке с четвертого этажа зарплату яйцами дали. Мы и махнулись на тушенку. Пойдут они в рагу?

— Конечно, пойдут, — заверила я. — Щас приготовим рагу из топора, то есть я хочу сказать, из перца с грейпфрутами.

Мы порезали перец с картофелем и престарелой луковицей и положили в кастрюлю вариться. Затем взбили яйца, перемешали все и сунули в духовку.

— Ой, а грейпфруты-то забыли, — спохватилась Маринка.

— Ничего не забыли, мы их выложим сверху, как на торт.

— Класс! — одобрила Маринка. Рагу получилось на удивление вкусным и красивым с выложенными сверху аккуратно порезанными ломтиками грейпфрутов.

— В следующем месяце наш шеф обещал зарплату свининой выдать, — жуя рагу, сообщила Маринка. — Ему где-то на хуторе свинью пообещали. А он им за это стройматериалы выпишет. Тогда сготовим свиное рагу с грейпфрутами.

— Или с перцем, — вставила я.

— Нет, так жить больше нельзя, — вздохнула Маринка. — Хоть в монастырь иди. Только не подойдет мне монастырская жизнь, да и дети у меня. Мы пойдем другим путем.

— Каким? — заинтересовалась я.

— Можно заключить выгодный бартер, — туманно намекнула Маринка. — Но сначала его нужно найти.

Через некоторое время Маринка вышла замуж за немца и с детьми уехала в Германию.

— Заключила взаимовыгодный бартер, — доложила она мне. — Я получаю нормальную страну проживания, материальное благополучие и приличного мужа. А он — заботливую жену и готовых детей.

Маринкин бартер оказался очень даже удачным. Во всяком случае, ее брак существует по настоящее время. Изредка мы общаемся в Интернете. Надо будет как-нибудь спросить у нее, готовила ли она хоть раз своему мужу рагу из перца с грейпфрутами?

Война

ОЛЕГ БАЖАНОВ

член ВО «Боевое Братство», Москва

Олег Бажанов — писатель, поэт, сценарист, автор-исполнитель, подполковник запаса.
В прошлом — военный летчик.

ИСПОВЕДЬ
(Моя война)

Друг зашел в гости. Мы не виделись с тех пор, как он ушел на вторую чеченскую... Раньше не раз бывало, что мы с ним стояли плечо к плечу, спина к спине в одном окопе, ходили в рейды и часто делили на двоих одну солдатскую пайку. Познакомились еще в учебке. Вместе прошли Афган по срочной, потом остались на сверхсрочную. Оказались востребованными на Кавказе. Потом я женился. После первой чеченской ушел в запас. А Алексей решил повоевать еще.

За три года, что мы не виделись, Алексей очень изменился: похудел, постарел, почернел, взгляд стал тяжелым. И еще я заметил, что друг много пьет, не закусывая.

Мы с женой принимали его на кухне. Он был немногословен — за два часа застолья ответил лишь на несколько вопросов. Его короткие ответы звучали сухо и однозначно. О войне Алексей не распространялся. На нас с женой не смотрел. За столом с почти нетронутыми закусками сидел в одной застывшей позе. Но вдруг поднял и задержал на мне мутный взгляд:

— Я расскажу одну историю, — очень ясно произнес, казалось, изрядно захмелевший гость. — Никому не могу открыться...

Он в очередной раз наполнил до краев свою рюмку и молча, одним резким движением отправил водку в рот. Потом заговорил, обращаясь ко мне:

— ...В тот августовский день нас подняли по тревоге. Информацию о нарушителях получили поздно и на границу бросили всех, даже нас — снайперов ГРУ. А ведь мы — элита! Вертолет высадил наш небольшой отряд в горах. Мы организовали засаду по всем правилам тактики. Было нас всего девять, но мы же спецназ! Большая группа боевиков шла через перевал со стороны Грузии. Могла пойти и по нашей тропе. И прошла бы тогда, если б на ее пути не встал наш заслон.

Я, как самый опытный, выбирал себе позицию сам. Со мной в охранении шел проверенный в бою братишка Толик Висковатый. Хороший малый и главное — немногословный.

Мы расположились на скале в стороне и чуть выше всех наших, поэтому первыми и увидели нарушителей границы: цепочкой метров в двух друг от друга вниз по тропе прямо на нашу засаду двигались двадцать человек. Я передал информацию по рации.

Моя задача была отсечь бандитам путь к отступлению. Представляешь, одной своей СВД* я должен был закрыть горную тропу! Ну, еще автомат Толика Висковатого. А там в секторе стрельбы и валуны, и закрытые участки!

На наше требование сложить оружие нарушители ответили шквальным огнем. Используя преимущества высоты, я одного за другим положил гранатометчика и нескольких боевиков.

Но в их группе оказался опытный снайпер. Сначала он снял двух наших пулеметчиков. Потом вывел из строя командира. Хорошо, что ранение в грудь оказалось не очень тяжелым — майор выжил благодаря бронежилету. Потом

---

* СВД — снайперская винтовка Драгунова.

этот снайпер засек мою позицию, и пулю в голову получил Толик Висковатый.

Я искал через прицел этого стрелка. Но как опознать одного среди камней, если все залегшие бандиты одеты в одинаковые камуфляжи и все ведут по нам огонь?

Но снайперская «чуйка» не подвела. Интуитивно я понял, что нашел, кого искал, когда метрах в двухстах заметил перебегающую с позиции на позицию фигуру со светлыми волосами. Баба? Возможно. Но ведь опытная, стерва! Помнишь, в первую чеченскую мы с тобой таких снайперш встречали с обеих сторон. У нас в отряде была одна такая. Правда, за последнее время мне не приходилось видеть женщин со снайперскими винтовками в горах — все больше во вторых эшелонах... Так вот, чуть подождав, когда светлая голова покажется над камнями и прозвучит винтовочный выстрел, я понял, что это снайпер. Поймав несколько раз светловолосую в перекрестье оптики, я все медлил, что-то мешало нажать на спусковой крючок, понимаешь, палец будто не желал слушаться. Минута моего промедления — и следующим выстрелом она меня достала. Тупой удар в плечо чуть не сбросил меня со скалы. Я почувствовал, как онемела и стала чужой левая рука. Пока приходил в себя, вторая пуля прошла чуть-чуть выше над головой. Я сжал зубы, в глазах плыли розовые круги, но злость перехлестнула всего меня через край — убью стерву! Упер винтовку в камни — левая рука не работала, но я не отрывался от прицела. Дождавшись, когда из-за камней покажется светловолосая голова, я нажал на спуск. Потом еще раз...

Потом сполз под защиту скалы. Стрелять больше не мог — в глазах помутнело. Видимо, потерял много крови. Слышал взрывы гранат... Прилетел вертолет... Кто-то сделал мне перевязку. Потом тишина — бой закончился.

Ни один из боевиков не сдался живым. Но меня интересовал только их снайпер. В бинтах, опираясь рукой на винтовку, как на палку, я подошел к телам убитых. Их было двадцать, уложенных в один ряд.

Стоял и не мог пошевелиться. Солнце светило в спину, отбрасывая мою тень на камни, а на них лежала красивая светловолосая женщина... Понимаешь? Пуля почти не испортила ее лица, лишь пробила лоб чуть выше левой брови и прошла насквозь... Понимаешь, очень красивая! Если бы я такую увидел на улице, то пошел бы за ней хоть на край света! Делал бы все, что прикажет! А тут... И уже ничего нельзя изменить... Понимаешь?

Тяжело вздохнув, Алексей продолжил:

— Стоял и смотрел... Меня никто не тревожил. Да я и не узнавал никого. Не хотел узнавать...

Потом был госпиталь. Дослуживал я уже на базе в Подмосковье — учил новобранцев стрелять.

Друг замолчал. Повисла тяжелая пауза, нарушать которую ни он, ни я не спешили.

— Леша, как ты думаешь жить-то дальше? — Голос моей супруги выдал участие.

— Уеду куда-нибудь, где никогда не был.

— Но жизнь на этом не кончается! — вступил в разговор я. — Леха, у тебя все еще будет хорошо.

А он будто не расслышал.

— Эта снайперша почти каждую ночь приходит ко мне... во сне... Стоит и молчит. Светловолосая. Вся в белом. А я не знаю, что ей сказать... Понимаешь? Был приказ... Война...

— Леха, все будет хорошо! — пытался достучаться я до него. — Ты же боец! Мы с тобой и не в таких переделках бывали!

— Моя жизнь осталась там, в горах... Может быть, когда-нибудь я вернусь туда... к ней... — Друг был сейчас не здесь, не с нами.

Алексей ушел, когда стояла глубокая ночь. А мы с женой еще долго сидели на кухне в полном молчании. Потом жена ушла спать, сказав напоследок:

— Как хорошо, что ты у меня отвоевался!

А я прикрыл дверь и стал мыть посуду. Потом взял гитару. К утру у меня вышли такие строчки:

Помню ночь на камнях с яркой россыпью звезд,
Слабый контур вершин вдалеке.
Первым двигался я, а товарищ мой нес
Запасных пять обойм в вещмешке.

Путь по горной тропе, он не прост даже днем
Без гранат, без НЗ, налегке,
А на мне СВД с вороненым стволом
И с тяжелым прицелом в чехле.

Когда в небе бледнела лепешка луны,
Залегли меж холодных камней.
На вершине горы, как в гнезде Сатаны,
Как мишень для ветров и дождей.

Когда начался бой, я прицел расчехлил,
Экономно патроны считал.
С восьми выстрелов я восьмерых положил,
А девятым Господь покарал.

Вижу, снайпер не наш и чужой камуфляж,
Палец плотно кладу на курок.
В это время стрелок снял зеленый платок,
Локон русый упал на висок.

Это ж баба с ружьем! — в голове пронеслось,
Когда выстрел ее прозвучал.
Онемела рука, все же мне удалось
Сделать свой — больше я не стрелял...

Я стоял и смотрел, когда кончился бой,
На камнях распростерлась она,
Хоть ее я не знал, но в мечтах рисовал
Этот лик в обрамленье окна.

Видно, много и я в этой жизни грешил,
И тяжелой вдруг стала земля.
Видно, честно служил — многих я положил,
Вот и жизнь положила меня.

Может, в жизни другой все б сложилось у нас,
Ну а в этой и мой вышел срок.
Белым барсом за ней поднимался Кавказ,
Ну а я уходил на восток.

Все пытаюсь забыть бой в кавказских горах,
Говорю, мол, приказ и война!
Только каждую ночь в снах приходит она,
В белом платье стоит у окна...

РИТА ВОЛКОВА

Санкт-Петербург

В 90-е школьница, в настоящее время — фрилансер.

ЭСМА

Эту историю рассказал автору ее друг Лихой Александр Анатольевич, который участвовал в первой чеченской кампании (1994—1996)

1

Хочу рассказать историю о моей войне в лихие 90-е...

Мы прочно застряли в Ханкале. По местному радио передавали последние сводки по убитым и раненным в федеральных войсках за истекшие сутки. Они откровенно блефовали, и я четко знал, что число пострадавших сильно занижено. Только в сто первом полку потерь было в два раза больше! Нас быстро сморило от пол-литра, и мы пусть и тревожно, но заснули на бетонном холодном полу раздолбанной пятиэтажки. Утром нас кинули на подмогу спецназу для зачистки одного из жилых домов в поселке городского типа. Из поступившей информации следовало, что на местности засел наркоторговец. В одной из темных комнат, куда уже ступила нога молниеносного спецназа, жалась в грязную покореженную стену юная смазливая наркоманка. Ее ощутимо трясло то ли от холода, то ли от наркотического отходняка, будто она сидела на огромной глыбе льда. Севка, мой боевой товарищ, посмотрел на нее презрительно и, хмыкнув, вышел за чудом сохранившуюся в этой нарастающей разрухе дверь.

— Достань хотя бы «кассету»!* — прокричала она мне на прощание. — Сочтемся, дорогой!

Ее отчаянный голос звенел у меня в ушах стотысячным колокольчиком. В голове мелькнула мысль: «Просекла, стерва, что сердце-то мое дрогнуло! Ну да ладно! Достану девахе чуть-чуть порошка, чтобы только не скончалась от ломок». Вот как рассуждал я. А что будет потом, меня не должно волновать!

2

Но мы умирали не за честь и свободу, а за ваши героин и нефть — всплывают в памяти строчки из армейской песни. Воровато оглядевшись по сторонам, я достал из кармана перочинный нож и разорвал черный полиэтиленовый мешок. Затем взял на кончик ножа что-то серовато-белое на вид и поднес его к носу. Запах оказался резким и неприятным. Я свернул клочок газетной бумаги в маленький конвертик и ссыпал туда эту отраву. Все, полдела было сделано, оставалось только его доставить.

— Эй, ты где? — пробирался я на ощупь в дом, где электричество и газ «отрезало» уже давно. Но уже на лестнице, почувствовав запах сладковатой гари, я пошел на этот дымный след. Посреди разрушенной комнаты девушка развела большой костер из остатков паркетной доски. Она сидела к пылающему огню совсем близко, ее колотило беспощадно и лихорадочно. Я сел напротив на шаткий стул, который она еще не успела пустить в «производственный» расход.

— Ну что, солдатик, сын старой оловянной ложки, принес мне гостинчик? А то я грешным делом подумала,

---

* К а с с е т а — вощеная бумажка с любой дозой героина.

что обвел меня вокруг пальца! — произнесла девушка со злорадной усмешкой. Я молча протянул ей конверт с проклятой наркотой. Она вырвала его из моих рук и, избавившись от ненужной бумажки, с неприкрытым вожделением начала втирать грязный порошок в свои нежные десны. Мгновение, и ее лицо преобразилось, стало умиротворенно-спокойным, губы растянулись в блаженной улыбке. Вдруг девушка резво вскочила со своего нагретого места и бесцеремонно плюхнулась ко мне на коленки. Я сомлел, окружающий мир перестал существовать. Костер медленно догорал в холодной южной ночи, а на стенах плясали наши тени.

3

Рассвет режет горло петухам зрачком альбиноса.

Пробуждение было жестоким. Мало того что моя новая знакомая оказалась нечиста на руку и свистнула мой «калашников» и еще пару лимонок, так ко всему прочему на улице совсем не театрально развернулись действия боевого характера. Пустынная улица вмиг превратилась в старые пыльные декорации, словно из американского боевика, только местного разлива и со мной в главной роли. Мне ничего не оставалось, кроме как ползти до своих на брюхе. Я проклял все: ее, себя, окаянную дурман-траву! Не на кого положиться, только положить голову на плаху! Стена, еще одна стена, здесь я нахожу свое временное, пусть и не очень надежное убежище. Пули свистели над моей дурной головой, деревянный забор разлетелся в мелкие щепки, пыль стояла столбом. Я, как рыба, ловил ртом тяжелый горячий воздух. Вдруг со стороны блочных пятиэтажек раздался ответный огонь. Мое сердце замерло от этих звуков — наши отбиваются. Вот бы мне сейчас к ним, оторвались бы на чеченах как следует! Позже, справившись со всеми невзгодами и тяготами, которые были спровоцированы данной ситуацией, я вспоминал ту свежую, более чем лаконичную надпись, которую девушка оставила на входной двери. Всего четыре буквы — Э.С.М.А., написанные погасшим угольком из вчерашнего ночного костра.

4

— Я убью тебя ме-е-е-е-едленно! — говорила Эсма в пустоту, глядя в оптический прицел винтовки типа «винторез» девятимиллиметрового калибра. — Я люблю тебя, слышишь! Я люблю тебя и поэтому буду убивать тебя медленно! Сначала я прострелю тебе ногу, обещаю целиться в чашечку коленную, потом во втор-р-рую, а на десерт оставлю самое ценное для тебя! Ты не бойся, я хорошо стреляю, у меня разряд по стрельбе, я не промахнусь! Я не подведу тебя, малыш! Это только сначала умирать страшно! Я подарю тебе счастье, лестницу Иакова, которая ведет на небо! Тебя уже ждут ангелы с белыми крылами!

Она не помнила своего настоящего имени, здесь оно ей было и не нужно. Боевики звали ее Эсма, что означало «возвышенная», хотя ни капли мусульманской крови в ней не было! Это имя только и указывало на то, что она была на голову выше других пленных, а может, и на две головы, на войне голов-то не считают, они здесь только так летят с плеч долой. Русской она была лишь на одну половину, а на вторую — типичной украинкой, родом из маленького, богом забытого хутора, где основным занятием населения было употребление горілки з перцем. А в Чечню Эсма попала случайно. Девка она была красивая и статная, подружки завидовали, мужики смотрели с неприкрытым вожделением, а тут удачно подвернулся «удобный вариант» не только безвозвратно уехать из этого ненавистного городка, но и неплохо заработать приличных в ту пору барышей. «Поработать» пришлось сначала рядовой шлюхой на базе у чеченских боевиков. Моджахеды измывались изощренно, как только могли. Девушка держалась стойко, выполняя все прихоти своих мучителей. Терпеливо выжидала, надеясь на скорый побег. И однажды тот самый час икс настал. В этот прекрасный день был какой-то большой религиозный праздник. Все правоверные мусульмане сидели в мечетях в молитвенных позах, как призывал их печально-тягучий «азан» старого муллы со стройного минарета. Эсме довольно ловко удалось удрать в открытое окно. Машина марки «Лада» была припаркована прямо у кирпичного дома и зловеще сияла своими тонированными стеклами. В этом автомобиле ее и привезли прямо сюда с местного вокзала. Девичье сердце бешено, нервно стучало, обходя обыденный ритм, а «сторожевой» в засаде, криво ухмыляясь, внимательно наблюдал, как русская пленница в поисках укрытия горяченно мечется, как секундная стрелка в круге. Испуганная девушка, как собака, жалась к чужим коленкам, но не находила спасительной отзывчивости в сердцах редких прохожих, идущих мимо с немым безразличием. Опустошенность пришла быстро, никто из местных жителей не посмел приютить беглянку. Они прекрасно знали, что за этот великодушный поступок им грозит суровое наказание. Эсме неминуемо пришлось вернуться обратно в бандитское логово. Наказание было суровым, девушку показательно жестоко избили и кинули в земляную яму, чтобы неповадно было другим, таким же рабыням, как и она. В земляной сырой темнице Эсма провела двадцать один день вместе с мужчинами, такими же измученными и бесправными. Боевики рассчитывали, что грязные голодные мужики растерзают ее, как бешеные псы блудную суку, но девушку не тронули. Измученную

Эсму подняли на поверхность по приказу «баши» и доставили к нему «на ковер». Девушка командиру приглянулась, он предложил ей работать на него, став снайпером. Эсму учили стрелять по живым мишеням в тренировочном лагере. Она плотно жмурилась, руки нервно дрожали, но чем больше промазывала, тем больше мучилась ее несчастная жертва. Потом от осознания безысходности своего положения девушка добровольно села на иглу и стала работать за дозу. Эсма прекратила мандражировать, руки наконец-то перестали «плясать», девушка хорошо усвоила эту науку: левый глаз прицельный, правый палец спусковой. Так она оказалась по ту сторону фронта.

5

Накануне выполнения последнего задания Эсма купалась в горной реке с куском хозяйственного мыла, которое дал ей полевой командир вместе с бельевой веревкой, тем самым определив ее жалкую участь. А сколько она для него сделала! Приклада на «зарубки» не хватит! Теперь она должна была выполнить свой «священный» долг, а затем умереть, если не подстрелят федеральные войска. Холод пробирался под кожу, заставляя непроизвольно дрожать и клацать зубами. Она тщательно намылила свое хрупкое, изуродованное войной и героином тело.

6

Кажется, ее вычислили. Надо было уходить, но куда?

Чеченским боевикам она была не нужна, и ей это ясно дали понять.

Русские же убьют ее, наверное, с особым наслаждением!

Смерть неминуема! Ее нашли лежащей на животе, с ранением в легкое и с торжествующей улыбкой на лице. Такой я ее и запомнил — улыбающейся. У меня не было ни злости, ни ненависти к ней. Ничего не поделать, видно, таков уж был ее путь! Поговаривали, что она была из группы тех женщин-снайперов, которых прозвали «Белые чулки». Так живописно окрестили девушек-«наемниц», входящих в состав особого вражеского подразделения из-за цвета спортивного трико. Говорят, что это были бывшие спортсменки-биатлонистки из развалившегося уже к тому времени Советского Союза.

ЕЛЕНА НИМЧУК

Краснодар

Рядовой сверхсрочной службы —
диктор, пультист (Туркменистан).
По приезде в Россию: бухгалтер,
офис-менеджер, помощник
руководителя, генеральный
директор, домохозяйка.

ВСТРЕЧА

Я опешила: мой автомобиль был заблокирован в «кармане» другой машиной. Выехать не представлялось возможным.

«Закон подлости никто не отменял!» — автоматически всплыла в голове банальная мысль. Машинально зацепила взглядом часы. Хотя что было толку смотреть, секундная стрелка не замедлила ради меня свой бег. Я катастрофически опаздывала на работу. Заглянув в лобовое стекло, разочарованно выдохнула: номера телефона хозяин незнакомой мне «Тойоты» не оставил. Во дворе было безлюдно. Я лихорадочно искала выход из нелепой ситуации и, не найдя его, с размаху ударила ногой по колесу ненавистной машины. Воя сирены не последовало. Наглое спокойствие «Тойоты» раздражало, я подергала за дверную ручку — тишина. Улыбнувшись, пнула по колесу соседний автомобиль. Разбуженная машина громко «возмутилась», но тут же сигнализация умолкла.

«Ну конечно, ночью ты бы кричала без остановки, с радостью разбудила бы спящих, а тут...» Ход моих мыслей прервал мужской голос сверху:

— Эй, че надо?

Очередь на Арбате, 1989 год

Продавщица продовольственного магазина выкладывает консервные банки на витрину во время тотального дефицита товаров в СССР в начале 90-х годов

Московская булочная. Цена на хлеб поднялась до 5 рублей 58 копеек. Через три дня хлебопекарни вынуждены были пустить дорогой хлеб на сухари – спроса на него не было, 1991 год

Первый день действия новых розничных цен не ослабил ажиотажного спроса. Очередь у магазина, 1991 год

19 августа в Москве объявлено чрезвычайное положение, в город введены войска и техника. Танки на Калининском проспекте (Новый Арбат), 1991 год

Защитники «Белого дома» разговаривают с бойцами военных подразделений, введенных в связи с чрезвычайным положением, 1991 год

Акция в защиту Белого дома, прошедшая в Москве 20 августа 1991 года. Августовский путч 1991 года

Жители города закупают продукты, Москва, 1991 год

Люди стоят в очереди в Сбербанк для обмена денежных купюр образца 1961–1992 гг. Денежная реформа 1992 года

Участники митинга протестуют против либерализации цен, Кемерово 1992 год

Участники митинга на Манежной площади, протестующие против перехода к рыночным отношениям, 1992 год

Маленькие мальчики протирают стекла проезжающих машин, 1992 год

Девочка со скрипкой у входа на Всероссийский выставочный центр (ВВЦ) на фоне пункта обмена валюты, 1993 год

Конфликт двух ветвей российской власти, происходивший 21 сентября – 4 октября 1993 года, результатом которого стало насильственное прекращение действия в России советской модели власти, существовавшей с 1917 года, сопровождался вооруженными столкновениями на улицах Москвы. Баррикады на Новом Арбате

События 21 сентября — 5 октября 1993 года в Москве. Митинг в поддержку президента России Бориса Ельцина. Во время митинга на Манежной площади, 1993 год

Билет «МММ», 1994 год

Несанкционированный митинг вкладчиков «МММ» на Петровке, 38, у здания Главного управления МВД России по г. Москве, 1994 год

Я подняла голову, с балкона третьего этажа на меня недовольно смотрел крупный дядька. «Налепив» на лицо обворожительную улыбку, одной рукой показала на «Тойоту», другой — на соседнюю «Шкоду». Поняв мой немой вопрос, он протянул параллельно руки. Выходит, его машина одна из двух параллельно стоящих в «кармане».

— А чья эта, не знаете? — Он помотал головой и скрылся. В сердцах я ударила «Тойоту» сумкой.

— Девушка, хотите, подвезу?

Я не слышала, как подъехала машина. Водитель — парень из дома напротив, с которым мы вот уже две недели как заинтересованно переглядывались. Я почувствовала, как щеки предательски запылали. Радостно кивнув, пошла к его автомобилю, но тут же быстро развернулась, чтобы забрать папку с документами в своей машине. Вспомнила, что она заблокирована, резко остановилась, сделала несколько шагов в обратном направлении, наконец, до меня дошло, что достать папку ничто не мешает. Вернулась снова за ней. На ходу понимаю, что глупо хожу туда-сюда, и в этот момент услышала его смех. Виновато улыбнувшись, пожала плечами.

— Что это было? — поинтересовался он, подойдя ко мне.

Не успела я ответить, как появился мужчина, сел в «Тойоту» и уехал. Мы растерянно посмотрели вслед удаляющемуся автомобилю. Потом, взглянув друг на друга, рассмеялись.

— Сергей, — представился он.

— Ольга, — и зачем-то добавила: — Панина.

«Идиотка, хорошо хоть отчество не назвала».

— Голоскоков, — улыбнулся он.

Мне нравился его спортивно-атлетический вид, особенно он был хорош в камуфляже, а сейчас вблизи разглядела и лицо. Какое мужественное, я растаяла, как шоколадка на солнце!

«Только бы не оказался дураком!» — вдруг подумалось мне.

— Может, встретимся вечером? Диктуй номер, позвоню, как только освобожусь.

Путаясь от волнения практически на каждой цифре, я все же продиктовала его. И вдруг увидела себя как будто со стороны: мало того что лицо полыхает от волнения, так еще и улыбка до ушей, а взгляд в пол. Выгляжу, как идиотка. Да когда же на смену хроническому смущению придет уверенность, к старости, что ли? Веду себя как ненормальная, он точно больше не посмотрит в мою сторону! Я так и отвечала на вопросы, не глядя на него, и только когда услышала «До вечера», посмотрела ему в глаза: он по-доброму улыбнулся. Во взгляде не было осуждения. Когда его автомобиль скрылся из виду, я села в машину, несколько раз закрыла и открыла глаза. Не веря своему счастью, щипнула себя: «Ай! — было больно. — Не сплю! Сегодня свидание! С ним! Ура-а-а-а!»

Время тянулось невероятно медленно. Секундная стрелка бежала в том же ритме, но две другие ползли, как престарелые черепахи. Наконец-то рабочий день закончился. Совершенно не помню, как доехала домой, где, быстро приведя себя в порядок, погрузилась в ожидание. Хорошо, что родители были в отъезде, расспросов я бы не выдержала. Прошло полчаса, час, полтора, два… Неужели забыл обо мне? Казалось, надежда, силы, жизнь уходят из меня с каждой секундой. Тишина давила на виски, оглушала. Хотелось зарыться в подушку, чтобы не слышать ее. Внезапно телефонный звонок ворвался в сознание, разорвав в клочья тоску и сомнения…

Мы катались на его машине по ночному городу. Потом сидели в кафе, а когда оно закрылось, поехали к моему дому и долго еще болтали в автомобиле. Несколько раз желали друг другу спокойной ночи, но находилось, что сказать напоследок, и мы продолжали говорить: обо мне, о нем, о нас! И вдруг увидели на детской площадке дворника. Удивились незамеченному рассвету. Перебравшись в подъезд, держались, как дети, за руки и не могли проститься. Как назло, сверху появилась баба Надя, посмотрев на нас с осуждением. От ее колючего взгляда захотелось раствориться. Ощущение полета мгновенно исчезло, я почувствовала себя сбитой на лету птицей.

Сережка обнял меня, просто сказал:

— Не заморачивайся!

В его объятиях стало уютно и спокойно. Я сама потянулась к его губам...

Если бы не сработал будильник на его телефоне, мы бы так и не расстались. Этим утром он уезжал в командировку на три недели или больше, он сам точно не знал. Не знала и я, как смогу теперь дышать, ходить, жить без него! В двадцать два года я вдруг поняла, что Сережка именно тот, за кого я, не раздумывая, вышла бы замуж!

В офисе я тупо смотрела в монитор компьютера, но разобрать ничего не могла. И это повторялось изо дня в день. Я отрешенно перебирала бумаги, душу воротило от исков, ходатайств, судебных актов... Я никогда не испытывала таких чувств! Я думала только о нем! Внутри то все бушевало, то порхало. От таких крайностей кружилась голова. Так вот что такое любовь!

Лишний раз я боялась выпустить из рук телефон, жила ожиданием звонка. Это было единственным занятием, которому я посвящала все эти дни. Потерянные, бессмысленные дни моей жизни без него, но стоило ему позвонить, и все кардинально менялось. Иногда мы разговаривали с ним часами напролет. Но бывало, он только здоровался, желал хорошего дня или спокойной ночи и отключался, а порой я ждала звонка по нескольку дней. Что ж делать, военные — люди подневольные. Дни ожидания я окрестила траурными и даже зачеркивала их черным маркером на календаре. И только его голос, прозвучавший в телефоне, наполнял меня радостью, счастьем, жизнью...

— Я соскучился.

— Неужели?! — нежно прошептала я и почувствовала, что Сергей улыбается.

— Хочу спросить тебя... Станешь моей женой? — вдруг взволнованно спросил он.

От счастья я закрыла глаза, с наслаждением слушая внутреннее эхо, пока его не прервал тревожный голос:

— Ольчик, что скажешь?!

— Да! Конечно, да! Да! Да! Да!

Я не играла с ним, чем сразу и понравилась, в этом он признался в одном из телефонных разговоров. Изначально ему импонировали моя искренность, стеснительность, наивность, не свойственные современным девушкам. Бывает же такое: именно то, что я и мои подруги считали во мне недостатком, привлекло парня моей мечты...

Сегодня какая-то неодолимая сила тянула меня домой. Я чувствовала, что встречусь с ним. Я даже музыку не включила, чтобы не пропустить его звонок. Перед домом дорогу мне преградила похоронная процессия, состоявшая в основном из людей в камуфляже.

Я не стала обгонять колонну. Машины сзади, следуя моему примеру, тоже остановились. В наших домах живет много военных, и похороны, увы, нередки: шла война в Чечне. Вот и сейчас несли несколько гробов. Казалось, от людского горя воздух стал вязким, липким, тяжелым. Мимо меня прошел военный, окликнул кого-то из колонны. С мрачным выражением лица они обменялись рукопожатием.

— Кто?

— Сашка Резник, Олег...

«Ничего не хочу слышать о несчастных, — решила я. — Скоро приедет Сережка, мы поженимся, и у нас...»

— ...Серега Голоскоков, — выхватило мое сознание...

ДМИТРИЙ ЧАРКОВ

Москва

ТИГРЫ, МИШКИ, ТОПОЛЯ...

Когда «вертушка» зависает, разглядывая тебя выпуклыми глазищами и покачивая пулеметами, то невольно замираешь, пялясь в бездушные затонированные стекла. Пилоты проявляются, как изображения на «Поляроиде», мгновениями позже. Но Митя слышал от брата, что глаз их не видишь никогда — просто не успеваешь: эти люди смотрят поверх тебя, куда-то вдаль, ты инстинктивно сбрасываешь оцепенение, оглядываешься и тут вдруг падаешь, отброшенный чудовищной силой навзничь: кто-то из тех людей незаметно нажал на какую-то кнопку. И ты уже мертв.

Всего-то кнопка — не педаль даже...

— Вот уж довелось... снова отступать к Москве, — прохрипел дед Кирилл. Он сильно болел эти дни, почти не вставал с постели.

— Почему опять, деда?

— Да в сорок первом-то... — Дед Кирилл закашлялся. — Ох ты ж, господи. Тьфу! ... Я примерно такой же был, как Иса наш — вот мы драпали от фрицев...

— Да ну! Ты ж говорил, вы били их!

— Это в сорок четвертом били их да в сорок пятом... Били. И нас били. Так не свои же!

— Дед, а ты тоже федерал?

— Чего это вдруг я федерал? — откликнулся Кирилл Федорович, переворачиваясь на бок в своей постели.

— А папка мой — федерал?

— Аслан не федерал, уж точно. И мама Ира твоя тоже не федералка, уймись.

— Он в такой же форме на фотографиях, когда в армии служил, как и эти федералы, — авторитетно заявил мальчик, кивнув неопределенно в сторону завешенного одеялом окна. — И твоя форма на войне тоже на их очень похожа. Там, где ты возле флага. На фотке той, помнишь?

— Помню, — тихо ответил дед.

Фоток больше не было. И кителя его армейского парадного тоже не было — как и не было их квартиры на втором этаже пятиэтажного дома на Фабричной в Грозном, в которой они с женой Галей прожили без малого четверть века.

Внук подсел на краешек кровати и заговорщически прошептал:

— Я тебе кое-что расскажу по большому-большому секрету, только ты никому не говори, обещаешь?

Дед Кирилл молча кивнул.

— Нет, ты скажи «клянусь Аллахом».

— Я не знаю никакого Аллаха, Митька, и Иисуса тоже, — в ответ прошипел дед. — С чего я ими клясться-то буду?

— Так... порядок такой.

— Ладно, клянусь, — пробормотал Кирилл Федорович.

— Аллахом? — поднял брови Митя.

— И им, и Буддой, и Христом-богом, — заверил его дед.

— Перекрестись.

Перекрестился.

— Палец вверх подними. Да нет, указательный давай, не хлюзди — большой не пойдет!

Дед поменял пальцы.

— Скажи сперва, ты видел на войне фрицев в вертолете? Чтобы вот так прямо перед тобой, как… лист перед травой.

Дед невесело усмехнулся.

— Фрицев-то видел, конечно.

— Нет, а вот чтобы лопасти перед носом: вжих-вжих, как из-под земли, вдруг? И пулеметы — настоящие, боевые, как… как змеи пучком целым уставятся и смотрят, смотрят…

— В Отечественную не было еще вертолетов, Мить.

Тамерлан, как звал его отец, озадаченно посмотрел на старичка. Как так — не было вертолетов? «Ми-24» были всегда: двухглазые циклопы, один глаз над другим — побольше и пошире.

— У нас танки зато были, — продолжил Кирилл Федорович. — Ты же слышал про Курскую битву, про Рокоссовского, Гудериана? Я к инженерному батальону тогда приписан был после контузии. Довелось столкнуться с фашистским «тигром» нос к носу. Он, представляешь, заплутал, видимо — от своих отбился, и к нам прямо в тыл вышел.

— Да ну? Что он, баран, что ли, чтобы от своих отбиться? — засомневался Митя.

Тигр ему представлялся умным и вполне воспитанным хищником.

— Клянусь тебе всеми ими! — Дед поднял глаза кверху, Митя за ним тоже.

— Представляешь, вытаскиваю из блиндажа корзину с провиантом, а он, «тигр» ихний — на-ка тебе! Как лист перед травой, ага: заворачивает с просеки прямо на нашу опушку.

— Так ты б с «калаша» его!.. Та-та-та-та-та!!! Загрызет же иначе, я знаю!

— А «винтарь» мой у поленницы прислонен остался. Да и проку-то стрелять: «тигровая» броня — там сотня тонн весу.

Про броню у тигра Митя ничего не знал: шкура — да, хорошая папаха могла бы выйти, он был уверен.

— А танк-то ваш где был?

— Наши все на Дуге уже стояли.

— Ну, деда, а из танка по тигру... Мокрое место — клочки по закоулочкам!

Кирилл Федорович засомневался: о том же самом ли «хищнике» они с внуком говорят?

— «Тигры» фрицевские крепкие были, — уверенно провозгласил дед, откидываясь на подушку. — Завернул он, значит, и встал. Понял, что к чужим угодил! И я встал, рот открыл.

— Ты б ему подкинул хлебца — он и ушел бы, сытый.

Дед опять привстал на локте:

— О! Моя кровь, хоть и в чеченских жилах! Верно ведь: я от неожиданности-то сперва выронил все, а потом схватил сверху краюху — да в него! Да второй и третьей...

Митя захихикал тихонько.

— И не поверишь ведь: как дал фриц задний ход, и мигом — фьюить! Только я его и видел. Сказывали потом, что он в речушке увяз там, рядом.

Мальчик, оглянувшись на дверь, тихо прошептал:

— Деда, а тебе страшно было? Испугался? Да?

Кирилл Федорович почесал бороду, глянул на внука и ответил:

— Да, Мить, очень страшно.

— А ты... это... нафурил в штаны?

Дед от неожиданности замер — уж не потешаться ли над ним вздумал этот шалопай черноглазый? Но парень выглядел серьезным и несколько настороженным.

— Ну, я ж на войне был. Мало ли чего там увидишь — так и портков не напасёшься.

Мальчик тяжело вздохнул и отвернулся. Дед Кирилл насторожился:

— А ну-к, погоди, ты ж мне рассказать хотел что-то? Про «вертушку» небось? Давай, твоя очередь.

Митя немного помялся, потом выдавил из себя:

— Я тоже так вот, нос к носу... с «мишкой».

Дед ахнул:

— Бурым?!

— Нет, — помотал головой мальчик, — с «двадцать четвертым».

Кирилл Федорович сообразил, что речь о «Ми-24»: его в Грозном узнавали все.

— Как так? Тебе ж отец запретил ходить со двора? А если брат узнает? Иса тебе голову оторвет сразу.

— Тс-с! — испуганно приложил палец к губам Тамерлан. — Не оторвет, а отрежет, между прочим. Но ты же поклялся не говорить!

— Поклялся, как же... Теперь ты мне клянись, что ни шагу впредь отсюда.

Митя перекрестился, затем направил указательный палец вверх, одновременно поклонившись и омыв ладонями лик свой, при этом пробормотав что-то под нос.

— За домом Муслима — у них, знаешь ведь, овражек такой, и забор кирпичный, красный.

— Ну?

— Я на минутку только: хотел добежать, поменять ему кассету «Рэмбо» на «Рокки», и сразу назад. Представляешь, только подбежал к воротам, а тут из-за забора, снизу из оврага — «мишка». Прям на меня. И как твой тигр: замер, будто сам меня испугался, понимаешь? А я... вот... в общем, штаны мои потом мокрые оказались. Деда, скажи: я теперь трус, значит?

В глазах мальчика Кирилл Федорович видел крошечное отражение мягко колышущегося пламени свечи, стоявшей тут же, на столе. На миг даже показалось, что отражение как-то поплыло вниз в Митиных глазах, к длинной реснице, и растаяло... Парень отвернулся, шмыгнув носом.

— Мить, честное ветеранское: это не имеет никакого отношения к храбрости...

— Но ты-то ведь тогда один на один с целым тигром оказался, и ничего — сам сказал!..

Митя осекся, потому что где-то за окном послышался нарастающий свист.

Снаряд разорвался, наверное, в трех-пяти домах вниз по переулку. Митя резко прижал ладони к своим ушам и зажмурился, прошептав:

— Хоть бы не в Мусика, хоть бы не в Мусика, хоть бы не в...

Из прихожей они услышали твердый голос Аслана:

— Так! Все в подвал по лестнице, быстро! Ира, ты первая с Адамом — там внизу Иса поддержит. Тещ-щ-ща, вы где? Тамерлан?

Даже теперь дед Кирилл не мог не отметить про себя какой-то особой теплоты, прямо-таки шуршащей в голосе зятя, когда тот произносил слово «теща», и непроизвольно улыбнулся — ранее в своей жизни он не встречал ни у друзей, ни у знакомых такого бережного отношения к родне, особенно к женщинам.

Тамерлан подскочил на кровати, ринулся к дверям, потом резко замер и, обернувшись, спросил:

— Дед... ты?..

— Давай иди, иди, Митя, я тоже, я сейчас. — Он осторожно приподнялся на постели и перенес ноги на пол.

Ох уж эта немощь, эта одышка, эта постоянная боль в груди. И это нескончаемое бегство. Ну, лишь бы его котелок не продырявился — не время сейчас, до Пятигорска бы дотянуть.

Кирилл Федорович выпрямился во весь рост и вдруг замер, пробормотав:

— Старый пень... надо было сказать ему! Конечно, надо было, вот я...

— Тесть мой, как вы тут? — На пороге появился зять.

Второй взрыв прогремел чуть дальше первого, но в той же стороне — значит, метили направленно в одну точку.

Аслан двумя шагами преодолел разделявшее их пространство и, аккуратно обхватив тестя спереди, приподняв, мелкими шажками доставил к подполу, в котором собралась уже вся семья — Ира, Галка, Иса...

Ту ночь они пережили, обошлось, лишь старый кот Джохар неподвижно лежал под сенью абрикосового деревца. Но он умер от старости, как заверил Митю потом отец.

А дед Кирилл умер в Пятигорске две недели спустя. Отступление к Москве совсем подорвало его силы, и в последние дни он находился между реальностью происходящего и какой-то другой, из своего далекого прошлого. Когда сознание ненадолго возвращалось к нему, он пытался что-то сказать Тамерлану, но Аллах лишил деда Кирилла дара речи после той ночи, когда не стало Джохара. Все, что у него получалось, это по-детски жалобно заглядывать в быстро повзрослевшие Митькины черты и нечленораздельно что-то мычать, немощно указывая на свои ноги. Все успокаивали его, пока наконец Тамерлан не положил конец никому не понятной суете деда, прошептав ему на ухо лишь несколько слов:

— Дедуля, я услышал. Ты рассказал мне тогда не всю правду про то, как с «тигром» повстречался. Но ведь к храбрости это не имеет никакого отношения, я знаю, ты мне сам говорил, поэтому не переживай. Все будет хорошо, скоро приедем в Москву.

Кирилл Федорович благодарно ему кивнул и нервно улыбнулся, сжав костлявыми пальцами узкую ладонь внука. С тех пор его и отпустило.

А через три дня мальчик горько плакал на могиле деда в одиночестве, когда все уже вышли за ограду. Необычный блеск он видел и в глазах старшего брата, но Иса плакал молча, стиснув зубы. Адам же, самый младший, ревел вовсю — и по поводу, и без. Хотя к настоящему мужеству ничто из этого не имело никакого отношения.

Посмотреть бы только вот еще в глаза тем, кто деда снова заставил воевать...

НИНА БАЙРАМОВА

Москва

До 90-х — сотрудник
Грозненского нефтяного института.
В 90-е — вынужденные
переселенцы с детьми.
После 90-х — журналист
областного еженедельника.

Я НЕ ИМЕЛА ПРАВА
БЫТЬ СЛАБОЙ

Все было, как у всех: семья, дети, работа, дом... Летом — отпуск и отдых на Черном море. Какие-то планы и мечты, хлопоты по дому... А главное — уверенность в завтрашнем дне, потому что есть все для этого — высшее образование, мозги и все вышеперечисленное.

А потом вдруг все ушло. Просто резко закончилось. Даже приятные хлопоты по дому... Его, дома, просто не стало. И все, что происходило в его стенах, превратилось в воспоминания. А сами стены — в руины. Потому что случилась война. Чеченская.

Но сначала стали пропадать люди. Часто дети. Их просто хватали на автобусных остановках или даже вырывали из рук родителей на улице, запихивали в машину и увозили. А затем требовали с убитых горем мам денежный выкуп. Все, у кого имелись родственники в других городах России, стали прятать детей там.

Так и я оказалась на Кавминводах. А конкретно — в Пятигорске. Это были тяжелые 90-е. Определив нас туда, мой муж очень скоро самоустранился от нерешаемых проблем, связанных с нашим проживанием. Его самого приняли в другой семье, одели в кожу и меха, посадили на полное обеспечение, окружили теплом и лаской. Я же, оказавшись без денег, без работы, без жилья, без поддержки родных и друзей, на долгие десять лет выпала из нормальной жизни.

Нужно было решать вопросы первостепенной важности, причем не в какой-то очередности, а все сразу. Крышу над головой в Пятигорске предложили совершенно чужие люди. Мы с детьми спали на полу пустой комнаты общежития, поделив постель с тараканами, полчища которых обжили жилплощадь раньше нас. Дети посещали школу зачастую голодными. Было время, когда из еды был только хлеб и растительное масло, на котором я его поджаривала. С таким завтраком они шли учиться, это же ели на обед, а затем на ужин. Однажды упавшего в голодный обморок сына увезла прямо с урока «Скорая помощь». Никто в школе не подозревал о наших проблемах, и истощение детского организма приняли за приступ острого аппендицита. Тогда сыну помогла сбежать из больницы его сестра, и приехав из Пятигорска, где мы жили, в аэропорт Минеральных Вод, где я работала, он остался ночевать на лавочке под прикрытием сложенных картонных коробок. Кстати, тогда же на наших глазах проходила операция по освобождению заложников — сначала детей в автобусе, потом в вертолете...

Работа в чужом городе была не всегда. Жилье тоже. Все в жизни было временным и недолговечным. Как-то занесло нас в Оренбург. Проезд туда по направлению миграционной службы был для нас, вынужденных переселенцев, бесплатным.

В поезде мне стало плохо, в глазах потемнело, я потеряла сознание. Сын тогда решил, что я умерла, и откуда-то издалека я слышала, что он громко кричит, зовет меня. Поезд остановили на какой-то станции, вызвали бригаду медиков, которые констатировали факт истощения организма и нервной системы. Потом меня кололи, потом капали, потом... Центр временного размещения в Оренбурге. В комнате метров в восемнадцать нас жило человек двадцать разных по возрасту и характеру людей. Спали на старых двухъярусных железных кроватях: дедушки, бабушки, дети и их мамы. У каждого свое горе. Вот мама с пятилетней дочкой. Это все, кто остался от многодетной семьи. На глазах женщины в один момент погибли муж и пятеро остальных ее детей. Руки, ноги, куски разорванных их тел метнулись, как фейерверк во время бомбежки Грозного. Дети просто не успели перебежать на другую сторону улицы и укрыться вместе с мамой. Они спешили, но успели лишь на тот свет. Она же смотрела на разбросанные по земле фрагменты родных тел и старалась переключиться на момент прощания с ними.

Страшные истории, сконцентрированные в большом количестве, так как каждый имел свою, могли составить целую библиотеку томов. Можно было свихнуться, слушая их. Однако каждого в тот период занимала лишь своя жизнь.

Жизнь моей семьи, уже без мужа, который оставил нас именно тогда, в самое трудное и страшное время, изобиловала каждодневными событиями. Это как короткие клипы, эмоционально окрашенные, где черные тона преобладали над всеми другими. Работать приходилось где угодно и кем угодно. Высшее образование от московского вуза стало ненужным. Миром правил беспредел. И когда вдруг появлялась неожиданная возможность накормить детей, счастью не было предела. Помню, как отправилась получать продуктовую посылку в Красный Крест в Пятигорске. Гуманитарная помощь поступила из-за рубежа. Килограмма крупы, сахара, макарон, муки и бутылки растительного масла мне с детьми хватило бы надолго. Слезы радости выступили от созерцания такого количества продуктов, за которыми я пришла с сынишкой. Но уже спустя несколько минут слезы стали горькими от обиды. Выяснилось, что вожделенная посылка получена моим мужем: в списке стояла его подпись. Он отнял и бесплатный пай у своих детей, благополучно доставив его в ту, новую, сытую семью, которая пригрела его и оградила от проблем и голодной смерти.

Как-то он открыл мне дверь дома, где проживал, с тарелкой источающего аромат специй горячего мяса — не мог расстаться с ужином. Я же зашла, чтобы сообщить ему, что детям нечего есть, и попросить помочь. Гнев, ярость, ненависть потревоженного зверя, вызванные моим приходом, запомнились мне навсегда.

Помню, как приехала на время в Грозный из города на Кавминводах, куда вывезла детей, пряча от надвигающейся на нас, жителей Чечни, беды. От железнодорожного вокзала до моей пятиэтажки — рукой подать. В школе эту дистанцию мы пробегали на время, когда сдавали нормы ГТО. Теперь эти метры оказались для меня непреодолимыми. Поезд прибыл под утро, уже светало, и я, взяв за руки обоих детей (младших школьников), направилась к до боли знакомым, родным окнам на втором этаже моего дома. Пройдя метров тридцать, мы оказались прижатыми к высокому забору резко вырулившим из-за угла автомобилем. Салон его был набит не вполне адекватными подростками. Ночные гонки по опустевшим улицам Грозного были явлением обычным. Машины не просто угоняли у русских, их отнимали молодчики под страхом смерти. Разбили сегодня одну, назавтра останавливают следующую, выгоняют водителя, приставив дуло пистолета. А то и просто душат, затянув на его шее проволоку. И снова в путь на поиски приключений и адреналина. В ту ночь я с детьми стала объектом, удачно подвернувшимся под руку, точнее под колеса одной из таких машин. Оцепенев от страха при виде стволов автоматов, торчащих из окон автомобиля, дети вросли в землю. Издевательский смех не предвещал добра. Из немого шока нас троих вывела выходка маленького сына: он бросил в дверцу машины пустую стеклянную бутылку от минералки, как бы протестуя против скверной ситуации, заложниками которой мы оказались. Звон разбитого стекла вернул из забытья детей, и они «сгреблись» в кучу под мое крыло. Но остервеневшие подростки дали задний ход и с налету, визжа колесами, направились на нас с агрессией, злостью и руганью.

Не помню, как мы оказались на исходной позиции — в зале ожидания вокзала. Здесь валялись грязные бомжи, источающие зловоние, ходили непонятные личности с двумя автоматами, по одному на каждом плече, здесь смерть шла рука об руку с жизнью. Один неверный шаг — и никто не будет даже знать, где искать тебя. Эти несколько часов до начала рабочего дня, когда по улицам Грозного начинают ходить люди, мне пришлось с детьми сидеть на вокзале в полном кошмаре. Да и потом повторить попытку попасть домой я решилась лишь в сопровождении каких-то бабушек, которым было со мной по пути.

Некогда родная жилплощадь, где стены впитали ауру былого семейного счастья, встретила суровым холодом отчуждения. Как выяснилось, свет по вечерам в квартирах включать было опасно. К вечеру я положила под кровать железяку непонятного происхождения — видно, муж когда-то принес. Как будто железка могла спасти меня от нападения, случись ворваться людям в мою квартиру. Но это еще не все. К прутьям балкона привязала толстую бельевую веревку: меня бы она, может, и не выдержала, а вот дети в случае чего могли бы спуститься по ней со второго этажа и убежать. С приходом темноты дома можно было только лежать и молчать, не подавая признаков жизни. И все же ближе к полуночи постучали. Страшно было даже дышать. Стук становился громче и настойчивее. Затаившись в дальней комнате, мы ждали исхода. Детей даже предупреждать не надо было, чтобы они не вздумали вдруг заплакать. Все интуитивно немели в этом городе.

Видимо, отчаяние и временное бессилие сделали меня в итоге сильной. Нужно было поднять детей, дать им образование. Так и случилось, но намного позже. Потеря собственного жилья и скитания по съемным квартирам настолько укоренили в сознании мысль о бездомности, что много лет еще я не могла привыкнуть к ощущению, что вновь приобретенная квартира на земле покровской — моя. И ценности, что сегодня я ставлю во главу угла, — не те, что были вчера и позавчера.

АСЕЛЬ ОМАР

Москва

ДАУР

— Что же это ты — такая красавица и без охраны? — прогремел надо мной чей-то голос в толпе у чужой аудитории.

В полумраке коридора высокая фигура преградила путь. Тонкий мышиного цвета гарусный свитер с седой нитью под замшевым пиджаком. Я подняла голову и столкнулась со спокойным и равнодушным взглядом голубых глаз. Молодой кавказец смотрел прямо и нагло, не мигая. Его красота не могла не поразить, она затмевала утонченный пижонский шик одежды.

Это была красота северного горца — первозданная, смелая, щедрая. В бледности лица, в очертаниях тонких губ, точеных узких скулах звенела и билась музыка неведомой мне человеческой природы, свободной, неприступной, суровой и упрямой. Вокруг огромных глаз — длинные легкие ресницы, но глаза смотрят жестко, заставляя отступить и смешаться. Зазвенел звонок. «Даур! Запомни, меня зовут Даур!» — пронеслось мне вслед.

Это короткое звонкое имя с тех пор всякий раз оживляло в моей памяти мужественное лицо, в котором напоминание о нежности можно было прочесть лишь в рисунке век и воздушных ресницах, но плотно сжатые губы, волевой подбородок, крепкая переносица и грубоватый глухой голос выдавали жестокость.

«Куда спешишь, красавица?» — неожиданно раздавалось где-то рядом, и цепкая жилистая рука преграждала мне дорогу везде, где бы мы ни встретились, и он просто молча и беззастенчиво смотрел столько, сколько ему хотелось, потом уходил, бросая напоследок с прищуром: «Готовься, скоро уедем в Сухуми».

«Зачем, зачем я с ним поздоровалась? Надо было молчать, надо было все время молчать!» — ругала я себя. Кто-то подсказал мне, что на Кавказе женщина не должна ни с кем разговаривать. Откуда мне было это знать, мне было восемнадцать лет.

Он танцевал бешено и неистово. Это было на новогоднем вечере. Даур вошел в зал в окружении своих товарищей и тут же заставил перепугавшегося диск-жокея поставить его кассету. Свита его расступилась. «Алхаз, держи!» — крикнул Даур, бросая в сторону свиты длинный лайковый плащ. Плащ был кем-то пойман. Даур сделал несколько резких первых движений. Музыка — суровая, ритмичная, барабанная, почти без мелодии — закружила его. Все расступились. Даур танцевал один. То приподнимаясь на цыпочки, то опускаясь на колени, он то и дело вскрикивал «ха!», бил ладонью о ладонь, тут же широко разводя руки, и резко поворачивал голову в сторону, отчего на лицо спадали иссиня-черные пряди челки.

В то время в Москву приехала моя мама. Мы выбирали компьютер в маленьком салоне на Пятницкой. Один продавец, толстенький и невысокий, терпеливо объяснял преимущества последней модели «Пентиума», второй, с дьявольски модной китайской бороденкой, развалясь в крутящемся кресле, пробурчал недовольно в сторону: «Не все ли вам равно в вашей Средней Азии!» Пробурчал так, чтобы мы услышали. И мы услышали, переглянулись, но пререкаться было некогда, да и не хотелось.

— Мне надо валюту поменять, — сказала мама.

— Обменник напротив, — бросил бородатый, кивнув в окно. На другой стороне тихой улочки виднелась оранжевая вывеска «Exchange».

— Не мог бы кто-нибудь из вас меня проводить, для подстраховки?

— Еще чего, там абхазская территория. — Лицо бородатого вытянулось.

— Чья?

— Этот обменник абхазцы контролируют, я туда не ходок! — казалось, от возмущения встопорщилась даже бородка продавца.

— Вообще-то это ваша территория... Ваша страна, в конце концов, — сказала мама. Полненький продавец, все это время переводивший взгляд то на маму, то на своего напарника, видимо, чувствуя за него неудобство, тихо и быстро проговорил, натягивая пальто:

— Пойдемте, я вас провожу.

Бородатый пожал плечами, хмыкнул и отвернулся. Мне подумалось, что вот надо же, он боится таких, как Даур, а тот, что пошел с нами в обменник, выходит, не боится. Он тщательно проверил упаковку, подклеил ее скотчем и улыбнулся на прощание с извиняющимся видом.

Я тоже боялась Даура. Завидев его издалека, старалась незаметно проскользнуть мимо. Но это меня не спасло. На кафедре готовились праздновать юбилей преподавателя русской литературы. Несколько человек из нашей группы попросили помочь накрыть на стол, в том числе и меня. Девчонки ушли за посудой в столовую, я осталась на кафедре одна, когда в дверь заглянул Даур. Он стремительно приблизился, говоря опять что-то насчет красавицы. Я отпрянула, пятясь к окну. Как назло никто не заходил, и в небольшой комнатке над старыми лакированными столами и пишущими машинками стояла жуткая тишина. В длинное узкое окно проникали сизые зимние сумерки. Даур подходил все ближе. И тут я почувствовала, что в одной руке за спиной я сжимаю столовый ножик, которым я только что разрезала суфле.

— Отойди, Даур, иначе я тебя зарежу, — сорвалось у меня почти шепотом, но, видимо, от отчаяния это прозвучало настолько правдиво и уверенно, что Даур, дико глядя на перепачканный в креме нож, отшатнулся назад. Дверь за ним захлопнулась, потянув за собой сквозняком форточку.

В тот новогодний вечер, когда мне пришлось наблюдать его страстный до исступления танец, он выдохнул свое последнее «ха!» и разрешил диск-жокею продолжать вечер по намеченной программе. Заиграл какой-то блюз. Еще никто не пришел в себя от неожиданного выступления Даура, и в середине зала не появилось ни одной парочки. Он прошел через весь зал и вдруг остановился напротив меня. Свита, перешептываясь, наблюдала у стенки.

— Разрешите вас пригласить, — почему-то на «вы» сказал Даур. Не дождавшись ответа, он повлек меня к центру, соединил свои руки у меня за спиной, оставив между нами почтительное расстояние. От напряжения этот проклятый блюз казался бесконечным. Даур смотрел куда-то в сторону, он тяжело дышал, на лбу блестели бисеринки пота. Белоснежная шелковая рубашка вздымалась на груди, в вороте поблескивала тонкая золотая цепь.

— Спасибо, — сказал он в конце.

В последний раз я увидела Даура во дворе института. Стояла прохладная бледная весна, сухой асфальт был чисто выметен. Даур схватил меня за руку.

— Погоди. Ты меня извини, если что... — Он крепко пожал мою руку. — Ты хорошая девушка... Если кто обидит, скажи — Даура знаешь.

И ушел, высокий и стройный, оставив меня в изумлении. Только блеснула цепь на мощной шее. Про себя я не смогла не отметить, что это уважение досталось мне недешево.

Признаться, я вспоминала о нем, когда его уже давно не было в Москве. Окончив институт, он уехал домой и сразу попал на войну. Разгорелся грузино-абхазский конфликт. Я вспоминала о нем, когда на экране телевизора мелькали кадры хроники уже новой — чеченской — войны. Показывали эти гордые горбоносые лица в туго затянутых косынках с арабской вязью на лбу, а вокруг танки, танки, камуфляж, стволы автоматов и почерневшая изуродованная земля. Такой запомнилась мне история первой чеченской кампании. Лица с колючими и жесткими взглядами, а на них — выражение суровой неприступности. Сказать честно, я переживала за этих людей, не желая при этом встретиться с ними в реальной жизни.

С той поры прошло без малого пять лет. Я заканчивала институт и собиралась ехать домой в Алма-Ату. И на том же самом месте, где я в последний раз видела Даура, у старой облупленной скамьи, где я остановилась полюбоваться заполненной зачеткой, услышала знакомый глухой голос:

— Ну привет, Нургуль.

Это был Даур.

— Привет, — не сказать, чтобы я обрадовалась встрече.

— Вот зашел в институт, а знакомых никого и не встретил. Только тебя.

В его голосе звучало столько обычной доброжелательной, с грустинкой, человеческой интонации, столь нехарактерной для него, что я удивилась: может, обозналась?

— Даур?

— Даур-Даур.

Мягкое серое кашемировое пальто, тупоносые начищенные туфли, запах дорогого одеколона — все тот же шик, но как переменился Даур! В его лице, в еле наметившихся мелких морщинках вокруг глаз не было и следа былой удали и самоуверенности. Потускневшие глаза хранили усталость и затаенную тревогу, но вместе с тем его лицо приобрело какую-то новую, обветренную и грубоватую прелесть.

«Такси-такси, вези-вези, вдоль ночных доро-ог...» — донеслось из студенческого кафе.

— Зайдем? — кивнул он в сторону открытой двери. — Пожалуйста! Так мне грустно здесь стало, когда увидел этот двор...

Мы взяли кофе и сели за свободный столик. Мне так ясно помнился тот, довоенный юный Даур — легкий и сильный, что теперь, глядя на него, у меня сжалось сердце. Теперь передо мной сидел взрослый мужчина, осунувшийся, с усталым взглядом и темными кругами вокруг глаз. Он сухо и коротко рассказал о том, что несколько лет провел в окопах, что в Москву приехал в Склиф.

— Пива не хочешь? — спросил он.

— Нет, спасибо.

— Замуж не вышла?

— Нет.

— Ну парень-то есть?

— Есть.

— Ну и хорошо... А ты помнишь Алхаза? Со мной учился? Он ведь всю войну тут, в Москве, отсиделся. Магазин купил. Я у него остановился... Завтра мне на рентген. Осколок в боку, да еще ухо надо проверить, левым совсем не слышу.

Он говорил так же отрывисто, однако я поняла, что впервые разговаривала с ним без страха.

— Спасибо, что поговорила со мной. А то, знаешь, так взгрустнулось... никто меня не знает, не помнит, не то, что раньше.

Мы вышли на улицу и медленно двинулись по промозглой Бронной. Неужели только теперь я поверила в романтизированные, как мне некогда казалось, образы горцев из русской литературы, в Хаджи-Мурата и Казбича, и поняла, что эту документальную хронику я смотрела через призму так называемого художественного вымысла, читанного еще в школе? И неужели эта правда оживает только вместе с новыми войнами, так обостряющими человеческие отношения? Даур шел молча, глядя под ноги, засунув руки в карманы распахнутого пальто. Под ногами хлюпала привычная московская слякоть. Мокрый снег осыпал прохожих, спешащих домой после трудового дня. Мы расстались на Страстном.

НИКОЛАЙ КУЗНЕЦОВ

Тараз (Казахстан)

Служил в рядах Советской армии.
В 1992 году поступил в институт.
Работал слесарем, компьютерщиком,
далее сторожем, связистом,
менеджером, частным мастером.

КИНО ИЗ ДЕТСТВА

Ленка бежит и хохочет, широко распахнув руки. Волосы растрепаны, ноги исцарапаны до колен высокой травой. Ленка запинается обо что-то невидимое и валится прямо в небольшой сноп...

В маленькой полутемной комнате негромко трещит кинопроектор «Русь», эдакое стрекотание электромоторчика и продергиваемой кинопленки формата восемь миллиметров. Я помню, с каким пиететом папа мне объяснял принципы любительской киносъемки. Но, правда, ввиду то ли своей бестолковости, то ли полной невозможности понять все тонкости домашнего кинопроизводства, но я так ничего и не поняла. Запомнила лишь как хранить кинопленку и как заправлять ее в кинопроектор...

Глаза Ленки на весь экран. Я помню, как папа говорил, что моя сестра очень фотогеничная и свободно держится в кадре. А еще он мечтал свозить Лену в Москву и показать ее на просмотре у самого Грачева. Да-да, того самого, который еще «Ералаш» снимал в те времена. Хотя, по-моему, он и до сих пор его еще снимает. Но я эти новоделки не смотрю. Это все не то уже...

Особенно этот момент: Лена стоит в полуоборот к кинокамере и читает стихи. Волосы ветерок слегка закинул ей на лоб, и Лена смешно встряхивает головой, пытаясь челку вернуть на место. Папа очень сердится в этот момент и кричит Лене: не верти головой, а то кадр испортишь. А я, что я? Я как раз и снимала все это на нашу любительскую камеру «Аврора двести пятнадцать». С пленкой «восемь миллиметров супер». До этого у нас была кинокамера, по-моему, «Кварц» называлась. Но когда я была маленькая, то я ее просто утопила в одном очень красивом горном озере. Помню еще, как папа очень долго сердился на меня, бестолковую. А потом пытался найти на дне озера нашу камеру, очень долго нырял и так и не нашел ничего...

А я, тогда еще балда шестилетняя, разревелась, и мама меня очень долго успокаивала. Лена родилась как раз после этого, годика через два. Что еще из тех времен помню, так то, что папа очень долго не мог найти подходящую камеру, и когда вышла новая «Аврора», он буквально горы перевернул, делал какие-то проекты и курсовые по ночам, продал старенький мопед и велосипед, занял в долг и купил-таки нашу «Аврору». Это было уже году в восемьдесят пятом или седьмом, не помню точно...

Вместо экрана на стене прибит кусок простыни, сложенный вдвое. Проектор стоит на стульчике. Из всего папиного киноархива я смогла уберечь и сохранить лишь две катушки с пленками. Тогда, тридцать лет назад, ведь никто и думать не мог о том, что буквально через пять-шесть лет произойдет.

Когда вооруженные бородачи ворвались в наши дома, отца и матери дома не было. Отца по тревоге подняли еще ночью. И с тех пор я так его и не видела. А мама с утра пошла на базар. В доме находились мы с Леной.

Бандиты, трое местных, в чалмах и халатах, с замотанными лицами и двое каких-то чужих, потому что были одеты не по-нашему, принялись обшаривать нашу крохотную квартирку. Но что здесь можно было найти в двух комнатках старшего лейтенанта? Черно-белый телевизор, утюг и стиральную машинку «Чайка». И двух дочерей-школьниц советского офицера.

Мы жили на втором этаже двухподъездного щитового дома, в котором селили офицеров с семьями. Я хотела схватить младшую и выпрыгнуть в окно... Но Леночка оказалась куда храбрее меня и, схватив кухонный нож, назвала самого страшного и противного из бандитов, когда он стал вытряхивать из шкафа мамины вещи, сыном плешивого ишака...

Моя маленькая храбрая сестра... Что было потом, я не помню, как будто бы кусок кинопленки просто вырезали. Помню, как бандиты стреляли из автоматов, и все...

Очнулась я в госпитале в военном лагере. О своих родных ни слухом, ни духом. Так никто мне и не сказал ничего. От ребят-разведчиков я узнала, что на месте нашего дома пепелище, и все. И эти две кассеты с кинопленками моего папы, уцелевшие каким-то чудом, которые ребята принесли для меня...

Ленка на экране смешно морщит носик, что-то говорит в камеру, звука нет, но я все помню и так наизусть:

«Я помню чудное мгновенье, передо мной явилась ты... — Тут сестра показывает мне язык и вдруг становится совершенно серьезной и говорит прямо мне в лицо речитативом через глазок кинокамеры, — пусть всегда будет солнце, пусть всегда будет мама, пусть всегда будет папа, пусть всегда будешь ты и я, пусть всегда будет мир...»

Дальше пленка заканчивается, весело трещит кинопроектор, светя своей лампой в белую простыню, мотается хвостик пленки на большой катушке. Которую мне надо будет еще осторожно перемотать и уложить в специальный бокс.

А я сижу и плачу...

Бизнес по-русски, и не только...

ВЛАДИМИР ШНЕЙДЕР

Москва

В 90-е — педагог музыкальной школы, сторож, продавец. После 90-х — журналист.

КАСТАНЕДА

ПЕРВОПРОХОДЦАМ И РОМАНТИКАМ

Сентябрь 1992 года. Жаркое бабье лето. По тенистому переулку, примыкающему к Большой Полянке, торжественно плывет пирамида из больших картонных коробок. Если идти навстречу трехметровому нагромождению, можно предположить, что башня движется сама по себе. Но на самом деле его толкает толстый коренастый человек семитской внешности. Это мой отчим. Он — уличный книготорговец. Взгляд отчима упирается в картон с надписью «Боевики». Он шагает вслепую. А движением картонной пирамиды управляю я, отдавая команды «Правее! Левее! Прямо!»

Наша «точка» находится около универмага «Ванда». За день мой отчим зарабатывает от четырехсот до тысячи рублей. Столько же он недавно получал в месяц, работая прессовщиком в типографии МГУ. Из типографии он уволился в апреле, а в июле уже заработал на китайские пуховики для всей нашей семьи. В конце восьмидесятых мы жили бедно, в 91-м — скатились в нищету, но потом начался «бизнес», и все изменилось.

Мы идем медленно, чтобы пирамида случайно не завалилась на бок. Если дорогие книги в подарочном переплете обобьются об асфальт — их придется выкупать. «Запомни, — сообщил мне как-то Аслан Магоев, генеральный директор нашей фирмы, многозначительно подняв указательный палец правой руки, — у нас правило простое: «Убил-купил!»

В советские времена, да и в первые годы СНГовии универмаг «Ванда» считался некой святыней, местом паломничества гостей столицы, как ГУМ, ЦУМ, Мавзолей и универмаг «Московский». Нынче площадь перед магазином девственно-чиста: ни толпы, ни лотков, ни ларьков... Даже не верится, что раньше здесь бурлили базарные страсти. Прошедшие двадцать три года изменили это место до неузнаваемости. Хотя все вроде бы осталось на своих местах — универмаг, дома, оживленная улица Большая Полянка, но куда-то исчезла жизнь. Будто ничего и не было. Куда исчезла жизнь?

Прибыв на «точку», мы разбираем пирамиду, раскладываем колченогие столики, вытаскиваем из коробок книги — боевики — сюда, любовный роман — туда; атласы и карты — сюда, Кастанеду — туда; Григория Климова — сюда, Пикуля — туда; Виктора Суворова — сюда, Толкина — туда; энциклопедию секса — сюда, школа бодибилдинга Джо Вейдера — туда. Луку Мудищева, Пиноккио, оригами и Камасутру с фотографиями на музыкальные пюпитры (для нот), чтобы главные позиции нашей точки были видны издалека.

Уф... Разложили. Длинный прилавок из семи столиков пестрит обложками книг и другой печатной продукцией. Рабочий день начинается.

Алгоритм нашего бизнеса предельно прост. Он состоит всего из двух пунктов: 1. Закупка товара на большом книжном торге, гудящем в спорткомплексе «Олимпийский». 2. Реализация товара с надбавкой от пятидесяти до двухсот процентов от стоимости закупленного товара.

Какие суммы Аслан Магоев отстегивает «крыше» — нам с отчимом (слава богам!) неизвестно. Но «крыша» у нас есть. Мы даже видели ее однажды, «крышу»... Она предстала в образе хмурого плешивого мужика с каким-то серым непроницаемым лицом, вяло беседующим с нашим генеральным директором неподалеку от лотка.

Коллектив фирмы, название которой уже растворилось в мутном потоке времени, составляет пять человек: генеральный директор Аслан Магоев, заместитель генерального директора Александр, моя мама — главный бухгалтер и начальник отдела учета, мой отчим — начальник отдела реализации и я — исполнительный директор. Фирма существует уже полгода, и обороты ее стремительно растут. У нас есть офис — небольшая комната в сыром подвале, принадлежащем какому-то НИИ. Почти все пространство комнаты занимают коробки с книгами, поэтому офис вполне можно назвать и складом.

Несмотря на то что социализм в России уже закончился, коммунизм так и не начался, а капитализм объявлен новой, единственно верной формой государственного устройства, полки официальных книжных магазинов по-прежнему завалены всякой макулатурой. Зато на нашем лотке можно ух как разгуляться. Народ-то читать любит!

Проверив выкладку книг и дав ценные указания, мой отчим уходит по делам, а я остаюсь торговать. Сегодня — мой день. Родители дают мне возможность торговать два раза в неделю. Понимают, что карман двадцатилетнего человека вечно голодный, и его надо периодически подкармливать.

Торговля идет живо. Очереди, конечно, нет, но покупатели то и дело подходят. «Странно, — думаю я, — все сидят без зарплаты и работы, а деньгами на книги располагают».

Стою, торгую. Жара усиливается. Вдруг подходит крупный парень в вареном костюме и в бейсболке «Coca-Cola».

Вид очень авторитетный, угрожающий. Долго смотрит на ассортимент лотка.

— Слышь, кастанеда, — обращается ко мне мордоворот и вытаскивает из внутреннего кармана толстую пачку купюр, — чего почитать-то?

— Да вот, — мнусь я, — собственно, Карлоса Кастанеду можно...

Бугай извлекает из плотно сжатого ряда книг том под названием «Учение Дона Хуана. Отдельная реальность». На супероболожке книги изображен идущий по песочным барханам голый мужик. Он по ягодицы утопает в песке. Вместо головы у него прихотливо закрученная ракушка. Вокруг фантастического человекообразного существа разбросаны древние организмы, типа, трилобитов.

— Что это? — настораживается «вареный» покупатель, глядя на сюрную композицию.

— Ну... Это... Как бы сказать... — блею я, — такая книга про одного мексиканского колдуна и мага Дона Хуана. Он обладает невероятными способностями. С виду обыкновенный дед, а на самом деле, можно сказать... Даже и не знаю, как про него сказать... Короче, к нему приехал один известный журналист-антрополог и попытался постичь его магическое искусство. В общем, там такие дела! Кактусы, сновидения, то-се! Это надо читать! А еще...

— Ладно, давай мне Кастанеду, — просит «вареный», — Корецкого, Хруцкого, Пиноккио, вот этого Брэма про зверей дай и... и... и политехнический словарь дай.

— О'кей, — отвечаю я, принимая деньги.

Через два часа половина дневной выручки — в «надпочечнике», специальной ременной сумочке на молнии. Удачный день. Как и все остальные дни. Но сегодня очень, очень, очень удачный день. Есть большая вероятность, что вечером в моем кармане осядет пятьсот-шестьсот рублей.

После обеда около лотка появляется энергичный, верткий, худой директор Аслан Магоев и интересуется успехами. В одной руке у него — тающее эскимо, в другой — пачка бумаг, наверное счетов или что-то в этом роде. С его пояса свисает пухлый «надпочечник», украшенный надписью Marlboro. Я докладываю. В черных кавказских глазах гендиректора вспыхивает азартный огонек.

— Отлично! Прекрасно! — радуется Магоев. — Если так дальше дело пойдет, через две недели купим компьютер, а потом будем расширяться. А потом...

И я уже вижу, как Аслан стремительно поднимается в гору, организовывает книготорговую фирму, штат которой быстро растет, потом создает собственное издательство, затем поглощает несколько других книготорговых компаний и издательств, превращаясь, подобно многим ребятам из 90-х, в бизнес-магната, а то и в олигарха. Его кураж меня цепляет. Я молод, он молод, хотя и постарше меня на десяток лет. Но какое значение имеют эти мелкие детали, если уже через две недели в офисе будет стоять настоящий компьютер?

Но компьютер в нашем офисе не появится, потому что в тот же сентябрь 1992 года исчезнет вся касса фирмы. Исчезнет вместе с генеральным директором. Аслан просто пропадет без вести, прихватив всю нашу казну. Испарится, будто его и не существовало, оглушив горем жену, малолетних детей, мать, все многочисленное свое семейство. Наша фирма быстро закроется, благо регистрация ее была шита белыми нитками.

Выражаясь красиво, можно сказать, что нашего генерального директора сразит осколок первой бомбы, сброшенной в первый день войны. Его горящие глаза не увидят ни расстрел Белого дома, ни последующие за ним чеченские войны, ни экономические кризисы с девальвациями и деноминациями, ни отречение от власти вконец заплывшего президента, подарившего нам новые возможности, ни чудовищные выборы «ДА. ДА. НЕТ. ДА», ни фантастический подъем и обвал российского книжного рынка, ни кровавые битвы книгоиздателей за государственный заказ на образовательную литературу, ни «Ламборджини» книжных шейхов. Он станет, типа, морским американским пехотинцем, первым бросившимся на берег Нормандии и сразу получившим дозу свинца.

Куда же отправился наш босс? На какую встречу-стрелку? Зачем взял с собой всю кассу? Почему не поделился планами даже со своим заместителем? Жадность им двигала или авантюризм? А может быть, это заместитель его... того... Никто так ничего не понял и не узнал. Ну а я, обожженный неожиданным развитием событий, решил на всякий случай держаться от бизнеса подальше. Родители тоже как-то приуныли, став осторожнее и внимательнее. Моя эйфория, вызванная новыми возможностями, свернулась, не успев толком меня одурманить. Той же осенью я ушел из коммерции, но пятитомник Кастанеды 1992 года от издательства «София» храню, как артефакт. Он напоминает мне о том шальном, безумном и веселом времени, когда я за один день мог слупить месячный заработок инженера или учителя.

Что же касается директора фирмы, то его замумифицированные останки нашли году в 94-м. Их обнаружили в каком-то подмосковном котловане. В бетонной глыбе. Денег фирмы при начальнике не оказалось...

АЛЕКСАНДР ФИЛИЧКИН

Самара

КООПЕРАТИВЫ

Сейчас среди молодежи мало кто скажет, что значит это мудреное понятие. А происходит оно от латинского cooperatio, то есть сотрудничество. Говоря русским языком — артель, состоящая из людей, решивших заняться каким-либо делом или промыслом. В начале девяностых годов это слово было у всех на слуху и советскому народу внушили, что с помощью мелких предприятий можно построить великое государство.

Многие клюнули на удочку пропаганды и ударились во все тяжкие. У тех, кто имел связи с начальниками крупных заводов, дело быстро пошло в гору. Они покупали материалы по крайне низкой государственной цене, а продавали по рыночной. Наваривали приличные бабки и жили в свое удовольствие. Ну, а те, кто вовремя не завел полезных знакомых, влачили жалкое существование. Так же, как сейчас наши немногочисленные фермеры.

В те годы я пахал в крупном научно-исследовательском институте, который занимался разработкой нефтепромысловых труб. Там трудились тысяча двести человек и имелось множество отделов, занимавшихся стальными сплавами. Среди сотрудников учреждения встречались люди, обладавшие кандидатскими и докторскими степенями и имевшие имя не только в стране, но и за рубежом. С некоторыми я был хорошо знаком и заглядывал иногда к ним поболтать.

В один из таких дней я зашел в кабинет приятеля и увидел молодого мужчину, лет тридцати. Во все времена люди советской науки не шиковали и носили ту же одежду, что и остальные инженеры страны. Однако этот парень был одет еще проще. То есть выглядел как простой работяга из пролетарского района. На это намекал дешевый спортивный костюм невероятной расцветки.

Мало того, гость говорил очень медленно, словно с великим трудом подбирал нужные слова. И хотя речь оказалась на удивление правильной, слушать его высказывания стоило большого труда. Так иногда бывает, когда встречаешься с душевно нездоровым человеком.

Наконец, парень распрощался со всеми и ушел. Я проводил его взглядом до выхода. Отметил дерганые движения и нетвердую, какую-то ходульную, походку. Дождался, когда за ним закроется дверь, не выдержал и спросил:

— Кто это был?

Мой знакомый с грустью ответил:

— Работал у нас года два назад.

— Кем? — удивился я. Странное поведение и речь парня никак не вязались с высокоинтеллектуальной атмосферой, витающей в лаборатории. В большом помещении стояло несколько самых дорогих компьютеров, лазерный микроскоп и квантовый генератор, который все ласково называли «наш Лазарь Моисеевич».

— Руководителем научной группы.

— Да ладно тебе! — не поверил я. — Ты, наверное, шутишь?

— Ты не смотри, что теперь он стал таким странным, раньше он был большим умницей и кандидатом технических наук.

— Что же с ним случилось?

— Как только началась перестройка, он создал кооператив и занялся производством каких-то металлоизделий. Дела у него сразу пошли на лад, он разбогател и уволился из института. Через пару месяцев мы узнали, что он попал в больницу с тяжелейшей черепно-мозговой травмой. Началось милицейское следствие, но сыскари так и не нашли людей, которые изуродовали парня.

Зато пошли слухи, что его жена снюхалась с его лучшим другом, с которым они все втроем создали малое предприятие. У них начался бурный роман, и парень стал сильно мешать неземной страсти. Пылкие любовники немного подумали. Решили избавиться от препоны и наняли киллера, но тот не смог довести дело до конца.

Так ли было на самом деле, никто точно сказать не мог. Но когда парень наконец выписался из больницы, оказалось, что жена уже с ним развелась и вышла замуж за друга семьи. Его доля в кооперативе отошла к счастливым молодоженам, а ему досталась убитая однокомнатная квартирка в панельной хрущобе. Все остальное имущество исчезло неизвестно куда. Наш герой остался совершенно один. Разучился читать и писать. Стал плохо говорить и начал жить на пенсию по инвалидности.

После этого рассказа я много раз встречался с ним в лаборатории наших общих знакомых и постепенно научился с ним разговаривать. Хотя, должен признаться, мне было тяжело вести с ним светскую беседу и улыбаться несмешным шуткам, которые он частенько отпускал. Самое удивительное было в том, что он никогда не жаловался на судьбу. Всегда выглядел веселым, и создавалось впечатление, что он очень рад тому, что остался в живых.

Через несколько лет я уволился и столкнулся с парнем на улице. Удивился тому, что он меня узнал в непривычной обстановке, и увидел на нем тот же аляповатый спортивный костюм. Мы поздоровались за руку, и он с гордостью сообщил, что самостоятельно выучил алфавит. Читает по слогам и даже разгадывает кроссворды, печатающиеся в желтой прессе.

Некоторое время мы с ним встречались на одном и том же маршруте, а потом он куда-то пропал...

Хочу добавить, что остальные работники лаборатории недолго страдали из-за отсутствия финансирования со стороны государства. Они огляделись вокруг и обнаружили множество нуворишей с огромными деньгами. После чего наладили производство диссертаций для богатеев.

Пару раз ребята нанимали меня для того, чтобы я писал плакаты, необходимые для защиты. Ватманские листы развешивали в кабинете. Рассказывали претенденту на ученую степень, что и где написано, и заставляли отвечать на вопросы, которые могут быть заданы приемной комиссией.

Обычно эта процедура проводилась не менее трех-четырех раз. После чего желающие «остепениться» все-таки заучивали нужный текст. Уезжали в Москву и уверенно становились кандидатами, а то и докторами технических наук.

Спустя еще несколько лет я зашел в институт по пенсионным делам и узнал, что научное учреждение закрылось, а огромное здание принадлежит неизвестно кому...

ЕЛЕНА ХОРВАТ

Самара

До 90-х — студентка, аспирантка, преподаватель в строительном институте. В 90-е — безработная. После 90-х — сметчик, инженер-строитель, проектировщик.

СОЛЬ

В начале девяностых годов с позволения властей началась обвальная приХватизация. Начальники предприятий и чиновники принялись делить пирог государственной собственности. Прямые связи между изготовителями и потребителями были разрушены, а их место заняли толпы жадных посредников.

Барыги скупали товары на заводах и фабриках и везли их на рынки и в магазины. По дороге цена стремительно вырастала, причем иногда в несколько раз. В нашей стране началось первоначальное накопление капитала и появились так называемые новые русские.

В то темное время многие товары исчезли с прилавков и вновь возник приснопамятный дефицит, устроенный партократами в ходе пресловутой «горбачевской катастройки». Среди прочих необходимых вещей пропала даже обычная поваренная соль. Как мелкая, так и крупного помола.

Муж моей знакомой наслушался пропаганды по телевизору и тоже вдруг захотел стать «богатеньким Буратино». Для начала он перебрал всех знакомых в записной книжке и нашел человека, с которым когда-то учился. Давний приятель давно работал на озере Баскунчак. Добывал хлорид натрия для СССР и дослужился до высоких чинов.

Сергей прикинул на калькуляторе и решил, что самым выгодным будет купить минерал россыпью. Привезти в Самару, разложить по пластиковым пакетам емкостью один килограмм и развезти по магазинам. Согласно статистике, наша область потребляла огромное количество «белой смерти». Поэтому, несмотря на копеечную наценку, назначенную сверх расходов, прибыль обещала быть весьма ощутимой.

Некоторое время мужчина размышлял над проектом, а потом собрался с духом и решил начать свое дело. Зарегистрировал кооператив с неограниченными полномочиями. Собрал все свои сбережения и двинулся в Астраханскую область. Встретился с институтским товарищем. Обсудил условия взаимовыгодного сотрудничества. Договорился о цене и заплатил за поставку небольшой партии.

Пока оплаченный товар ехал малой скоростью через половину страны, Сергей не сидел без дела. Обзвонил и объехал множество предприятий. Арендовал небольшой цех, ставший ненужным нашему государству. Купил аппарат, фасующий сыпучие продукты, и заказал рулоны полиэтиленовой пленки для упаковки. На ней красовалась двухцветная надпись, поясняющая, что лежит внутри и кто произвел данный продукт.

Наконец, ценный груз прибыл в город. Сергей посадил жену в автомобиль и приехал на железнодорожную станцию. Тамошние служащие оформили нужные бумаги и сказали, где стоит прибывший состав. Супруги подошли к крытому товарному вагону и попросили путевого обходчика отпереть дверь. Огромная створка откатилась в сторону, и за ней обнаружилась щитовая перегородка, не позволявшая содержимому вывалиться наружу.

Мужчина забрался внутрь. Заглянул поверх досок и увидел соль крупного помола. Как и договаривался покупатель с поставщиком, она была насыпана на пол слоем толщиною в полтора метра. Косые лучи солнца врывались в проем двери. Падали на кристаллики и преломлялись в их глубине. Плоские грани вспыхивали отраженным светом и искрились, подобно крохотным бриллиантам.

Сергей непроизвольно опустил руку и зачерпнул горсть вещества, сулившего скорое богатство. Вернее сказать, хотел зачерпнуть, но, к его удивлению, из этого ничего не вышло. Ладонь не погрузилась в сияющую россыпь, как он ожидал. Вместо этого она скользнула по шершавой поверхности, словно прошлась по зернистому снегу, смерзшемуся в прочный наст.

Мужчина потыкал в «белую смерть» пальцем и, к своему ужасу, понял, что она тверда, как камень. Дело было в том, что пока измельченный хлорид натрия ехал по железной дороге, он уплотнился от тряски. Напитался влагой из окружающей атмосферы. Слипся и вернулся в свое прежнее состояние. То есть превратился в сплошной монолит.

В самый драматичный момент появились железнодорожники и потребовали освободить вагон в течение нескольких часов. В случае задержки пригрозили начислить большой штраф за простой. Пришлось срочно нанять шестерых рабочих с кувалдами и ломами. Благо подобные люди всегда находятся рядом с подъездными путями.

Здоровенные мужики принялись откалывать глыбы каменной соли и таскать их в автомобиль. Хозяин тоже не стоял в стороне. Вместе с хрупкой женой он участвовал в процессе и помогал, чем мог. Носил небольшие куски. Заметал метлой измельченные кристаллы и собирал лопатой в мешки.

Работая посменно, три бригады грузчиков смогли раздробить двадцать тонн монолита за трое суток. Сергей заплатил штраф за простой вагона и за работу по его очистке. Перевез товар в цех и стал думать, что с ним делать дальше? В связи с тем, что глыбы каменной соли оказались никому не нужны, оставался единственный выход — перемолоть их в частицы нужного размера.

Мужчина вновь взялся за телефон. Долго обзванивал пищевые комбинаты и крупяные фабрики. С большим трудом нашел и приобрел небольшую мельницу, способную справиться с помолом хлорида натрия. Привез покупку в цех. Запустил в работу и с облегчением увидел, что дело сдвинулось с мертвой точки. С одной стороны агрегата загружались огромные куски, а с другой сыпались белые кристаллы, готовые к употреблению. Оставалось только разложить их в пакеты и развезти по магазинам.

Сергей подождал, пока измельченного продукта наберется достаточно много. Взял пару ведер и высыпал в бункер установки, предназначенной для фасовки товара. Включил рубильник и приготовился принимать запечатанные пачки, вылетающие одна за другой, из недр агрегата. Механизм загудел, загремел, но вместо увесистых упаковок наружу полезли куски полиэтиленовой пленки, запаянной со всех сторон. Соли в пакетах не было!

Расстроенный кооператор остановил производство и кинулся звонить производителю развесочного оборудования. После долгой ругани с заводскими инженерами выяснилось крайне интересное обстоятельство. Оказалось, что это устройство прекрасно работает с любыми веществами, которые не теряют сыпучести при перемене влажности окружающей среды. То есть с теми, чьи частицы не впитывают влагу из воздуха и не слипаются. Соль не обладает таким свойством, и поэтому развешивать ее нужно сразу после выхода из мельницы.

Пришлось искать опытного сварщика и с его помощью изготавливать нечто вроде поточной линии. После двух дней упорной работы все кое-как пришло в норму. Минуя промежуточные станции, измельченная соль поступала сразу в развесочное устройство, где упаковывалась в полиэтилен. Готовые пачки вываливались наружу, и оставалось только их взять и сложить в ящики.

Расфасованный продукт широким потоком хлынул в торговлю. Там его приняли на ура. Посыпались заказы со всей области, и Сергей стал понемногу наращивать обороты. Соль по-прежнему слипалась по пути в город. Ее приходилось буквально вырубать из вагонов, а потом снова молоть. Дополнительные расходы, вызванные этими факторами, сильно влияли на отпускную цену, но ее по-прежнему хорошо брали, и дела шли на лад.

В один прекрасный день двери распахнулись, и в цех вломилась ватага бритоголовых «братков». Впереди шел широкий, как шкаф, верзила со сломанными ушами, чью морду украшал перебитый нос. Главарь направился в дальний конец помещения. Вошел в каморку, где у Сергея был кабинет, и принялся «быковать». Распустив пальцы веером, он «ботал по фене» и пытался объяснить хозяину, что нужно платить за «крышу».

Мужчина хорошо знал, чем могут кончиться споры с бандитами. Не стал упрямиться. Сказал, что готов к сотрудничеству, и попытался снизить величину оброка. После некоторых препирательств он все же немного сбил цену за «охрану». Договорился с новоявленным «партнером» о сумме, которую нужно «отстегивать» каждый месяц, и внес ее в накладные расходы. Цена на конечный продукт поднялась, а прибыль опять снизилась. К счастью, товар брали так хорошо, что было грех жаловаться.

Некоторое время все шло прекрасно, а потом у Сергея появился соперник. Несмотря на то что его продукция была дороже, помол крупнее, а упаковка хуже, заказчиков хватало с избытком. Несколько месяцев оба «солепродавца» спокойно работали каждый в своем районе и не мешали друг другу.

Затем конкурент прислал бандитов и попытался «вна-глую отжать» бизнес Сергея. Наш герой подключил к раз-боркам свою «крышу». Зря он, что ли, платил им деньги все это время? Две шоблы встретились на нейтральной территории. «Перетерли» между собой, и вскоре выясни-ли, что и те и другие подчиняются одному «пахану».

«Смотрящий за городом» не стал лезть в дрязги своих «крепостных». Они вдвоем контролировали областной ры-нок и исправно платили «бабки». Поэтому ему было все равно, как эти «лохи» разберутся между собой и сколь-ко фирм станет торговать солью. Товар очень специфи-ческий. Много его не съешь, так что увеличить сбыт не удастся в любом случае.

Узнав, что «крыша» ему не поможет, конкурент под-ключил другие, более легальные ресурсы. Оказалось, что у него большие связи в городских верхах, и вскоре на Сергея обрушился шквал всевозможных проверок. Каж-дая из них находила уйму нарушений везде, где только возможно: в технологическом процессе расфасовки това-ра, в санитарном состоянии цеха и склада готовой про-дукции, в отчетной и финансовой документации и т. д. и т. п. Все комиссии требовали наказать кооператив по всей строгости, а еще лучше закрыть.

Полгода непрерывной борьбы в судах города сломили дух нашего героя, а едва укрепившееся финансовое бла-гополучие рухнуло в тартарары. Он был вынужден свер-нуть производство, уйти с рынка и заняться установкой счетчиков расхода тепловой энергии.

В память о тех временах, когда Сергей занимался биз-несом, в его гараже до сих пор хранится поточная линия помола и расфасовки соли. Рядом стоит огромное количе-ство рулонов полиэтиленовой пленки. На ней в две кра-ски нарисован логотип почившей фирмы. Ни то, ни другое он так и не смог никому продать.

ПЕТР МУРАТОВ

Новосибирск

КАК МЫ СТАЛИ СПОНСОРАМИ

Минула уже почти четверть века с того дня, когда мы вдвоем с товарищем Женей нырнули в мутные волны рынка. Оба на тот момент еще числились научными сотрудниками, у обоих по двое детей. А на дворе незабываемые «лихие девяностые»: галопирующая инфляция, обесценивание вкладов, всероссийский «лохотрон» под названием ваучеризация, безверие, разгул преступности и прочие прелести времени разграбления, «прихватизации» некогда общенародного достояния при самоустранении государства из всех сфер экономики под сладкую болтовню о свободном рынке и демократических ценностях.

Большинство наших коллег уже слиняли за рубеж или собирались это сделать. А мы перебивались книжной торговлей: мерзли на оптовой ярмарке, развозили книжки по области, открыли несколько розничных точек, учредив товарищество с ограниченной ответственностью (ТОО) «Буян».

Однажды услышали по радио рекламу: «Купеческий караван» отправляется в плавание!» и контактные телефоны. Позвонили: один новосибирский предприниматель Владимир Мегрэ (псевдоним) зафрахтовал круизный теплоход «Патрис Лумумба». Желающие могли сдать ему товар на реализацию — «Караван» спускался вниз по Оби. Съездили в офис, составили договор, познакомились с сотрудником по имени Вадим, которому предстояло торговать нашими книжками.

И потекли денечки ожидания. Изредка мы представляли, как на глухих таежных пристанях продаются наши книжки. Через два месяца нам позвонили из «Каравана»: заберите свои книжки, продалась где-то треть. Ладно, думаем, хоть что-то. Приехали — теплоход уже стоял в доке в Затоне. Встретили Вадима — вот остатки книг, а такова сумма проданного товара, получайте ее у руководства.

Поднялись на палубу. Коммерсанты, желавшие получить денежки, подходили один за одним. «Руководством» оказалась измученная ежеминутно повторяющимися почти слово в слово диалогами женщина.

— Здравствуйте!

— Добрый день!

— Нам бы деньги получить за проданный товар.

— Денег нет.

— А где деньги?

— Не знаю.

— А кто знает? Где директор?

— В Москве.

— А когда он приедет?

— Не знаю.

Такой типичный для девяностых годов «базар», думаю, ежедневно тысячекратно повторявшийся во всех уголках нашей необъятной Родины. После однообразной прелюдии-дуэта настaвал черед сольного выступления каждого из вновь подошедших торгашей, начинавших догадываться, что их банально «кинули». Тут «вариаций на тему» было значительно больше: от жалоб на тяжелую жизнь до крутых распальцовок с угрозами в адрес руководства «Купеческого каравана».

Но мне запомнился монолог православной женщины, сдавшей на реализацию церковную литературу. Поминалось и осквернение слова Божьего, и обещание кары небесной им, грешникам окаянным. И все с убийственным спокойствием, с какой-то внутренней силой.

Однако «полпред» от «Каравана» держалась молодцом, никого не перебивала, лишь глубоко вздыхала, выслушивая всех с сочувствием. Да уж, положение ей досталось незавидное, но, исполняя роль «громоотвода», она, видимо, имела за это хорошую компенсацию. В том числе и с причитавшихся нам денег.

Не желая становиться очередными участниками бесполезного разговора и поняв суть происходящего, мы с Женей присели в уголке и стали думать, что же делать. И тут уловили главное: долг предлагалось погасить любым имевшимся в наличии товаром. Теплоход нужно было освобождать — аренда судна заканчивалась.

Но негодующие коммерсанты, словно токующие глухари, не желали слышать и принимать это: понятно, денежки интересней. Дав волю эмоциям и высказавшись, они считали, что на сегодня достаточно. Мол, «мы еще с вами встретимся!». Поэтому мы сразу сказали, что согласны взять товаром, благо еще было что выбрать. Как тетушка-«громоотвод» сразу заулыбалась, как посветлело ее лицо!

— Да пожалуйста, ребята! Вади-и-ик! — позвала она нашего торгаша.

Тот пришел, улыбаясь.

— Сумму их долга знаешь? Они возьмут товаром. Проследи.

И пошло-поехало! Лопаты? Игрушки? Годится! Мыло, зубная паста, макароны, чай, маринованные помидоры... Глаза у Жени загорелись, Вадик хоть и знал сумму нашего долга, но что почем из предлагаемого нам товара — нет. О, сварочный аппарат «Гном»! Берем! Я Женю уже локтем в бок: сворачиваемся, сумма долга превышена. А Вадик улыбается, ничему не препятствует. Что, нечестно? «Как царь с нами, так и мы с царем!»

Потом целый год ждали звонка из «Каравана» с вопросом: «Ребят, а на какую сумму вы взяли товара?» Но время шло, никто нам не звонил, уж не ведаем, чем там закончились разборки с остальными коммерсантами.

А через год вышла книга «Анастасия» авторства Мегрэ, причем сразу огромным тиражом. В ней описывалась молодая таежная отшельница, кудесница, чудесница, красавица, разве что не спортсменка и комсомолка, Анастасия. И якобы именно ему, автору книги, посчастливилось встретиться с ней во время одной из стоянок на пути «Купеческого каравана».

Книга имела фантастический, оглушительный успех по всей стране. Многие люди, потеряв духовные ориентиры, самозабвенно медитировали на массовых оргиях Кашпировского и Чумака, «Аум Синрике» и сайентологов Хаббарда, преподобного Муна и прочих претендентов на роль всемирных пастырей. И вдруг озарение молнией — Анастасия! Описание ее чар и чудес чередовалось раздумьями на тему мироздания, жизни, космоса и так далее. Изложено было, соглашусь, довольно талантливо, однако я осилил первую «Анастасию» где-то до половины, потом читать надоело. Добро бы я ничего не знал про автора и воспетый им «Купеческий караван». Ведь методы его работы в период «созревания замысла» этой книги сильно мешали верить в высокое и светлое.

Мы поняли гениальный замысел и логику действий Мегрэ. С точки зрения человеческой психологии, он попал в самое яблочко. Ведь у всех нас на уровне подсознания живет почти физиологическая потребность в общении с природой, глубинное ощущение некой изначальной чистоты и страстное желание обретения гармонии бытия. Еще сто лет назад Горький устами Луки в пьесе «На дне» поведал об истовой вере человека в «праведную землю». Вот и теперь люди с маниакальной неистовостью хотели верить, что где-то там, среди сибирских просторов, на берегу Оби, в нетронутой тайге, под сенью вековых звенящих кедров, живет прекрасная молодая отшельница, чистая и светлая, питаемая космической энергией и повелевающая живой природой.

Неудивительно, что народ, точнее, немалая его часть, склонная к вере в чудеса, мистике, волшебству, увидел в образе Анастасии свет, путеводную звезду. Локомотивом таких настроений выступают, как правило, социально активные, экзальтированные тетушки среднего и старшего возраста. Однако, если это кому-то помогает жить и радоваться жизни, я ничего против не имею. Что ж, снимаю шляпу: задумано и исполнено все было блестяще! Конечно же, мифический образ таежной волшебницы был вымышлен. А доходы от «Каравана» очень оперативно пошли на издание тиража первой книги. Самое веселое я обнаружил на предпоследней странице первого издания «Анастасии»: список якобы спонсоров исторического вояжа Мегрэ. И там среди других наше ТОО «Буян»! Во как! Огромное спасибо хотя бы за это, но, право, не знаю, были ли столь благодарны остальные «меценаты».

И вот по всей стране, как грибы после дождя, стали возникать общества друзей Анастасии, люди писали ей какие-то обращения, стихи и исповеди, все это слали Мегрэ. Он оперативно выпустил вторую книгу. Для выхода ее в свет, слава богу, никаких дополнительных «Караванов» уже не понадобилось. Никто, кроме Мегрэ, пресловутую Анастасию не видал и никогда не увидит. Но именно на этом и держится интрига, ведь больше всего народ верит сказкам. Всего вышло, по-моему, восемь книг про Анастасию, в одной из которых утверждалось, что она от Мегрэ даже родила.

Слышу однажды в телефонной трубке взволнованный женский голос:

— Вы — ТОО «Буян»?

— Да, «Буян», а что?

— Это вы спонсировали экспедицию «Купеческого каравана»?

— Было дело. — Мои губы расплылись в улыбке.

— Ребята! Вы даже не представляете, какие вы молодцы! Да вы прикоснулись к святому, да вы помогли людям стать выше и чище, да вы...

И в таком духе минут пять, в завершение вопрос:

— Где вас можно найти? Я теперь книги буду покупать только у вас!

— Пожалуйста, приходите на Чкаловскую ярмарку, увидите.

Отозвалось бы таких тетушек хотя бы с полсотни... Правда, на продаже самих книг про Анастасию заработали нормально. И за это тоже спасибо Мегрэ.

Несомненно, воспевание Сибири, ее красот, тайги, кедров, Оби лучше, к примеру, обещаний проходимца Грабового воскресить из мертвых за 39 500 «рэ». Однако после выхода в свет первых «Анастасий» началась активная торговля поделками и амулетами из кедра. Некоторые фанаты вешали их рядом с православными крестиками, а то и вместо них. Часть чересчур восторженных почитателей Мегрэ ставили его в один ряд с Тургеневым, Горьким и даже Львом Толстым! Это уже было слишком! Православная церковь тоже очень настороженно отнеслась к культу новоявленной почти святой. Недаром сказано в Писании: «Не сотвори себе кумира». Ну да Бог им судья!

АЛЕКСАНДР МОВЧАН

Харьков

90-е годы — инженер-строитель, замдиректора молодежного центра, фармфирмы и прочих ЧФ и ООО, частный предприниматель. Сегодня — начальник службы коммунального предприятия.

МИКЛУХО-МАКЛАЙ

С девяностыми годами, прозванными лихими, обычно ассоциируются новые русские в малиновых пиджаках и их подручные — бритоголовые качки в спортивных штанах и коротких кожаных куртках. Что еще? Конечно, толстенные золотые цепи, черный «бумер», МММ, шоколадные батончики «Баунти», дарующие райское наслаждение, то ли голландский, то ли польский спирт «Рояль».

Великую страну, развалившуюся на части, стали именовать неблагозвучным СНГ. Повсюду торговый бум. Рынки вырастают быстрее грибов, даже главная спортивная арена, относительно недавно провожавшая в полет олимпийского мишку, превратилась в кишащую «челноками» «Лужу». На тачках и тележках — связанные в тюки «аляски», пирамиды обувных коробок, толстые кипы футболок, джинсов; в разномастных ящиках — «амаретто», кофе, сигареты. В глазах рябит от красно-коричнево-сине-белых клетчатых сумок. Трудно представить, скольким тысячам инженеров довелось с ними сродниться!

Мой первый, по-настоящему предпринимательский опыт связан с баулами из темно-вишневой плащовки, которые я поднимал, обрывая руки, на борт теплохода

«Миклухо-Маклай». На выдраенный до блеска красавец корабль занесло меня случайно, если точнее — сагитировал Славка.

Было это в августе 1991 года, когда импортные шмотки преимущественно продавались в комиссионках или изредка выбрасывались на прилавки крупных универмагов. Я крутился, как умел, и через пару лет после окончания института переквалифицировался из мастера дорожно-строительного управления в инструктора райкома комсомола, а потом в замдиректора молодежного центра. Базировалась наша посредническая фирма рядом с сектором учета членов ЛКСМУ довольно крупного государственного предприятия.

У Славки, освобожденного комсорга, общественная деятельность отнимала минимум времени, и мы частенько резались в шашки или курили, обсуждая новости и строя планы повышения материального благосостояния. Ведь, сидя на одном окладе, хочется подзаработать, не правда ли?

И вот однажды Славка предложил поехать не в какую-то Польшу, где советские туристы освоили все базары, а в Китай. Ну не так, чтобы прямо к товарищам в Поднебесную — не те пока отношения между нашими странами, — а на вещевой рынок в Благовещенск. Китайцы с другого берега Амура привозят жемчуг, шелк, кроссовки, пуховики, спортивные костюмы. И самое главное — они не продают, а меняются на заурядный ширпотреб. Даже солдатские шинели гребут.

Славка сказал, что уже забронировал в обкоме две путевки в круиз по маршруту Хабаровск—Комсомольск-на-Амуре—Благовещенск—Хабаровск. Другими словами, сделал предложение, от которого я не смог отказаться. Но нужно было решить пустяковый вопрос: что везти из Харькова?

Водки, отпускаемой по талонам, много не достанешь, к тому же неизвестно — доставишь ли ее в целости с несколькими пересадками до пункта назначения. И вообще, в чем везти? И сколько? Короче, пять бутылок «Столичной», обернутые комплектом нижнего белья, носками и свитером, находились в бывшей тренировочной сумке, официально именуемой ручной кладью.

До отправления в коммерческий круиз оставалась неделя, и я носился по магазинам в поиске такого товара, чтоб не занимал много места и был дорогостоящим.

В «Детском мире» я хапнул десять радиоуправляемых машинок: пять желтых тягачей-вездеходов на резиново-гусеничном ходу и столько же вазовских «девяток» цвета слоновой кости — Харьковский завод «Электроприбор» знал толк в потребкооперации. Моей дочке Яське исполнилось два с четвертью года, и хотя на коробке написали «для детей старше десяти лет», она крепко держала дистанционный пульт во время ходовых испытаний игрушечной техники.

«Девятка», как и настоящий автомобиль, действительно гоняла, но радиуса для разворота в однокомнатной хрущевке не хватало, и она постоянно врезалась в полированную прибалтийскую стенку или застревала под креслом. Дочка смеялась и кричала «есе!», а я, обнаружив мелкие царапины на бамперах, сказал, что у машинки закончились батарейки, и принес более маневренный, но неторопливый тягач.

Вездеход лавировал между ножками стульев и куклами, сидящими на ковре; без проблем переезжал домашние тапки; не застревая в складках, взобрался на упавшую с дивана подушку. И все бы отлично, если б он не рычал, не мигал красным сигнальным фонарем на крыше и не тряс угрожающе антенной. Дочка пряталась у меня за спиной и отказывалась крутить руль на пульте.

В хозяйственный возле метро я заходил регулярно, и — о, чудо! — две компактные электродуховки, привезенные утром, поплотней упаковали в бумагу и перевязали шпагатом, чтоб удобно было нести в руках.

Ранее я прикупил складных дорожных утюгов и роторных электробритв «Харьков-7101». Какой-то электрический подход получился в закупке товара, подумал я и только тут понял, что не во что этот товар складывать. Уж больно объем оказался приличным. Но слава богу торговли Гермесу! Подходящего размера сумки за день до отъезда я взял напрокат у подруги жены, отшивающей на дому цеховикам пресловутую «мечту оккупанта».

Славка не узнал меня на железнодорожном вокзале или просто не заметил на фоне гигантских сумок, куда реально было поместиться, слегка поджав ноги. Он с удовольствием затягивался и насколько мог аристократично стряхивал указательным пальцем пепел с сигареты, улыбаясь симпатичной шатеночке. В другой руке Славка держал пакет, в какие обычно складывают пироги и бутерброды в дорогу, а на плече висела фирменная вилсоновская теннисная сумка. И все. Никаких раздутых рюкзаков, чемоданов, баулов. Подобного добра с каждой минутой прибавлялось на перроне и по возбужденному гомону становилось ясно, что кучкуется туристическая группа — окончательным доводом, что это именно наша группа, служили рулоны скатанных шинелей.

Потом был Курский вокзал, аэропорт Домодедово, девятичасовой перелет с посадкой и перекуром в Новосибирске, и наконец-то здравствуй, Хабаровск! Здравствуй, Амур! Здравствуй, «Миклухо-Маклай»!

Мне очень понравилась пахнущая свежим ремонтом двухместная каюта, а плавность хода солидного корабля напомнила речной трамвайчик из счастливого детства, когда я с бабушкой плыл по Днепру из Запорожья в село Беленькое.

«Миклухо-Маклай» с открытием навигации вернулся из доков Харбина. Модернизированный после тридцати лет эксплуатации, он из двухпалубного речного трудяги превратился в комфортный трехпалубный круизный лайнер. Два ресторана, библиотека, все каюты с кондиционером, туалетом и душем, в видеозале по расписанию боевики, ужасы и эротика. Дополнительно нас развлекали конкурсами художественной самодеятельности, а вечером открывался бар и гремела дискотека.

Я едва не возомнил себя эдаким пресыщенным европейцем, везущим туземцам безделушки для натурального обмена, однако, находясь, по сути, в экспедиции, был ближе к путешественнику и этнографу Миклухо-Маклаю.

За две недели круиза корабль преодолел около двух тысяч километров. Я загорал на верхней палубе, читал, любовался бескрайними зелеными лугами, извилистыми протоками, сопками и обрывистыми скальными утесами. И как-то не верилось, что лесные заросли на берегу — дикая тайга, и, может, оттуда за мной наблюдает амурский тигр?

Мы побывали в Троицком — административном центре нанайского района. Честно говоря, думал, что нанайцы живут где-то на севере с якутами, но ни одного представителя коренного народа не встретил. Водку спрашивали русские, и я махнул-таки одну бутылку на майонезную баночку со свежайшей икрой кеты. Родное сало и чеснок, безусловно, вещь хорошая, но хотелось излишеств, и перед дискотекой горькая совершенно по-другому шла под деликатес.

Неожиданно мрачным оказался Комсомольск-на-Амуре. Серые и коричневые невыразительные здания, низкое небо, затянутое свинцовыми тучами, влажный до липкости ветер, запах гари. Мы молча постояли у памятного камня на набережной, где в 1932 году высадились первые комсомольцы — строители города. А когда в книжном магазине на карте СССР я прикинул расстояние до Харькова — мигом осознал, насколько широка страна моя родная, и как-то жутковато стало, если вдруг отстану от теплохода.

Вожделенный Благовещенск встретил кумачом с гостеприимным «Добро пожаловать!» — в том числе иероглифами — и препроводил указателями на рынок. Хорошо, что переть сумки пришлось недалеко. В ожидании парома из Хэйхэ, я репетировал русско-китайские торговые диалоги.

Каково же было мое удивление, когда вместо низеньких кривоногих менял в униформе Мао по рядам пошли модно одетые волейбольного роста парни и девушки, позже прибыли старики, такие же спортивные. Они отмахивались от предлагаемых шинелей и демонстрировали содержимое своих сумок лишь тем, чей товар представлял интерес. Я с одобрительным «хао!» показывал на электрические сокровища, как хвастается абориген стеклянными бусами. Однако безуспешно.

Славка, жучара, собрал очередь. Китайцы, толкаясь, тянули за кожаные ремешки фэдовские фотоаппараты и размахивали перед его носом веерами из абсолютно не деревянных рублей. Мне, чтобы хоть частично избавиться от радиоуправляемых игрушек, пришлось в буквальном смысле побегать за «девяткой», привлекая внимание, — спасибо опытному ленинградцу. Славка быстро отстрелялся и вернулся каким-то сияющим под закрытие рынка. Он помог дотащить мои баулы в каюту, зубоскаля всю дорогу, что нереализованный товар придется засолить до лучших времен.

Утюги, электробритвы и одну духовку я за час до прощания с «Миклухо-Маклаем» сдал оптом диск-жокею. По закупочным ценам. На вырученную сумму в ЦУМе Хабаровска купил Яське чудесные венгерские платьица, фломастеры и замшевые зимние сапожки; жене — шелковый платок, кофточку с вышивкой, пуховик и ожерелье из речного жемчуга; себе — кроссовки.

Славка, затарившийся по полной программе красной икрой, так и не довез ее — завоняла из-за нехватки дефицитной у браконьеров соли.

Лучшие времена наступили не скоро. Пока мы возвращались домой, в Москве Ельцин перехватил инициативу у ГКЧП, и Украина провозгласила независимость.

Несложно догадаться, что коммерсантом я так и не стал, и в кладовке до сих пор стоит один из непроданных тягачей. Я научу им управлять будущих внуков и обязательно расскажу о «Миклухо-Маклае».

ВЛАДИМИР ВОЛКОВИЧ

Израиль

До 90-х — руководитель строительно-монтажного управления. Бригадир бригады монтажников в Заполярье. После 90-х — генеральный директор строительно-монтажного холдинга.

ТРУДНЫЙ ПУТЬ К ПРОЦВЕТАНИЮ

Событие реальное, произошло с автором в начале девяностых. Имена изменены.

Вдохновившись лозунгами переходного периода, я решил организовать производство рустикальной мебели из ценных пород дерева — дуба, бука, ясеня, поскольку с детства испытывал к изделиям деревянным уважительное отношение. Рустикальная — это мебель с различными резными узорами, сложной художественной формой, накладными деталями, высококачественной отделкой. Стоимость таких изделий высока, и приобрести их могут далеко не все желающие граждане. Поэтому цену я вначале поставил минимальную, доходы упали, и налоги платить не мог.

Все шло гладко, пока одной вздорной дамочке из «благородного» семейства что-то в изделии не понравилось. Исправили ребята по ее хотению, а она снова недовольна, еще раз переделали, а она опять носик морщит и фыркает. Ну, тут рабочие не выдержали и выдали ей все, что о ней думают. Конечно, словами, что в русском языке для таких случаев предусмотрены.

А у дамочки той, оказывается, брат троюродный в отделе по борьбе с экономическими преступлениями работал. Она ему и пожаловалась. Осерчал братишка, но дамочку успокоил:

— Не волнуйсь, я им покажу «кузькину мать», будут переделывать, пока ты довольной не останешься.

И нагрянул с неожиданным визитом на предприятие.

А на приеме заказов у меня молоденькая барышня сидела, по блату принятая, товарищ слезно просил дочку после школы пристроить.

Брат дамочкин под нос девчушке свое краснокорочное удостоверение сунул, тетрадь, в которой она заказы регистрировала и убрать не успела, выхватил, пальцем ей погрозил и растворился так же быстро, как появился.

Меня в тот день в городе не было, а утром следующего дня я застал переполох на предприятии. Вся контора кучками собирается, беседует, приемщица рыдает в углу, а главбух на меня грудью необъятной напирает и рычит:

— Я говорила вам... я говорила... а вы не слушали, теперь сами выкручивайтесь, а я... вот мое заявление. Прошу уволить по собственному...

Успокоил я народ как мог, по рабочим местам отправил, а у самого сердце неровно бьется, и давление подскакивает.

Кое-как до конца рабочего дня досидел, дома о валерьяночке вспомнил, но спал все равно плохо. Утром следующего дня на работе телефон от себя подальше отодвинул и косился на него, как на врага личного. И он долго ждать себя не заставил, зазвонил тревожно так, пронзительно.

— Добрый день, — прошелестел в трубке мягкий мужской баритон, — я следователь милиции капитан Редькин.

Предлагаю встретиться завтра в десять у меня в кабинете. Дежурному внизу фамилию свою назовите, он со мной свяжется и вас пропустит.

— Конечно, конечно, — ответствовал я.

Капитан Редькин оказался симпатичным молодым человеком интеллигентного вида.

— Присаживайтесь.

Я присел на краешек стула и выжидающе уставился на следователя. А он начал меня расспрашивать о жизни, о трудностях в работе, о семейных делах. Я расслабился, успокоился и на стуле пристроился поудобнее. «Приятный, внимательный человек», — подумал о собеседнике.

— Борис Иосифович, — приступил Редькин к главному, — я вижу, мы с вами умные, понимающие люди. Вы произвели на меня очень хорошее впечатление. Думаю, что и я на вас тоже. Не буду скрывать, я пригласил вас для того, чтобы договориться полюбовно об одном взаимоприемлемом деле.

Капитан замолчал и внимательно следил за моей реакцией.

— Слушаю вас, — изобразил я внимание, хотя внутри уже все заерзало.

— Вы, конечно, знаете, что к нам попала тетрадь, в которой зарегистрированы заказы на изготовление мебели. Я догадываюсь, что они оплачены заказчиками, но деньги за них не оприходованы и не проходят по бухгалтерскому учету. Проверить это не составит труда. Но нам это не нужно.

Я с удивлением и тревогой смотрел на капитана, лихорадочно пытаясь сообразить, чего же он хочет от меня.

— Наш отдел не занимается налогами, поэтому мы должны передать вашу тетрадь в налоговую полицию.

Я почувствовал, что в кабинете стало жарко, капельки пота потекли по позвоночнику.

Редькин выдержал паузу, ожидая, пока его слова произведут на меня нужное впечатление. Видимо, решив, что впечатление уже произведено, он продолжил:

— Вам повезло, что тетрадь эта оказалась именно у нас. Вы получаете свою зарплату за выпущенную продукцию, а мы за количество раскрытых уголовных дел по профилю нашего отдела. Так вот, я обещаю, что тетрадь эта не попадет в налоговую, но вы должны дать нам уголовное дело. Вы должны улучшить наши показатели по раскрываемости.

Я непонимающе смотрел на капитана:

— Как это?

— Допустим, вы обнаруживаете, что у вас со склада похищена продукция на небольшую сумму, например, на двадцать-тридцать тысяч. Вы пишете заявление в наш отдел по экономическим преступлениям, а мы возбуждаем уголовное дело и находим преступника. Естественно, вы представляете нам все документы на эту продукцию и договариваетесь с человеком, который выступит в роли преступника.

Я ошалел. Такого не ожидал, мне даже в голову это не могло прийти. Как я буду стряпать уголовное дело? Да кого-то еще уговаривать быть преступником. А если его посадят?

Редькин словно угадал мои мысли:

— Мы, конечно, обязаны довести это дело до суда. Но преступника тут же, в зале суда, отпустят по амнистии. — И деловито развернул передо мной какой-то документ, где было написано: «Амнистия предоставляется...», — наш случай как раз подпадает, судья — свой человек.

Я сидел, не в силах произнести ни слова. Капитан, видимо, понял мое состояние.

— Вы сейчас идите, обдумайте все хорошенько, а завтра в это же время приходите с вопросами.

Я кивнул головой, поднялся и направился к выходу. И когда уже был в дверях, Редькин добавил:

— Вы же не хотите, чтобы эта тетрадь попала в налоговую полицию и уголовное дело возбудили уже против вас.

Я не спал всю ночь, едва задремав, тут же просыпался, снились какие-то кошмары. Разные мысли посещали мою разгоряченную голову.

К утру принял для себя решение: включаюсь в игру, ставки высоки, но игра стоит свеч. Частично игроки уже назначены, остальных я должен выбрать.

Итак, я — потерпевший, одна из бухгалтеров, молодая симпатичная работница, делает ревизию на складе, обнаруживает недостачу и готовит документы для следователя, мой заместитель — свидетель, он предполагает, как вор мог осуществить кражу. Остается самое главное — найти кандидата на роль вора.

— Слушай, Иосифович, а что, если Федьке-алкашу поручить это дело? — предложил через день мой зам. — Он уже был на зоне, правда, давно и вроде бы завязал, но подворовать немного, по мелочи, на бутылку не прочь. Думаю, за десять тысяч зеленых согласится. Ему такие деньги в жизнь не заработать. — Я согласно кивнул головой. Федька работал в цехе на уборке, но в склад доступ имел. — Пригласи его к себе в кабинет, возьми водочки, закуски получше и побеседуй с ним после работы.

Так я и сделал. Федька согласился не сразу, опасливо озирался, задавал вопросы:

— А если что-то сорвется и меня посадят?

— Да не посадят, — успокаивал его я, — никто не заинтересован, ты же можешь потом все это дело вытащить на свет божий. Кому нужны неприятности.

Только после третьего стакана он дал свое согласие.

Заплатить пришлось и бухгалтеру, как-никак новые документы стряпала, но обошлась она значительно дешевле.

Я с интересом и волнением следил, как Федька давал признательные показания и подписывал протокол. Все на полном серьезе так, будто ни следователь, ни преступник не знают, что ломают комедию.

Очень сильно волновалась бухгалтерша, она-то уж точно совершала должностное преступление, подделывая документы.

Наконец, настал день суда. С утра мы с замом уламывали бухгалтершу: она ни за что не хотела идти в суд. Лучше бы и не ходила, даже заикаться начала от волнения, могла сорваться, но числилась в списке свидетелей, и, если бы не пришла, волноваться пришлось бы уже мне.

— Зачем я там? Я свое дело сделала, документы предоставила, — тараторила она, — не пойду.

Кое-как уговорили, пришлось купить цветы, которые она любила, роскошный букет, и преподнести новенький компьютер.

Однако и я волновался отчаянно. Все вроде продумано, но ведь суд-то настоящий, и если что-то не так, то и посадить могут взаправду.

Федька оказался достойным артистом, держался спокойно и просто, признал вину, рассказал, зачем брал продукцию, чтобы продать и выпить, естественно. Даже подготовился к вопросу о том, как она, эта продукция, выглядела и как он ее тащил. Аванс в размере двух тысяч он получил от меня заранее, и тревожило только одно, чтобы не напился раньше времени. Но пронесло.

А вот бухгалтерша запиналась и путалась и доставила мне много неприятных минут, притом что Марья Ивановна допрашивала ее с особым пристрастием. Чувствовалось, что она сразу возненавидела свидетельницу за ее красоту и молодость. Впрочем, мне казалось, что судья весь мир ненавидит.

— Встать, суд идет!

— ...суд признал виновным в совершении преступления, предусмотренного статьей... и приговорил... к трем годам исправительных работ...

У меня екнуло сердце, Федьку всего перекосило, казалось, он сейчас грохнется на пол.

— ...применить амнистию согласно... и освободить из-под стражи в зале суда.

Вышел я из этого зала, покачиваясь, не веря еще до конца, что все кончилось и суд благополучно свершился.

Через полгода, когда дела мои наконец-то пошли в гору, я позвонил в отдел и попросил капитана Редькина. Захотелось поблагодарить его, ведь это он дал мне возможность встать на ноги, хотя и не совсем традиционным путем.

Дежурный, прежде чем соединить, поправил меня:

— Редькин теперь уже майор.

Услышав в трубке знакомый голос, я сразу же поблагодарил Редькина и поздравил с присвоением очередного звания, а он расчувствовался:

— И ваша заслуга в том есть, у нас за прошедший период были отличные показатели. Да, у меня небольшая просьба — не могли бы вы изготовить мебельный резной гарнитур из дуба: уголок с поднимающимися сиденьями, стол с наборной столешницей и стулья.

— Конечно, конечно, — промямлил я.

— Только подешевле, если возможно, — и добавил: — Проводить по бухгалтерии необязательно.

ЕЛЕНА ХОРВАТ

Самара

КОМПЬЮТЕРЫ

По указанию сверху в конце восьмидесятых годов начали создаваться кооперативы. Малые предприятия брались за все и занимались всем, чем угодно, но среди них выделялись те, что были созданы активными комсомольцами. В первую очередь бывшими и действующими секретарями райкомов, горкомов и обкомов ВЛКСМ.

Эти ребята имели доступ к деньгам всесоюзной молодежной организации и обширные связи, разбросанные по всему Союзу. Они быстро сколотили начальный капитал, а когда верховная власть дала «добро», то стали мотаться за рубеж. Брать там, что подешевле, и впаривать втридорога своим соотечественникам.

В канун девяностых по всей планете торговали компьютерами, созданными на базе 32-битного процессора «Intel 80386», который в нашей стране называли просто 386-м. Это чудо техники работало с частотой 40Mhz и имело жесткий диск размером до сорока мегабайт.

Сейчас доже трудно представить, как на таком тихоходе работал легендарный «Windows 95» со всеми наворотами и где он там помещался? Мало того, все программы тогда просто летали. Не то что сейчас. Сидишь и никак не дождешься, когда же загрузится интерфейс.

После выхода в свет новой технологии ее предшественники сильно упали в цене и лежали на складах мертвым грузом. Зажравшиеся западники не хотели брать устаревший 286-й, а выбросить совершенно новые, часто не распакованные машины рука не поднималась. Вот тут и пришли комсомольцы на выручку мировому империализму.

Они скупали никому не нужные компьютеры по бросовой цене. Везли домой и продавали с такой накруткой, что аж дух захватывало. В кооперативах вертелось много денег, и их хватало на огромные зарплаты для всех, сверху донизу. В то время это был самый прибыльный бизнес после торговли наркотиками. Там верховодили только свои, и попасть в подобную фирму оказывалось практически невозможно.

Об этом я узнала после того, как встретила знакомую девушку. Год назад она работала в нашей конторе, а заодно была секретарем комсомольской организации. Вдруг она уволилась и устроилась простым клерком в кооператив, созданный ее давним другом по ВЛКСМ.

Некоторое время все сильно недоумевали, почему она бросила проектирование и пошла перебирать бумажки — но так продолжалось лишь до тех пор, пока мы не узнали, сколько она получает в месяц. Сумма оказалась просто головокружительной, и каждый понял, что на ее месте поступил бы так же.

Вполне естественно, что большие доходы невозможно долго скрывать. Сначала о них узнали районные власти, курирующие малый бизнес. Затем органы внутренних дел, а потом радостные вести дошли до их подопечных. То есть добрались до бандитов. Урки не захотели терять жирный кусок, плывущий мимо рта. Наехали на хозяина кооператива и потребовали отдать бизнес.

Бывший комсомолец подключил влиятельных друзей из структур, с которыми делился доходами. Силовики вычислили преступников. «Забили им стрелку» и «перетерли тему». Бандюки поняли, что взять нахрапом не удалось. Сделали вид, что отступились, и перестали терроризировать «богатенького Буратино».

Вместо этого наняли людей и создали кооператив, который тоже занялся продажей компьютеров. Фирма развернула рекламную кампанию. Перехватила множество заказов, но этого показалось мало. Ощутив запах огромных денег, урки, не колеблясь, решили подмять под себя весь рынок.

Некоторое время спустя конкуренту позвонил неизвестный и сообщил: «Нам запретили трогать тебя, но по поводу быдла разговора не было. Предупреждаем, если ты не закроешь контору в течение месяца, то мы начнем убивать твоих сотрудников».

Молодой человек имел крепкую поддержку в милиции. Поэтому счел эти слова пустой угрозой и продолжил работать. Через тридцать дней пропали старший менеджер вместе с шофером. Они ездили в другой город области. Сдали тамошним покупателям партию вычислительных машин и возвращались назад с крупной суммой денег.

Безуспешные поиски продолжались неделю. Затем сгоревший автомобиль обнаружили в лесополосе, находящейся в двух километрах от трассы. Внутри находились обуглившиеся трупы двух мужчин, изрешеченных пулями. Старшего менеджера узнали только по золотому зубу, который он вставил незадолго до смерти. Никаких следов чемодана с деньгами найти в салоне не удалось.

Следователи решили, что покупатели компьютеров сдали ребят бандитам, чтобы вернуть часть «бабла». Принялись копать в этом направлении и взяли в оборот всех, причастных к сделке. Хозяин кооператива похоронил погибших сотрудников за свой счет. Выплатил щедрую помощь родственникам и продолжил работать.

Еще через месяц, поздней ночью, запиликал сигнал телефона. Молодой человек поднял трубку и услышал знакомый голос: «Сейчас убили девушку по имени Таня. Она лежит возле подъезда дома, расположенного по адресу...» — Дальше прозвучало название улицы и номер

Автор-составитель **Александра Маринина**

здания, возле которого следовало искать несчастную. Затем раздался щелчок и зачастили короткие гудки.

Потрясенный парень набрал номер приятеля из милиции и передал ему состоявшийся разговор. Минут через тридцать позвонил какой-то лейтенант. Представился по всей форме и сообщил, что возле названного дома действительно обнаружили девушку с перерезанным горлом. Ее звали Татьяной, и она работала в фирме, занимавшейся продажей компьютеров.

Бывший комсомолец оказался честным и порядочным человеком. Не стал рисковать чужими жизнями и выжимать из фирмы все, что можно. На следующее утро он пришел в офис. Собрал сотрудников и рассказал о произошедшей трагедии. Велел начальнику отдела кадров всех уволить, а бухгалтеру — дать всем полный расчет с выплатой двухмесячной компенсации. Проводил испуганных людей на улицу. Запер дверь и уехал в аэропорт.

Куда он направился дальше, мне неизвестно.

АНДРЕЙ ИВАНОВ
Новосибирск

До 90-х работал начальником
рефрижераторного поезда.
В 90-е — смотрителем Томской
духовной семинарии и звонарем.
После 90-х — строителем таежного
монастыря в Сибири.

СИБИРСКИЙ ДАЛЬНОБОЙ

Познакомился я с Игорем на заводе. Шоферили вместе. Он на «КамАЗе», я на машине помельче. Он мужик малоразговорчивый. Мало говорил не потому, что ему сказать нечего было. Сильно заикался от контузии.

В армии в горячей точке выручал свой взвод солдат из-под огня, прапорщиком служил. Там случилась у него в бою контузия с осложнением на речь. Комиссовали по профнепригодности из войск, и подался Игорь шоферить.

Однажды рассказал Игореха мне свою историю. Про горячую точку, про заикание, про мечту свою заветную — стать дальнобойщиком.

Подружились. Летом ездили на природу, на дачу Игоря недостроенную, но с крышей. На первом этаже даже пола не было. Мы на втором отдыхали. Печка там русская, три кровати, холодильник старинный «Москва», стол круглый.

Воздух сосновый, освежающий, но зимой туда не добраться. Дорога заметена снегом с самой станции электрички. А летом собирались мы там частенько, неразлучные товарищи-водилы. Хоть и банька почти развалилась, и за водой далековато на колонку топать. Это терпимо. Главное — природа, покой и тишина. Русский дачный рай.

Мечта у Игоря не прошла. Нашел коммерсанта со старой фурой, двадцатитонный «КрАЗ» с будкой. Начал ее перебирать, под себя ремонтировать. Коммерсант обещал его на дальнобой в Якутию с товаром отправлять.

Однажды звонит Игореха:

— Через неделю в Мирный (Якутия) ехать. Напарника нет. Ты как?

— Ну, как?— отвечаю. — Раз зовешь, поеду.

И мне захотелось на дальнобой, романтики шоферской, восточную Сибирь, тайгу, север посмотреть, людей новых. Не ездил я на грузовой машине так далеко. Заработок рейса Игорь пополам обещал поделить.

В то лихое время 90-х грабили нещадно местные селяне на глухих таежных дорогах груженные продуктами и вещами фуры. Представьте подъем в гору в тайге.

Машина рычит, пыжится, ползет еле-еле вверх по склону, груженная под самую крышу. Вдруг позади машины из леса выскакивают местные селяне и незаметно накидывают на двери фуры мощный трос с крючком. Другой конец троса наглухо примотан к здоровенной сосне.

Двери вырывает с «мясом», груз под уклоном сам высыпается на дорогу. Его тут же подбирают аборигены и исчезают в лесу. Водитель, конечно, чувствует толчок, но выходить опасно. И останавливаться тоже. Вдруг бандиты вооружены. Может, и не убьют, а покалечить могут. Так и грабили машины с грузом на глухих таежных дорогах. Виноватых не найти. Убытки отправитель списывал по заявлению шофера в милицию.

Мы это предусмотрели. Наварили поверх дверей будки рельсу. Никакой трос ее не вырвет.

«КрАЗ» — карьерный самосвал. Совершенно не приспособленный к дальним рейсам. К нему просто приварили рефрижераторную будку, набили продуктами под завязку. Машина мощная, но не скоростная. В кабине гул, как в тракторе. Спать негде. Игорь на сиденьях дремлет, я на полу. От шума голова не своя. И ползем с перегрузом. Доехать обязаны, раз взялись. В дождь, в грязь, по глине и песку, по щебню.

Думаю: «Когда Игорь мне даст рулить?»

Вторые сутки почти без остановок шпарим. Завариваем «Доширак», чай литрами хлюпаем, деньги экономим. Магнитофон сломался. Радио в глуши нет. Только рев мотора.

— Игорь, ты устал, давай я порулю, — предлагаю.

— Нет. Тут слишком опасно. У тебя опыта такого нет. Перегруз большой. Дороги кривые, скользкие, перевернемся легко. Обратно поедешь ты.

И правда, смотрю, на обочинах то фура вверх колесами лежит, то бортовой длинномер по грязи в откос снесло, и даже легковые разбитые то тут, то там валяются... Ладно, едем, молчу...

Добрались до парома в Усть-Куте, по реке Лене плыть суток несколько. Дождище хлещет. А в кабине хорошо, тепло и тихо. Капли по крыше тук-тук.

Стоим у причала, ждем погоды и очереди на паром. Нам хорошо. Дальше нас повезут по реке. Отдых...

Наконец-то заехали на паром. Весело, машин много. Шофера все разные, со всей страны... Из кабин музыка орет, кто-то по видео кино смотрит. И красоты реки сибирской неописуемой. Наслушался там баек дальнобойщиков матерых. Хоть роман пиши...

По Лене сплавлялись, наверное, суток пять. Эти места прекрасны и в штиль, и в грозу.

То скалы отвесные, то холмы, то перекаты опасные, бурные, то мели тайные, скрытые. Медвежата на берегу разок играли, сам видел. В тех местах снимали прекрасный советский фильм «Угрюм-река», там шаманка Синильга была — на берегу ей даже памятник каменный есть. В общем, места странные, заповедные, малолюдные, дикие.

На пароме тоже интересно. Много якутов, и уже грамотных и совсем еще дремучих. Водилы все перезнакомились, сдружились. Один Игорь ходит, как туча, мрачный. Спит, молчит или огрызается...

Я всегда на берег хожу, когда в селения местные причаливаем, наблюдаю за людьми, животными, домами, хозяйством. Так все необычно, своеобразно, интересно. Например, никогда не видел в деревнях наших столько чистокровных лаек, больших, пушистых, наверное, ездовых. Еще заметил, к подходу парома сельские жители готовятся, как на праздник. Местные женщины надевали национальные наряды и бусы, а мужчины сапоги блестящие и пиджаки...

Игорь не ходил на причалы, обычно в кабине спал. А мне-то негде. На полу надоело. Правда, потом приютил меня на время сплава один добрый водитель, он ехал один, а у него в супер-«МАЗе» два спальника.

Еще вот достопримечательность. Есть посередине реки Лена остров. Небольшой, с песчаными отмелями, тихими заводями, без скал, поросший скудной растительностью, за исключением нескольких высоченных сосен. Рассказывали шоферы, что на том невеликом островке свил себе гнездышко старичок-лесовичок. Дед Федор, кажется. Если хорошая погода, мог тот древний отшельник выйти на берег островка и приветливо помахать рукой проходящим мимо судам и паромам.

По вечерам собирались мы на корме парома, пили обжигающий крепкий чаек, разговаривали, много интересного там услышал. Из жизни шоферской, дальнобойной, да и вообще о жизни разных людей.

Рассказывали о легендарном дальнобойщике Саныче. Его многие знают из водил. Ради экономии начал он ездить в одиночку в далекие северные рейсы на своей фуре. Без напарника. Да так и привык к этому. Хотя всем понятно, насколько это тяжело и опасно в дороге.

И случилось однажды Санычу замерзать. Какая-то поломка в дизеле. Лес, тайга, темень, метель, мороз за сорок. Двигатель заглох. Саныч костер развел, думал, ненадолго сломался. Пробовал отремонтировать дизель — никак. Руки-ноги мерзнут, света мало. А тут пурга, метель, машин проезжающих нет совсем. Пережидают где-то шоферы пургу. Так и отморозил Саныч себе все пальцы на ногах и частично на руках.

Но спасли его дальнобойщики. Груз доставили получателю, а самого Саныча в больницу местную. Выжил водила. Ампутировали пальцы на руках-ногах, подлечили. Вернулся домой. Жена, вся в слезах, вопит истерично:

— Ну что, старый идиот?! Вдоволь накатался в одиночку по северам?! Вот теперь сиди дома, инвалид...

Саныч молча отдал жене деньги за рейс. Потом дней десять пил. После всего этого опять стал подумывать о рейсах. Дальнобой — это не только тяжелая работа, но и образ жизни. Дорога дальняя как наркотик тянет. Шоферы, как и моряки. В рейсе мечтают о доме, а дома о рейсе. Вот и вернулся искалеченный Саныч за руль, опять колесит где-то по северам.

Еще рассказывали бывалые дальнобойщики — по весне на сплаве случай страшный был. С перепою или недосыпу сел водитель за руль своей тяжелой груженой фуры, стоящей на пароме. Завел машину и поехал на перила. Перескочил через рельсу ограждения и бултых в Лену. Так и ушел на дно за рулем. Течение сильное, не спасли. Потом, конечно, вытащили утопленника, чтобы домой тело отправить и захоронить. Лена шуток и пьяных не любит, ошибок не прощает... Угрюм-река.

В итоге пришвартовались мы к причалу назначения. Название не помню. То ли Якутск, то ли Ленск, то ли еще какой причал. Съехали с парома. И тут началось самое веселое...

Вся трасса от причала до Мирного разбита тяжелыми грузовиками, бензовозами, фурами, лесовозами, тракторами. Перевернуться нефиг делать. А у нас еще к тому же перегруз — несколько тонн долбаной колбасы и остального скоропортящегося барахла.

Несколько раз мне приходилось вылезать из кабины «КрАЗа» в глинистую грязь и таежный сумрак, смотреть, как Игорь на машине осторожно ползет, накренившись, по скользкому склону. Отслеживать каждый метр движения. Тогда мы даже говорить боялись. Только жестами давали друг другу понять, как ехать или вовсе остановиться.

Доставили мы те сыры и колбасы в целости и сохранности в алмазный край, город Мирный. Выгрузились на складах. Отоспались малеха. И надо назад, в домашние края, груз искать. А что оттуда, из Якутии, везти-то? Не меха же песцовые с красной икрой и не алмазную руду в продуктовой будке. Кое-как нашли какой-то металлолом, всего-то тонн шесть. Лишь бы бесплатно порожняком такой тягач не гнать в обратный путь.

Мой друг Игореха у коммерсанта, прилетевшего самолетом, получил все денежки за рейс в оба конца. И выдает мне речь:

— Андрюха, машину ты не вел, за рулем не сидел, а порожняком я ее и сам быстренько назад отгоню. — Не намекает, а прямо говорит, что деньги за рейс делить со мной не собирается.

Вроде как я просто с наслаждением и комфортом попутешествовал на полу «КрАЗа». Мне вот тогда и понятно сразу стало — чего он такой мрачный да угрюмый по парому-то ходил. Делиться неохота, зачем ему теперь лишний пассажир.

Ничего ему не ответил. Просто забрал свой термос с чаем и ушел без денег к тому попутчику, который меня на сплаве приютил... Он с Абакана, сколько может, подбросит. А с Красноярска как-нибудь на попутках доберусь. Добрых людей много еще на Руси, особенно среди простых работяг. А вот ехать назад неделю рядом с таким жлобом я бы не смог.

Так закончилась наша дружба с Игорехой. Больше его не встречал. Да и не хочется...

Денег я не заработал, но столько красот живой природы повидал, людей интересных. Рассказов прекрасных и поучительных о суровой жизни дальнобойщиков наслушался. Ни о чем не жалею!

Мало, наверное, кто сам постоял на краю огромной алмазной кимберлитовой трубки «Мир». Там дыхание от восторга и величественного страха захватывает. А я постоял!

ВЛАДИМИР БОРОДКИН
Самара

Сменил массу профессий, среди
которых: подкатчик, озеленитель,
пастух, слесарь, фарцовщик, сторож,
дворник, ночная няня, грузчик,
лаборант, манекенщик, таксист,
диск-жокей, кинолог, заводчик,
перегонщик машин, страховой агент,
писатель, маляр, разнорабочий,
офицер, генеральный директор.

ПО УХАБАМ 90-х

> В дугу сгибало… Бился от бессилия!
> Лечило время, что-то забывал…

Колючая полоса жизни впивалась, рвала душу, тянулась иглами отчаяния к сердцу, пытаясь парализовать, убить, но мы не останавливались, упорно двигаясь вперед по ухабам 90-х!

Нас было пятеро, решившихся на перегон машин Эссен—Самара. Первого потеряли в Москве. Все вышли, а он задержался в привокзальном туалете. Не выдержав ожидания, вернулись за ним, увидев его лежащим на грязном кафельном полу, связанным, с кляпом во рту. Ему брызнули из газового баллончика в лицо и оглушили. Он был пустой, как барабан, обчистили до последней копейки. Мы скинулись ему на билет до Самары.

Второго потеряли в Польше. Он увязался за симпатичной попутчицей, остался с ней на ночь в соседнем купе. Свое мы закрыли, ручку двери обмотали веревочным тросом, который предусмотрительно взяли с собой в дорогу, конец завязали за ножку столика. Ночью громилы прошлись по вагону, через трубку, просунутую под дверь, закачивали усыпляющий газ в купе, открывали двери и обчищали всех до нитки. Мы тоже заснули от газа, но дверь открыть они так и не смогли. Уже второму скидывались на обратный билет. Он прощался с нами, а мы ощущали его страх и сильнейшую дрожь в руке. Все деньги на поездку он занял под большие проценты у крутых.

Третьего мы потеряли в Германии, в последней точке своего маршрута — Эссене. Он был очень напряжен перед приездом в этот знаковый для него город. Здесь познакомились его мать и отец, когда во время войны сидели в концлагере. Мы вышли на пустынный перрон. Из перехода навстречу нам шагнули четыре тени. Каждый почувствовал, как в печень ему уперлось острие длинной заточенной отвертки. Разговор был короткий. Сто марок с каждого, и дорога свободна. Он выбил локтем заточку и кинулся вниз по ступеням перехода. Там его встретили семеро. Отвертки проткнули нам куртки, жалом впившись в кожу, выпуская наружу теплые капли крови. Отдали молча по сто марок. Его обобрали до ноля, усмехаясь, положили в нагрудный карман марки на обратную дорогу.

Автомобильный рынок в Эссене был огромен! Остановились у поляка, сдававшего спальные места в старых домах на колесах. В пятницу перегонщики, набитые деньгами, сидели в автотрейлерах, не высовывая носов, в воздухе висела тревожная тишина. На следующий день мы бродили по рынку, я купил у немца «Ауди-80», четвертый «БМВ-5» у турка. Субботним вечером стоянка поляка преобразилась. Территория заполнялась купленными машинами, разномастная речь гвалтом повисла над стоянкой. В дорожных домиках, машинах, на чехлах, брошенных на землю, — везде отмечали удачные покупки.

Тронулись домой воскресным утром. Германию пролетели за шесть часов. Временами стрелка спидометра приближалась к двумстам. Немецкие автобаны требовали скорости. Польша встретила асфальтовой колеей, полицейскими поборами, погонями рэкета и нахлынувшим счастьем: остались живыми. «БМВ» обнажила в Польше все свои «прелести». Задние колеса встали домиком и начали жрать с дикой скоростью резину. На заправке, перед белорусской границей, нас встретила приветливая польская малышня, кинувшаяся к нашим машинам протирать стекла и фары. Деньги, которые мы от всей души дали детишкам, явно показались им смешными. Градом камней они разбили мне боковое стекло и фару в «БМВ», мгновенно рассыпавшись, как горох.

В Белоруссии погода испортилась, «БМВ» ужасно таскало по влажной дороге, хорошо, что до дождя успели сбросить с хвоста рэкет. Перед Минском преградили дорогу гаишники, завалили нас лицом на капот, на запястьях щелкнули наручники. Оказалось, мы не уступили дорогу кортежу Лукашенко, который вывернул на встречку и со свистом обогнал нас. «Батька» распорядился:

— Если наши — отнять права, россияне — оштрафовать по максимуму!

Четвертый улетел в кювет под Вязьмой, приземлившись на крышу, чудом отделавшись синяками.

До дома оставалось сто километров, джип шел мне в лоб. Правый край дороги занял грузовик, оставалось только уйти на обочину встречки. Все получилось. Мимо, почти задевая правое зеркало, проносились машины. Слегка нажал на тормоз, меня кинуло на встречную «семерку». Удар, брызги стекол, водитель летит ко мне на капот, а двигатель вносит в салон на его место! Живы!

А впереди меня ждали еще десятки перегонов...

ЕЛЕНА ХОРВАТ
Самара

БАНДИТЫ
И ПРОЕКТИРОВЩИКИ

Много лет тому назад я окончила строительный институт и всю свою жизнь работала проектировщиком. Мои друзья тоже были из этого круга и во время встреч мы обменивались последними новостями и историями, которые произошли в разных конторах. В основном болтали о том, кто куда ушел, сколько теперь получает и как часто на новом месте дают квартиры и путевки в санатории.

В девяностые годы наши разговоры резко изменили свое содержание. Исчезла уверенность в завтрашнем дне, и появился сильный мандраж, вызванный глобальными переменами. Теперь стало неприличным спрашивать о зарплате. О прочих благах «проклятого социализма» все позабыли, и речь шла лишь о том, есть ли какая-нибудь работа и платят ли за нее хоть что-то?

Немного позже появилась новая тема — преступность. Кто-то из моих старых приятелей в одиночку сделал крупный проект. Как это теперь часто бывает, все бумаги у него забрали, но ничего не заплатили. То есть говоря сегодняшним языком, его «крупно кинул» заказчик.

Парень сильно расстроился и пожаловался своему бывшему однокласснику, с которым поддерживал хорошие отношения. Тот внимательно выслушал жалобу и посоветовал обратиться к людям, у которых имелись связи с доморощенными мафиози. Архитектор немного посомневался, но не придумал ничего лучшего и согласился.

Братки связались с ним вечером по телефону. Поговорили о том о сем, а через десять минут в прихожей раздался настойчивый звонок. Ничего не подозревающий проектировщик открыл дверь, и в его квартиру ввалились два мордоворота, каждый поперек себя шире. Не разуваясь, они прошли прямиком в комнату, по-хозяйски уселись на диван и принялись выяснять детали. Кто ему не заплатил, сколько должны и когда он хочет получить деньги?

Мой приятель взглянул на уголовные рожи и горько пожалел о том, что связался с ними. Он сразу понял, что эти подонки уже успели оценить стоимость его хорошо упакованной квартиры и теперь потребуют заплатить столько, что мало не покажется. Скорее всего, бабки они оставят себе, да и с него захотят получить за так называемые услуги.

На его счастье, он уже слышал подобные истории, и ему хватило ума ничего не говорить ни о заказчике, ни о сумме, на которую его «кинули». Парень сказал, что у него с ними был лишь предварительный разговор, и он их еще не нанимал. Добавил, мол, его проблему уже решили другие люди, и думал, на этом разговор окончен.

Однако он ошибся. «Быки» раззявили пасть и принялись качать права. Заявили о том, что они бросили все дела и примчались к нему. Поэтому он должен компенсировать им ту прибыль, которую они упустили из-за его вызова.

Мой приятель пообещал поговорить с человеком, который свел его с бандитами, и утрясти с ним все вопросы. После этого грозные посетители наконец подобрели, встали с дивана и, шумно топая, покинули квартиру.

Ошеломленный проектировщик сначала схватился за

голову. Потом бросился к телефону и стал звонить бывшему однокласснику, предложившему эту авантюру. Кое-как уговорил его отменить заказ на вышибание денег и был безмерно счастлив, что тот согласился сделать это за весьма ощутимую сумму. На следующий день архитектор поставил свою квартиру на сигнализацию. После чего пошел на рынок и купил щенка весьма крупной, серьезной породы. Насколько я помню, это была московская сторожевая, которая честно охраняла его имущество следующие восемь лет.

Чуть позже бандюки наехали на контору, в которой я в то время работала. Три больших джипа с затемненными стеклами подкатили к офису, где наш шеф снимал помещение. Вывалились наружу и плотной гурьбой вошли в вестибюль. В руках у всех были пистолеты и автоматы. Нам повезло, что в том же здании размещалось отделение крупной нефтяной корпорации. Их охрана увидела на мониторах слежения толпу вооруженных мерзавцев. Схватила «калашниковы» и выбежала навстречу.

Видимо, сумма долга оказалась не настолько серьезной, чтобы громилы начали сразу стрелять. Они вступили в переговоры с вахтерами, стоявшими с оружием на изготовку. Переговорили с ними. Ничего не добились и вернулись обратно. В следующий раз прибыли лишь два полномочных представителя, у которых сильно оттопыривались пиджаки на груди. Беспрепятственно прошли в кабинет шефа. Посидели там с полчаса и столь же тихо удалились.

С другими моими приятелями получилось еще интереснее. Они делали крупный объект для бандитов и не по своей вине слегка сорвали сдачу. На следующий день после оговоренного срока в контору вломились пятнадцать мордоворотов с автоматами. Они выгнали всех инженеров в длинный коридор и поставили лицом к стене. После чего бросились искать готовую продукцию.

Должна объяснить, что проект крупного здания — это приблизительно кубометр чертежей, переплетенных в два десятка толстых альбомов. Так как мафиози толком не представляли, что ищут, то, естественно, ничего не нашли. Их начальник, по всей видимости, сиделец с большим стажем, жутко рассвирепел и заявил:

— Никто не уйдет домой до тех пор, пока не выдадите мне то, что должны.

Директор конторы попытался объяснить, что по вине заказчика исходные данные для проектирования прибыли на месяц позже, чем это было оговорено договором. Следовательно, все сроки сместились на тридцать дней, и закончить работу до утра никак невозможно.

К сожалению, никакие разумные доводы не возымели действия. Инженеров разогнали по рабочим местам и приказали браться за мышку. Причем из комнат можно было выходить только в туалет, да и то под вооруженной охраной. Испуганные люди крепко сцепили зубы и дружно вкалывали часов до десяти вечера. Потом сильно проголодались и устали. Плюнули на все. Сдвинули стулья, освободили столы и завалились спать кто где мог.

Утром бандиты подняли всех в семь утра и потребовали выдать документацию. Естественно, ничего не получили, и дело стало стремительно катиться к рукоприкладству.

Хорошо, что в восемь часов с рьяным вышибалой связались по телефону и велели немедленно снять охрану. То ли среди хозяев нашелся человек, знакомый с проектированием, то ли на них надавили знакомые нашего шефа, которым он звонил всю ночь. Об этом никто так и не узнал. Как бы то ни было, но руководитель налета заскрипел золотыми фиксами и, скрепя сердце, выполнил приказ, пришедший сверху.

Инженеры облегченно вздохнули и проводили недобрыми взглядами небритых архаровцев. Вернулись в кабинеты. Дружно написали заявления на увольнение и на следующий день не вышли на работу. Насколько я знаю, бандюкам пришлось забрать недоделанный проект из опустевшей конторы и отдать его в другие руки. Надеюсь, что там они вели себя уже более сдержанно.

АСТРЕЛИНА ЛЮБОВЬ МИХАЙЛОВНА

Пермь

До 1988 года — инженер учета газа в ООО «Севергазпром».
В 1988—1994 годах — инженер снабжения стройтреста.

ЗЕЛЕНЫЙ ШАРФИК

В конце 80-х в продуктовых магазинах на всех полках стоял только березовый сок, в тканях выдавали сатин по справке на похороны, а в столовых на подносах стояли банки из-под майонеза вместо стаканов. Не было ничего и всего хотелось. Живые же люди!

В стране начался бартер, только там, где можно было задарма вычерпать ресурсы, достояние страны, но это не сегодняшняя тема. И тем не менее. Мы узнали, что в леспромхозах можно купить импортные товары в обмен на сушеную ягоду. Скупая в аптеках все запасы черемухи, рябины и уже не помню какой ягоды, мы там сдавали по весу, на талоны. На видеомагнитофон мы не набирали, а пуховики-кроссовки-блузки купить вполне могли. Пары килограммов было достаточно для того, чтобы прилично отовариться.

В глухом леспромхозе никому и в голову не приходило поменять свой ватник на пуховик, а еще там были украшения из финифти, мельхиоровые наборы и несколько коробок, именно коробок с флагами СССР. Крепдешиновые и нейлоновые. Они давно лежали мертвым грузом, сменились цены, их не переоценивали, и стоили они сущие копейки, но были на балансе магазина.

А вот мысль их купить появилась только за полчаса до отправления поезда. Сначала она не промелькнула даже близко. И вот, что-то клюнуло! За три копейки купить несколько десятков метров высококачественного материала, которого нет в магазине!

— И что с ними будешь делать? — спросили у меня дома. На тот момент я и сама, честно говоря, не знала. Но ответ был очень скоро найден.

Из Польши начали возить жатые черные длинные юбки, они стоили баснословные деньги, и мы начали им подражать. Кроили, шили, красили, сушили в чулках, придавая жатую структуру.

Потом у нас началась погоня и охота на все злачные места, где могли еще сохраниться заветные для нас и никому не нужные коробочки с флагами. Я сшила себе алую юбку в глубокую складку, несколько шарфов и долго носила с удовольствием.

Юбки мы шили из крепдешиновых флагов, но были еще нейлоновые и сатиновые. Нейлоновые были с различными полосами разных республик, сатиновые — только РСФСР с серпом и молотом в углу.

Сейчас думаю, стыдно это или нет за то, что мы делали? Дали вторую жизнь символу страны, ведь первую не мы уничтожили.

Из нейлоновых флагов начали шить спортивные костюмы. В самый цвет! Тогда началась мода на них, а у нас такие красивые, с разными полосками, на подкладке из сатиновых флагов, смотрелись по тем временам неплохо, коли раскупалось тогда все, на что денег хватит.

Закончилось лето, юбки и спортивные костюмы уже не грели. Надо бы куртки шить, мы даже научились красить нейлон, но где взять легкий утеплитель, которого тогда еще и в помине не было, а из Польши уже везут теплые куртки.

Вопрос разрешился сам собой. Я же из бывших, из газовиков, знакомый начальник ГРС сказал, что у них ревизия станции, замена пылеуловителей, размер метр на метр, сейчас можно сравнить с пеленками для лежачих больных, только плотнее и внутри больше слоев, так они же были использованные, потому распушились! Мой муж носил такую куртку несколько лет, пока не сжег кислотой.

Куртки шили, продавали, носили сами.

Пришло время, рынок внес свои коррективы. Конкуренция отсеивала некачественный товар, от этого никуда не деться.

Остались только воспоминания и зеленый шарфик, который я вырезала из полотнища Литовской ССР, аккурат в тон моим новым брюкам.

НАТАЛЬЯ ДЗЕ

Санкт-Петербург

В девяностые — студентка, в настоящее время — исполнительный директор компании.

КУРЬЕР, ГАЗОВЫЙ ПИСТОЛЕТ И «АНКЛ БЭНС»

Однажды летом, в девяностые, мой приятель Дэн завез на нашу общую родину — на Чукотку — тонны картофельного порошка «Анкл Бэнс».

В тот год на Севере случились перебои с поставками, народ остался без картошки. Растворимый порошок в пачках с физиономией дядюшки Бэнса пришелся очень кстати.

Дэн старался изо всех сил: сделал небольшую наценку, бегал по магазинам и убеждал продавцов, активно проводил мероприятия по продвижению. Приходит, например, на вечеринку или на день рождения со словами: «А я вам закуску принес!», вытаскивает из карманов оранжевые пачки и рассказывает, как варить, сколько воды и чем полезна американская картошка.

А ему всего-то было двадцать два года. Прирожденный бизнесмен и маркетолог. Уважаю.

В итоге северяне начали сметать «Анкл Бэнс» с прилавков.

За полтора месяца он заработал хороший капитал.

В августе я собралась в Москву, меня ждал второй курс университета. Накануне отъезда мы с Дэном встретились на улице, и он поинтересовался как бы между прочим:

— Натаха, перевезешь деньги в Москву, а? Мне надо передать другу долю. Он в аэропорту тебя встретит, сразу и отдашь.

— Сколько?

— Пять миллионов.

По тем временам деньги еще не так сильно обесценились, и на эту сумму можно было купить машину. Не иномарку, конечно, но «Москвич» — легко. То есть сумма внушительная.

— Давай! — согласилась я.

— Пойдем, посчитаем, чтобы ты знала точно.

Мы пришли к нему домой, он открыл один потрепанный чемодан, второй потрепанный чемодан, третий... А там — деньги-деньги-деньги.

Он вывалил их, мы уселись на пол и принялись считать. Возились долго.

В какой-то момент я сгребла их в кучу и подкинула вверх. Разноцветные бумажки кружились и падали нам на головы.

— Правильно, Натах, долго деньги в руках не держи, а то золотая лихорадка начнется, страшная болезнь, — хмыкнул Дэн. — Перевязывай и клади. Только маме не говори, что везешь в Москву.

Наконец мы закончили. Перевязали пачки бечевками и запихали в целлофановый пакет «Мальборо».

В полупустом самолете я села у окна, бросила пакет с пятью миллионами на соседнее кресло и заснула.

В Норильске была дозаправка. Я вышла из самолета, благополучно забыв пакет на кресле. И даже как-то не побеспокоилась, разве что лениво подумала: «Да что там случится! Меньше трясешься — меньше проблем». Вернувшись, удовлетворенно кивнула самой себе — деньги лежали на прежнем месте.

В московском аэропорту встала у выхода из зала прилета и завертела головой в поисках «друга». Вскоре ко мне подошел темноволосый мужчина в яркой футболке.

— Вы Наташа? — вместо приветствия спросил он.

— Да.

— Я за деньгами.

— А вы кто?

— Алексей, друг Дэна.

И тут до меня дошло, что Дэн не описал человека, которому я должна отдать драгоценный пакет. Кто он, как выглядит — я не имела ни малейшего представления.

— Я не могу вам отдать вот так вот! — подбоченилась я. — Я вас не знаю.

— И что? — растерялся темноволосый.

— То! — рявкнула я. — Как зовут маму Дэна?

— Татьянванна, — пробормотал тот.

— А собаку?

Замялся.

— Лесси, — назидательно сказала я. — А какой пистолет Дэн купил недавно?

— Газовый! — заулыбался темноволосый. — Мы вместе с ним брали!

— Правильно! — кивнула я. — А кого он больше любит: Томаса Андерса или Дитера Болена?

— Дитера, конечно!

«Одна ошибка из четырех, — подумала я. — Отдам деньги. Что уж. Наверняка это тот самый».

Мы направились к черной машине с тонированными окнами, и там, в салоне, я передала деньги. Вот так просто: пачку за пачкой, из рук в руки, даже не пересчитывая.

— Спасибо! — Алексей пожал мне руку. — Ты серьезный партнер и настоящий друг. — И он любезно предложил довезти меня до метро.

Я не отказалась.

Спустя много лет я рассказала эту историю маме и мужу. Мама охала: как ты могла, как Дэн мог поручить такое, это же опасно!

Муж покачал головой и спросил:

— А процент за риск и за перевозку тебе Дэн выдал?

— Нет, — засмеялась я.

И подумала: ну, Дэн, ну, хитрец, процента-то до сих пор нет, а уж сколько времени прошло!

Ну, может, выдаст когда-нибудь.

Я все-таки серьезный партнер. И настоящий друг.

АЛЕКСАНДР МОВЧАН

Харьков

C_2H_5OH

Цэ два аш пять о аш — химическая формула этанола, чей водный раствор безмерно почитается нашим народом. В 1865 году Д. И. Менделеев защитил докторскую диссертацию по теме «Соединения спирта с водой», отмечая идеальную для употребления крепость водки в 38 градусов; впоследствии для удобства расчетов — в том числе прибыли — округлили до сорока.

В процессе ликбеза по химии Николай Андреевич отмерял пропорции смешиваемых жидкостей градуированным стеклянным цилиндром:

— Хотя я предпочитаю соотношение трех частей воды к двум частям этилового спирта. Удобно — как раз на пол-литра.

Колб, реторт, пробирок и ректификата у начальника цеха водилось в изобилии.

— Кто знает, почему надо вливать спирт в воду, а не наоборот?

Провинциальное оканье и нравоучительный тон сидели в печенках. А что делать? Если б не Николай Андреевич, нашу фирму, учрежденную комсомольским молодежным центром и двумя физлицами, можно было бы закрывать.

— Нагреется, — оживился Саня, еще недавно мой непосредственный начальник, завотделом райкома ЛКСМУ.

— Помутнеет, — нехотя сказал я (у меня мама химик). — Как ни разбавляй, все равно нагреется — экзотермическая реакция.

Николай Андреевич кивнул, будто довольный учитель на уроке. После развала СССР, когда повсеместно останавливалось производство, он фасовал силами родного цеха медпрепараты, правда, не с неизменным заводским логотипом, а преимущественно с товарными знаками заказчиков, в названиях которых главенствовали новые буквосочетания: СП, ООО, ЧФ. Попутно почти полностью списал немецкую упаковочную линию и вывез основные узлы в гараж, где стояла его новенькая «девятка». В общем, чувствовал себя неплохо.

А в молодежном центре безоблачные времена закончились: посредничество, с уже не действующими налоговыми льготами, накрылось тазом, и швейники со студией звукозаписи быстренько отпочковались; вдобавок ко всему совершенно неожиданно не пошла книжная торговля. Вот тут-то и объявились те самые два физлица.

Земляки директора — одноклассник с товарищем — работали в частной фирме, размещавшей заказы на фармацевтическом заводе. Часто бывая в разъездах, они всегда имели с собой консервы или бутерброды, чем радовали словоохотливого, щедро наливающего Николая Андреевича. Однажды, раздобрев сверх нормы, он рассказал славным парням, что решил продать их хозяину разобранную линию — не под силу одному раскрутить новый цех, и что немаловажно, для выкупа у завода агрегатов, бесхозно пылящихся на складе, требовались исключительно безналичные деньги. Одноклассник моментально вспоминает о друге детства с комсомольским кооперативом.

Директор за предложение по организации фармацевтической фирмы, разумеется, ухватился и мне клятвенно, чуть ли не как на приеме в пионеры, подтвердил, что проценты, причитающиеся молодежному центру (соответственно, и мой интерес), сохраняются согласно учредительному договору.

Николаю Андреевичу была обещана (после пуска восстановленной линии) должность, какую пожелает, плюс хорошая зарплата и даже доля прибыли. Разве может сравниться перспективное дело с разовой сделкой?

Короче. Размечтавшийся частник остался без импортного оборудования и предприимчивых сотрудников, а молодежный центр преобразовался в ООО — общество с ограниченной ответственностью...

— Закусь принесли? — спросил Николай Андреевич, разливая по мензуркам «дозы».

Саня развернул газетку с нарезанным толстыми ломтями салом, регулярно поставляемым из деревни, а я вытащил полкирпичика белого и уставился в окно; вторую половинку оставил дома.

На монтаж и наладку конвейера ушло около года — с учетом того, что большую часть времени мы с Саней искали подходящее место для будущего цеха и натирали до блеска нержавейку немецкой техники в арендуемом подвале. Спирт служил растворителем для снятия особо трудных пятен и катализатором фантазии. Николай Андреевич красноречиво описывал применение спиртосодержащих препаратов, подчеркивая высокий уровень рентабельности фармацевтической отрасли, этанол окутывал сознание дурманящим туманом, и мы внимали, как Ипполит Матвеевич в бриллиантовом дыму дворницкой. Ну а в животе было по-прежнему пусто.

После декрета жена вернулась на работу, и мы выживали на скромную зарплату инженера коммунального хозяйства, так как деньги у молодежного центра закончились быстрей, чем их съела инфляция. Жена настаивала, не дожидаясь сверхприбылей, на трудоустройстве мастером в ЖЭК, где сразу предоставляют служебную квартиру, а через десять лет переводят в ордерную. Я же верил, что трудности скоро преодолеем, и в мечтах видел, как едем всей семьей в Крым на белом «Мерседесе». Да и о каком ЖЭКе может идти речь, если в трудовой книжке и на визитках значилось, что я заместитель директора по снабжению и сбыту?! Мастером после института отпахал, хватит. И зря, что ли, работал в комсомоле? Пусть начинал рядовым инструктором, зато, очутившись в бизнесе, стал на равных с заворгом Саней — только он теперь заведовал не отделом комсомольских организаций, а производством.

Однако следует признаться, что это так — на бумаге. Фактически я был экспедитором и не вылезал из командировок, а Саня таскал тяжеленные телеги с мешками, складировал тару и отгружал готовую продукцию. Ничем, по сути, не отличаясь от грузчика, он и за воротник закладывал прилично. Да оно и понятно — наши зарплаты оставались на уровне рабочих фармфабрики, один из этажей которой заняла фирма благодаря умению директоров убеждать. Делами заправлял этакий земляческий триумвират: технический директор, коммерческий директор и собственно директор. А Николай Андреевич как был начальником цеха, так и остался — причем на родном заводе.

— Что на этот раз надо? — по традиции не закусывая после первой, прищурился он.

Мы с Саней регулярно наведывались за марлей, клеем, фильтровальной бумагой и прочей мелочовкой.

— Посоветоваться, — начал издалека Саня.

Расшаркиваться я не собирался и поэтому спросил в лоб:

Акционеры стоят в очереди у здания АО «МММ» на Варшавском шоссе, 1994 год

На рынке (окорочка Буша)

Очередь у обменного пункта валюты в Москве, 1994 год

Нищий на улице Нижнего Новгорода, 1993 год

Продажа газет в московском метро, 1995 год

Уличная торговля книгами на Арбате, 1995 год

Дети улицы. Арбат, 1995 год

Женщина, торгующая на улице, 1994 год

Контрафактная продажа компьютерных дисков. Радиорынок в Москве, 1999 год

Люди, промышляющие на свалке в Саларьево (окраина Москвы), 1997 год

Вещевой рынок, расположенный на территории спорткомплекса «Лужники», 1996 год

Полные витрины, пустые магазины. Универсам «Юникор» в Раменках. Секция мясных продуктов, 1996 год

Жительница города жалуется на бедственное положение супруге Президента РФ Наине Ельциной (*слева*) во время рабочей поездки Бориса Ельцина в Архангельск, 1996 год

Шахтеры перекрыли движение поездов в знак протеста против задержки заработной платы, 1998 год

Жители села Знаменское временно покидают свои жилища. Группировка Федеральных сил на Северном Кавказе, 1999 год

Деды Морозы с транспарантом «Все будет хорошо» у стен здания Государственной думы РФ, 1998 год

Уличное бистро около станции метро «Площадь Революции», 1998 год

— Правда, что вам директора покупают квартиру?

— А куда им деваться? — Николай Андреевич разливал по новой. — Цанга бэушная стоит на упаковочной машине, регулировка нужна постоянно: там подтяни, здесь подмажь... — Он ловко опрокинул мензурку и шмыгнул раскрасневшимся носом. — Линию в Германии делали, а фирменное обслуживание с вызовом наладчика денег стоит. В валюте! Ремкомплект опять-таки нужен... А у меня еще много чего в запасах имеется, приблизительно на четверть века эксплуатации оборудования. Вот мы и договорились насчет квартиры. Еще по пятьдесят?

— А как же проценты от прибыли? Это ж какую выгоду теряете! — изумился я.

— Какие, к черту, проценты?! Я в сказки не верю. И к тому же доллар директорам голову окончательно вскружил: «Фольксвагенов» накупили, в куртки одинаковые кожаные нарядились, как комиссары. Правда, те для народа старались, а эти... — Николай Андреевич махнул рукой и дернул пятьдесят. Выдохнув, осклабился. — Недвижимость есть недвижимость, а то форс-мажор какой-нибудь наступит или еще что.

— Они в развитие вкладываются, и вроде НДС на медицину вводят. Подождать с дивидендами надо... — Я снова отвернулся к окну.

— А мне стенку обещали купить. Я ж не румынскую прошу, нашу — «Надію».

— Только с ней и живем... с надеждой... — Николай Андреевич потрепал Саню по плечу. — Вы, хлопцы, не обижайтесь, но кроме оклада, ничего вам не светит. Сами же говорите, что одними обещаниями кормят. А деньги, и немалые, не на развитие идут, их переводят в нал и — по карманам.

Внутри все заныло. Ради чего я, голодный дурак, драил фрицевскую железяку?! Разве у нас не было большого общего дела? Ведь совсем недавно на выездных семинарах директор играл на гитаре и мы дружно пели у ночного костра. А когда убили моего отчима и угнали «Таврию», тот же директор выделил деньги на покупку кузова и двигателя, чтобы по уцелевшим документам я мог собрать новую машину. В дни получения зарплаты в молодежном центре мы полным составом отмечали шампанским достигнутые успехи и строили планы. Куда все подевалось? Нас со школы учили, что человек человеку друг, товарищ и брат, и мы счастливо жили при социализме, а сейчас капитализм и человек человеку волк.

Ладно, покажу и я свои зубы! Обкусанные от злости и обиды губы обжигал разбавленный спирт. Мысли, как забрать свое, честно заработанное и главное — обещанное, роились мстительными пчелами.

Решение вдруг пришло, как Остап Бендер в милицейской фуражке к гражданину Корейко. Даже улыбка натянулась соответствующая.

Мой разговор с директором уложился в несколько минут, канцелярскую папку с надписью «Дело № _» даже раскрывать не пришлось. Накануне я предупредил нашего бухгалтера, что буду уходить. По-хорошему, если получу набежавшие за два года проценты, или по-плохому, но тогда бумаги, лежащие в папке, попадут в соответствующие «органы». Естественно, триумвират все просчитал, и мне выдали полный расчет.

Само собой, общаться дальше с кем-либо из фирмы я не горел желанием, но где-то в начале «нулевых» случайно встретил Николая Андреевича и пригласил, как когда-то он, к себе в гараж, где стояла моя машина. Пусть не «Мерседес», но, как и хотел, белая, собранная по запчастям «Таврия». Николай Андреевич развел спирт по новой рецептуре сладкой газировки, в классическом соотношении три к двум, и мы хорошо посидели. Вспомнили и подвал, и его уроки химии, и мудрые наставления. Помянули Саню, которому незадолго до смерти (от запоев не выдержало сердце) таки купили мебель.

Николай Андреевич все так же работает на фармзаводе начальником цеха, в купленной фирмой квартире он сделал евроремонт, а директора, рассорившись из-за крупного дележа, разбежались, и где теперь находится восстановленная линия, одному богу известно.

СВЕТЛАНА БЕЛОШАПКО

*Ступино
(Московская область)*

С 1988 по 1991 год жила
с мужем-военнослужащим
на Дальнем Востоке, с 1992 года
до настоящего времени —
адвокат, Адвокатская палата
Московской области.

ТРУДОУСТРОЙСТВО

С началом перестройки, когда разрешили кооперативы и другую коммерческую деятельность, тут же в огромном количестве повсюду развелись всякого рода мошенники. Они были, конечно, и в советское время, но не в таких масштабах.

Лотерея, наперстки, бесплатная раздача товара, фальшивые доллары, автомобили-развалюхи и все это в огромных количествах повсюду.

Приезжаю домой, довольные родители показывают утюг, поясняя, что приехали молодые люди и бесплатно раздавали утюги. Нужно было только оплатить доставку, которая и составляла примерную стоимость этого утюга.

При включении в сеть утюг испустил неприятный запах горелой пластмассы, второй попытки предпринимать не стали. Отец задумчиво произнес, что соседи взяли два.

Как-то из соседнего поселка пришел озабоченный дядя, мамин брат, показывая письмо с сообщением, что его внук выиграл машину. Просил срочно позвонить внуку, чтобы он быстро ее забрал. В письме микроскопическими буквами было, конечно, написано, сколько надо купить товара, чтобы принять участие в следующем этапе розыгрыша.

Однако через несколько лет народ утратил советскую доверчивость к людям, в том числе и к печатному слову, стал ко всему относиться настороженно. Но и мошенники не спали, а успешно совершенствовались.

Как-то году примерно в 1999-м на работе зашел разговор с коллегой Мариной Федоровной о том, как не хватает денег и как бы их побольше заработать. Она рассказала, что у нее дочка очень удачно в Москве на работу устроилась, хорошо зарабатывает, и работа нравится. Купили с мужем квартиру, вторую машину, отдыхают за границей. Могу, говорит, за тебя похлопотать, чтобы устроить туда.

Конечно, говорю, пожалуйста, попросите. На следующий день она дает мне телефон дочери, я звоню. Договорились о встрече на Павелецком вокзале. Встретились в буфете. Дочка оказалась моей ровесницей. Стала очень подробно мне рассказывать, какая замечательная у нее работа, как ей много платят, она общается с солидными людьми, которые могут оказать различную помощь. Например, устроить ребенка в престижный вуз, ну и еще что-нибудь.

Моему ребенку в то время было девять лет, так что этот вопрос меня не очень интересовал. Гораздо больше волновало то, что девушка ни словом не обмолвилась о том, что она делает на работе. Все время обходилась какими-то общими словами, типа, очень интересно, есть возможность карьерного роста.

На мой прямой вопрос, что же нужно делать на работе, может, людей на большой дороге убивать, она сказала, что здесь она ничего объяснять не будет. Нужно прийти на собрание в офис, там все подробно объяснят. При этом с собой надо иметь две тысячи долларов, это как бы вступительный взнос, который очень быстро вернется и даже приумножится, как только я начну работать.

На тот момент эта сумма у меня была, но это были все мои сбережения. Все-таки я согласилась, очень уж заманчивой показалась перспектива.

Все несколько дней, которые оставались до поездки на собрание, я провела в раздумьях. Меня смущал совсем простой вопрос. Я пойду в определенное место, в определенное время с двумя тысячами долларов в кармане. Подойдет человек, стукнет кирпичом по голове, и до свидания мои кровные денежки.

Решила посоветоваться с шефом. Он мне сразу сказал, что все это очень подозрительно, и рекомендовал не только никуда не ездить, но и не звонить, а при виде Марины Федоровны сделать вид, что вообще не было никакого разговора. Так я и сделала. Она меня тоже ни о чем не спрашивала, и больше разговора на эту тему не было.

Месяца через три я прочитала в газете большую статью о том, как под предлогом трудоустройства людей обманывают, получая от них деньги.

Собирают вот таких желающих найти денежную работу, обещают им золотые горы. У кого с собой деньги, просят внести как вступительный взнос, у кого нет, могут домой отвезти за деньгами или к знакомым — взять в долг. Люди платят по несколько тысяч долларов. А потом им объясняют, в чем состоит работа.

Работа состояла в том, чтобы зазывать на эти собрания своих друзей, знакомых и родственников, так же обманывая их, а когда они так же заплатят свои деньги, получить с этих денег свой процент. Замечательная трудовая деятельность!

А на собраниях этих по несколько часов держат, заранее паспорта соберут и не выпускают. И говорят, говорят. Люди совсем очумеют и деньги платят.

Повезло мне, думаю, легко отделалась, не влипла в эту гадость.

Однако история имела продолжение.

Еще где-то через полгода звонит мне знакомый. Обычно без денег, но очень говорливый. Если бы за каждое слово ему падал рубль, он бы был миллиардером.

Можно зайти по делу, спрашивает. Можно. Заходит, смотрю, он в костюме, в галстуке, принаряженный, одним словом. Денег, говорит, дай в долг. Я, естественно, спрашиваю, сколько и на какое время. Он так замялся, а сколько, спрашивает, сможешь?

Меня как осенило. Я говорю, ты не на работу ли устраиваешься? Расскажи-ка поподробнее.

И точно! Какие-то знакомые заманили его на это собрание в Москве, там ему грамотно нарисовали картину будущих доходов, только не объяснили, как он их будет добывать и сколько друзей ему придется обмануть, чтобы только свои деньги вернуть, не говоря уже о заработке. Денег у него с собой не было, так они его повезли в наш город, за 100 километров от Москвы, чтобы он по друзьям насобирал две или три тысячи долларов, точно уже не помню.

Несмотря на свою довольно разгильдяйскую сущность, он все понял. А как же быть, спрашивает, они же вот на машине меня ждут. Я говорю, выходи в боковую калитку и иди домой. Он распереживался: а они как же, они же меня из Москвы на машине привезли. Я отвечаю: Сережа, ну заплати им, как за такси из Москвы, это тебе гораздо дешевле обойдется. Подумай о том, как они тебя обманывают, они же знают, куда тебя завели.

Все-таки он пошел к ним в машину, естественно, я никаких денег ему не дала. На следующий день он звонит и рассказывает. От меня он к другим знакомым поехал и сидел там, разговаривал. Время уже к двенадцати ночи, хозяева носом в стол клюют, а он все сидит, тарахтит. Ну для него это обычное явление, никто и не удивляется. Видимо, еще и люди слишком тактичные попались, чтобы его просто выгнать. Ну а потом он тихонько вышел из подъезда, прошел незаметно вдоль стены и козлиными тропами к себе домой. Вижу, говорит, по шоссе машина их медленно-медленно крадется, видно, искали его, но обошлось, благополучно дошел до дома. Очень благодарил за своевременное разъяснение.

Но и это еще не все. Прошло еще время, и я случайно узнала, что Марине Федоровне с дочкой удалось-таки заманить на такое собрание дочь еще одной нашей коллеги, Оксану. Как уж так получилось, не знаю, потому что Наталья Петровна очень опытный человек была, в возрасте. Мне казалось, она, как рентген, человека просвечивает.

Оксана эта приехала на собрание, там ее, конечно, несколько часов продержали, убедили, как она с ними разбогатеет, и тоже на машине повезли домой, у мамы денег взять. Ну тут уж мама сразу все поняла и чуть сопровождающих с лестницы не спустила, так что никаких денег им не досталось. Молодец, конечно.

Сергей, молодой мужик, предпочел сбежать по-английски, не прощаясь. А пожилая женщина быстро отбрила.

Они, видимо, ожидали, что там старушка сидит, они ей также голову замутят, ей к тому времени уже было за шестьдесят. Не знали, что у нее адвокатского стажа лет двадцать пять было, а еще раньше она судьей работала.

Вот вроде бы безобидная ситуация — устроиться на работу. Кто бы знал, какая опасность на ровном месте поджидает. Прямо как Буратино лиса Алиса и кот Базилио вокруг пальца обводили.

АЛЕКСЕЙ ПАНОГРАФ

Санкт-Петербург

До 90-х — ассистент кафедры
Высшей математики ЛПИ
им. Калинина. В 90-е —
«строитель капитализма
в одной отдельно взятой семье,
от разнорабочего до прораба».

МИШАНЯ — ПОКОРИТЕЛЬ АВТОБАНОВ

Невзирая на невзрачность телосложения и снисходительно-ласкательное имя, довелось Мишане в начале девяностых стать первопроходцем не хуже Миклухо-Маклая. За его узкими, сутулыми плечами к девяносто четвёртому было уже девять ходок, точнее, славных богатырских походов на земли прусско-баварских и тевтонско-саксонских племён.

И возвращался он регулярно из этих походов не со щитом, но и не на щите, а на автомобиле, изрядно, правда, до этого поюзанном соплеменниками Гёте. Лошадки под их капотами были загнаны до такой степени, что проще их было отдать Мишане, чем везти на свалку. Зато на Родине этот автохлам превращался в притягательную иномарку.

Чтобы совершить набег на земли тевтонских рыцарей и баварских бюргеров с целью избавить их от очередной порции высокотехнологичного мусора, требовалось обзавестись визой.

Потомки Шиллера, хотя и были наивны и не пуганы нашествиями с востока, но визы, которые тогда не были шенгенскими, выдавали лишь при наличии приглашения.

И где ж наша не пропадала! Выход подкупал своей простотой.

Суровые викинги Норвегии были рады тогда любому гостю, стоило только посетить генеральное консульство этой скандинавской страны и изъявить желание, как через пять дней в паспорте уже красовалась виза. Далее следовал визит в небольшой особнячок на Каменном острове, бывшем суверенной территорией земляков Гамлета. Его обитателям надо было объяснить, что путь пешего или конного рыцаря в заветную Норвегию обязательно пройдет через Данию. Датчане, приученные верить в сказки еще Хансом Кристианом, даже не пытаясь убирать свисающую с ушей лапшу, доверчиво ставили транзитную визу.

Затем, рисуя на карте витиеватый путь из варяг (Норвегии) в греки (Мишаня жил в Питере на Греческом проспекте), получались транзитные визы в консульствах Германии, Швеции и Финляндии.

Конечно, после третьего раза у норвежцев появилось легкое недоумение по поводу такого рьяного интереса к их небольшой и не слишком изобилующей достопримечательностями стране и появлялись вопросы. Мишаня, так ни разу и не побывавший в Норвегии, перед очередным заходом в консульство тщательно рассматривал картинки в путеводителе по Норвегии, взятом по случаю на халяву где-то в Германии. И наивные покорители северных морей верили в его пылкую любовь к крепости Акерсхус и парку Вигеланд, несмотря на неоскверненность Мишаниного паспорта штампами норвежских погранцов.

Путь на Берлин был открыт!

Нет, конечно, никакого Берлина. Он еще только-только сломал стену, поэтому с точки зрения приобретения авто был малоинтересен. На поюзанные «мерсы» и прочие буржуйские автомобили Западного Берлина хватало желающих из Восточного. Мишаня гнал в район Штутгарта.

Именно там, в небольшом городке Беблингене, его уже поджидал с прошлого похода приобретенный за сто дойчемарок «Фольксваген Транспортер». Еще вполне крепкий старик. На нем мы и колесили по Западной Германии, предварительно вычитывая объявления о продаже авто в газетах. Нас было пятеро. Кроме Мишани, мы все были первый раз на родине свиной рульки, которую тогда мы так и не отведали, ибо тур был экономкласса.

Мишанин пакет экономкласса включал следующее. На поезде с честно приобретенными билетами мы добрались до ближайшего, не помню уже до какого, немецкого города. Далее начиналась страна ее величества Халявы, благосклонной в те времена к смелым и наглым первопроходцам с Востока. Еще в Питере Мишаня на редком тогда чуде техники — цветном принтере по образцу, с прошлых поездок делал ничем не отличимые от настоящих проездные билеты на передвижение по германским айсбанам. Заметьте, без всяких фотошопов. В начале девяностых немецким кондукторам еще не могло прийти в голову, что такая подделка билетов вообще возможна, поэтому до Беблингена мы добрались без эксцессов.

Там мы шикарно сняли в Новотеле семейный номер с кроватью кинг-сайз. В качестве «семейной» пары выступали мой друг Ванька, сажень в плечах, метр девяносто рост, и щуплый Мишаня. Ох уж эта толерантная Европа. Когда портье сказал, что в номере до этого жила семья с ребенком и пока не успели вынести дополнительную кроватку, не помешает ли она, если ее уберут завтра, Мишаня жестами и известным ему словом «киндер» дал немедленно понять, что ни за что не позволит убрать из номера кроватку для киндера, потому что она будет напоминать ему об оставшихся дома киндерятах.

На этой киндер-кроватке спал самый низкорослый из нас — Глобус. На матрасе, выдвигавшемся из-под действительно внушительных размеров кровати, барствовал Ванька, как самый крупный, а я делил кинг-сайз с Мишаней и Валерой. Нам, не зарегистрированным в гостинице трем детям лейтенанта Шмидта, приходилось поменьше попадаться на глаза персоналу гостиницы, но по утрам мы все же не могли себе отказать в том, чтобы просочиться на шведский стол, так как там не было входного контроля. Жили по принципу — завтрак съешь сам, обедом поделись с другом, а ужин отдай врагу времен Второй мировой. На завтраке была задача наесться «от пуза», ибо халява. Обед состоял из закупаемых в дискаунтере Альди хлеба, сыра, колбасы и расфасованных салатиков. Какими же вкусными они тогда казались из-за разнообразных майонезов. На ужин, разумеется, пиво.

Однажды вечером я решил прогуляться по абсолютно ничем не примечательному Беблингену и забрел в местный паб. Там так и не освобожденные от капиталистического гнета пролетарии пили пиво и играли в неведомую мне тогда игру. Метали маленькие крылатые стрелочки в круглую мишень. И я узнал, что стрелы — это дротики, а игра — дартс. Пролетарии были девственно наивны, во-первых, они совсем не ощущали угнетенности проклятым капитализмом, а во-вторых, про Россию знали два слова — Горбачев и медведь. Тогда еще в их глубинке русские в баре были так же редки, как и медведи. Наивные потомки рурских шахтеров играли на пиво. Я сносно говорил по-английски и уже собрался расширить границы знаний завсегдатаев паба о России:

— Now the president of Russia is Yeltzin.

— Yah, yah, Russland Gorbacheff, — добродушно поддержали со мной разговор отдыхающие после трудового дня немцы.

Английским владела только работавшая за барной стойкой румынка. Она и помогла мне присоединиться к игре. Новичкам везет — скоро я набрался под завязку. И на кой черт после пяти выигранных и выпитых кружек, подействовавших наконец на мою опорно-двигательную систему, я ввязался в шестую игру... Мало того, что чуть не попал дротиком в находившуюся в десяти метрах от мишени барменшу, я разбил кружку и проигрался вчистую... Надо было проставляться... На пиво победителям у меня хватило, а вот должок за разбитую кружку до сих пор числится в Беблингене за мной.

Сколь ни был Мишаня продвинутым юзером в делах с поюзанным немецким автопромом, а вот случилась и на старуху проруха. Вызвонив по очередному объявлению авто, Мишаня сказал «Поехали» и взмахнул рукой.

Навигаторов тогда не было. С бумажной картой, взятой на бензоколонке, Мишане было запариваться влом. Не счесть количество раз, когда мы пролетали нужные съезды с автобанов, а потом накручивали километры до следующей развязки, чтобы вернуться на маршрут. Мишаня не заботился о времени и бензине — ему просто нравилось гонять по немецким дорогам, покрытым асфальтом без выбоин и ям.

До сих пор не понимаю как, но мы все же нашли гараж, в котором стоял Fiat Uno. Так как он был всего лишь пяти лет от роду, маленький, но симпатичный, то казался нам чудом техники, и я сразу про себя любовно окрестил его «итальяночкой». А когда я сел в водительское кресло, подержался за руль, увидел приборную панель... Не знаю, как остальные, но я влюбился в нее.

Мишаня уже вел торг у капота с группой из пяти арийцев, почему-то черноволосых, кареглазых и больше всего напоминавших солдат Османской империи.

Мишаня азартно сторговал оппонентов с полутора тысяч до пятисот дойчемарок и, обменяв дензнаки на ключи, уже чувствовал себя Суворовым.

«Итальяночка» легко заурчала. Мишаня вырулил из гаража... и заглох. Дальнейшие попытки ее завести успеха не возымели.

Немая сцена: что за хрень?

Хотя интерес черноволосых немцев явно угас к руссо туристо, один из них, открыв капот и осмотрев пустым взглядом имевшееся там хозяйство, изрек:

— No problem.

Потом трое потомков турецких янычаров на языке, неведомом Гете и Шиллеру, темпераментно жестикулируя, выясняли в течение пяти минут отношения.

После этого на сцене появились два новых персонажа. Старик со сморщенным, как печеное яблоко, лицом в несусветной шляпе, надетой поверх банданы. Он подогнал старый, как он сам, «Фольксваген» с разноцветными крыльями. Вместе с этим Джафаром приехал совсем юный Аладдин.

С одной стороны, хотелось вернуть наши деньги и побыстрому уехать подальше от этого места. С другой стороны, мне очень нравилась мысль прокатиться через пол-Европы на этой маленькой свеженькой «итальянке». Мишаня, видимо, прикидывал навар. Пока мы пребывали в состоянии «и хочется и колется», Джафар с Аладдином подвязали «Фиат» на веревке к «Фольксвагену», а продавцы, постоянно твердя «No problem», на гремучей смеси всевозможных языков и жестов пояснили, что сейчас отбуксируют «Фиат» в мастерскую. Это недалеко.

Аладдин сел в буксируемый «Фиат», а я едва успел впрыгнуть к Джафару в «Фольксваген», и он поехал. Я быстро пожалел, что вызвался на роль конвоира — такую помойку, как была в этом авто, видела далеко не каждая крыса. А запах! Я пытался скрасить поездку разговором с Джафаром на ломаном языке Шекспира, но на каждую мою фразу он только ощеривал в улыбке беззубый рот. Мои друзья поехали следом. Попетляв по невзрачным улочкам, мы приехали в гараж, не сильно отличавшийся от того, из которого уехали.

Там нас встретил очередной не очень истинный ариец, который открыл капот «Фиата», и, пощелкав языком, сказал: «Zhen Minuten».

Через час, как Дениске в одном из рассказов, нам окончательно стало ясно, что ждать больше нечего. Аладдин испарился в первые пять минут. Старика, порывавшегося уехать, мы плотно блокировали, как единственного заложника. Но какой нам был в нем прок?!

Так мы позволили турецкой армии взять небольшой реванш за многочисленные поражения при Екатерине Великой.

Взгляд
с разной высоты

ВИКА САМОЙЛЕНКО

Волгодонск

В 90-е — школьница,
после 90-х — филолог.

ИЗ ДЕТСТВА

Мои 90-е — это мое детство. Все мои детские годы прошли под окнами дома в компании пятерых мальчишек и одной девчонки. Мы были все разного возраста, но это не мешало нам летом целыми днями торчать на улице, а в учебный период бежать туда после школы сломя голову, выкрикивая родителям «да» на их: «А ты уроки сделал (а)?».

В нашем дворе на детской площадке не было ни горки, ни качелей, ни уж тем более того мягкого покрытия, что есть на современных дворовых зонах отдыха для детей. Был лишь одинокий турник. Зато высокий, почти 3 метра. Откуда и зачем он там — никто из нас понятия не имел. Но применение ему мы нашли сразу. Эти две трубы с перекладиной стали для нас основой под качели. Из чего мы только их не сооружали! Шел 1996 год, и первой нашей попыткой было смастерить качели при помощи связанных между собой простыней. Довести начатое до конца нам не представилось возможным: все закончилось на стадии победной демонстрации кипенно-белой добычи. Дальше картина пополнилась новым персонажем — бабушкой с мокрым полотенцем, без разбора и от души хлеставшей малолетних воришек. И это было нормально. Все потому, что все семьи нашего многоквартирного дома единым двором жили, вот мы, дети, и росли, воспитываемые большим коллективом из мам, пап и бабушек с дедушками. Ведущая роль, конечно, отводилась последним. Потому что родители наши работали с утра до вечера, а кто и сутками. Поэтому миссия воспитания будущего поколения легла на плечи бабушек и дедушек.

Урок из той истории с простынями мы вынесли: тащить что-либо из дома больше никто не решался. Но проблема-то оставалась — качели сами собой не появятся. Тогда на общедворовом собрании мы решили искать подходящие материалы во всем известной тогда сокровищнице — свалке гаражного кооператива. Уход со двора, охраняемого зоркими глазами наших бабушек, грозил недельной отсидкой под домашним арестом. Но, как известно, в любом нарушении правил главное — не спалиться. Все продумав, мы стали совершать тайные вылазки.

Целую неделю наши бабушки видели, как их внуки и внучки увлечены игрой в прятки. И как хорошо прятались то два, то сразу три человека, что остальные все никак не могли их найти. Мы совершили с десяток вылазок на свалку у гаражей, прежде чем нам улыбнулась удача. Сначала удалось раздобыть выброшенный автомобильный трос. А затем мальчишки подкараулили и пробитую машинную шину. Надо заметить, что ловкость и скорость в этом деле крайне важны — не успеешь унести ты, это сделает кто-то другой.

Наши трофеи идеально подошли для качелей: мальчишки быстро соорудили тарзанку и закрепили ее на турник. Помню, что в тот день катались мы до тошноты и особенно стойко отстаивали свои «ну, я еще 5 минут» на требование заходить домой.

На следующее утро от качелей остался лишь наш старый добрый турник. Мы искали нашу тарзанку во всех соседних дружеских и вражеских дворах. В последние ходили всем составом и брали с собой для весомости Сашиного ротвейлера. Надо сказать, что дело это не было таким безобидным, как кажется на первый взгляд. Улицы города в те годы в буквальном смысле были поделены между бандами. И каждый двор был частью какого-то района, «крышуемого» своей преступной группировкой. Будучи детьми, мы не осознавали всей серьезности того разделения города на Мадрид, Париж, Локон, Шервуд, Ростов и Комсу. И по-детски наивно, с неподдельной гордостью называли себя «парижанами». Потому что все дома на нашей улице и еще на двух соседних носили клеймо Paris, нанесенное белой краской.

К слову, на след воров тогда мы так и не напали. Злые и расстроенные, мы решили напрочь отказаться от затеи с качелями. Но старая мечта вернулась весной 97-го, когда наши мальчишки притащили во двор невесть откуда полипропиленовую ленту, которой обычно перевязывают упаковки уличной плитки. Привязав ее концы к перекладине на турнике, мы долго не решались испытать новые качели на прочность. Кто знает, насколько надежен неизвестный нам материал? Но желание перевесило страх. И вот мы уже на считалку распределили, кто за кем катается. Мне тогда не повезло, и я оказалась самой последней. Зато когда до меня дошла очередь, я ничуть не боялась новых качелей: их прочность испытана шесть раз. Я стала раскачиваться и была примерно на полуторной высоте от земли, когда ощутила, что качели накренились вправо. Испугавшись, что сломала турник и что он сейчас рухнет вместе со мной и на меня, я, не мешкая, выпрыгнула с сидушки качелей, прочесав носом и ладошками приличное расстояние по земле. Такое решение было крайне опрометчивым: турник стоял истуканом и никуда не собирался падать (как и сейчас, спустя 20 лет). Вся вина оказалась на правом конце ленты, который коварно выбрался из ослабленного беспрерывным катанием узла. К счастью, тогда я отделалась лишь ссадинами, синяками и нагоняем от бабушки, которая была в ярости оттого, что я «полезла кататься на эту веревку» вопреки ее запрету. С той поры мы оставили турник в покое.

ЕЛЕНА СУХАНОВА

Анапа

До 90-х — школьница;
в 90-е — сторож, секретарь;
после 90-х — бухгалтер, писатель.

СТРЕЛЬБА В ТУАЛЕТЕ ХРУЩЕВКИ

Девяностые — это время или стиль жизни? Черта характера или старое платье, которое можно натянуть, чтобы предаваться воспоминаниям?

Девяностые — это больше, чем эпоха, хотя меньше, чем жизнь.

Наверное, люди всегда вспоминают с некой ностальгией годы, когда они были молоды. Вот только само понятие молодость иногда размывается и временами не зависит от возраста.

Мой первый муж, родившийся в 1974-м, однажды разглагольствовал на тему «Бригады»:

— Мы родились не вовремя. Вот если б чуть раньше, тоже постарались бы какое-нибудь дело замутить. — Это он про себя и своих друзей. — А если б чуть позже, то детьми пережили бы девяностые и не задумались ни о чем. Так же обидно...

Он вообще любил разглагольствовать. И пиво в больших количествах.

Через несколько лет, уже после развода, я завела отношения с мальчиком, родившимся в 1981-м. Девяностые он прожил в большом уральском городе. Занимался самбо. Боролся даже как-то с одним криминальным авторитетом. Проиграл, конечно, старику. Как можно?! Рассказывал, что водил определенные знакомства и зарабатывал за один вечер больше, чем я за месяц, когда выезжал «толпу посоздавать» на «стрелы» или как там на жаргоне этих ребят их разборки назывались? Часто даже кулаками махать не приходилось. А денюжка капала.

Сколько ему стукнуло ко времени таких заработков? Четырнадцать? Шестнадцать? Имелась возможность пережить девяностые не совсем ребенком и задуматься кое о чем.

А я жила в Ижевске и в 1994-м бросила техникум, потому что собралась пойти работать. Для таких, как я, тихонь по жизни работа под ногами не валялась. Бойкие бабы в то время ездили в Польшу и тащили оттуда баулы с крутыми шмотками, за какие в свое время законодательство совка предусматривало жесткое наказание. И вот в те годы мы приходили на Рынок и покупали себе levi's-ы, где на этикетках читалось «made in USA». Мерили их за ветхой занавеской и пытались рассмотреть себя в карманном зеркальце.

Зато сейчас можно прийти в хороший магазин, разглядывать себя в зеркале во всю стену, и девочки-продавщицы будут таскать в примерочную этих levi's-ов столько, сколько понадобится. И штаны вроде неплохие, только на них написано «Made in Turkey».

Так вот, девочка-очкарик бойкой не являлась. Даже один баул бы не утащила. И вообще любила проводить время с книгой. Это я про себя. Но у меня имелась овчарка. И подруга Карина, жившая этажом ниже. Родители Карины работали в строительном управлении. А сама она бросила институт.

Нас объединяло соседство, юность и одинаковые глупые поступки. И работать мы пошли в одно место. Папа Карины устроил нас на стройку. Сторожами. Подруга тоже держала овчарку. Впрочем, и сейчас убежденная собачница. Единственный в их семье, кто не имел отношения к строительству, — это старший Каринкин брат Жорик. Он трудился на том заводе в Ижевске, где собирают автоматы Калашникова.

Первая запись в моей трудовой книжке: «Стрелок военизированной охраны». Все последующие мои работодатели очень веселились, читая эти слова. Однако оружие «стрелкам» не полагалось. Если вы, дуры восемнадцатилетние, дежурите по ночам на стройке, то обнимайтесь со своими собаками. Авось не так страшно.

Обниматься мы с собаками могли хоть до посинения. Вот только в Ижевске, особенно в девяностые, ни для кого не составляло труда купить что-нибудь стреляющее. Ну, или выглядящее так, будто умеет стрелять. Мы с Каринкой решили приобрести газовый пистолет. А потом по очереди брали его на работу. Он лежал, завернутый в промасленную тряпку, в глубине сумки и, должно быть, успокаивал наши слегка трепетные сердца.

Однажды у меня сидел на работе в бытовке приятель, а мне названивали с соседнего объекта на предмет «познакомиться». И вот приятель сунул этак по-киношному пистолет сзади за ремень и отправился «разрулить» ситуацию. Крутой такой. С оружием, блин. До сих пор смеемся, когда под неведомое (во всяком случае, нам) в девяностые шампанское потрындеть садимся.

Но чаще пистолет извлекался со своего лежбища лишь для того, чтобы я глянула, как он там, в тряпочке.

Потом Каринка ушла в декрет, и эта черная, ни разу у нас не выстрелившая штуковина перешла в мое полное распоряжение. Выбираться из сумки она стала совсем редко. Так хоть мы друг другу передавали, а тут...

Но однажды я вспомнила о важном условии из инструкции. А я вообще люблю придерживаться правил, установленных всякого рода инструкциями (странное утверждение для человека, два года владевшего незаконным оружием). Так вот, там говорилось, что пистолет нужно регулярно чистить. Все, что я знала о чистке стреляющих предметов, почерпнула из классических русских романов и повестей. Тех, где говорилось о дуэлях и использовались странные слова, типа «шомпол». Вот вы знаете, что такое шомпол? И я лишь приблизительно себе представляю.

Возникшую проблему требовалось решать. Инструкции не любят, когда их игнорируют. И я спустилась к Жорику.

Жорик сидел за столом перед заполненной доверху рюмкой. Любил он это дело (и до сих пор любит), а тут я со своими шомполами. Выслушав от меня сбивчивый рассказ о пистолете, чистке и инструкции, он выдал веское:

— Да.

И я положила рядом с рюмкой увесистый предмет, конечно же, в промасленной тряпочке.

Жорик остался с выпивкой, а ко мне пришел ухажер Не-помню-как-его-зовут. Мы уселись на лавочку возле подъезда. Вечер обещал быть теплым. И да, в те времена (насколько я помню, озадачилась чисткой летом 1995-го) возле подъездов еще стояли лавочки. Основательные такие, массивные, доставшиеся в наследство от Союза. Еще не верящие, что вскоре какие-то невоспитанные руки отправят их на цветмет.

А Жорик (как и Каринка, папа с мамой, овчарка и иногда вылетающий из окна кот, доставший голодным мяуканьем) жил на первом этаже. И вот беседую я с Не-помню-как-его-зовут и вдруг слышу хлопо́к. А вслед за ним нескончаемый поток слов, каковые на приличных телеканалах принято запикивать. Жорик подбежал к кухонному окну, под которым сидела я с ухажером, распахнул его, не заметил нас и, громогласно сквернословя, поспешил к другим окнам. «Опаньки!» — подумала я и решила убраться подальше от эпицентра. Мы с Не-помню ушли гулять.

А просто Жорик, как адекватный человек, решил, что я притащила ему пистолет беспатронный, как и полагается. Но все равно я не понимаю, зачем он взял его с собой в туалет, да еще и пальнул там. Вы видели эти туалеты в хрущевках? По размеру немногим больше спичечного коробка.

У меня в магазине находилось всего два патрона. А в стволе ни одного. То есть Жорику на толчке больше заняться было нечем, как затвор передергивать. Стрелять я не собиралась, это сто процентов, но патроны требовались для порядка. Жорик один использовал, а второй выкинул, когда снова дернул затвор, желая избавиться от гильзы. Чего от нее избавляться? Она автоматически вылетает. Откуда я это знаю, если ни разу не стреляла? Объяснял, наверное, кто-то.

В общем, осталась я без патронов, зато с чистым пистолетом. Я-то, как адекватный человек, полагала, что Жорик, имеющий понятие о том, как нужно чистить пистолеты, просто сделает это дома. Ведь дядьки из классических произведений именно так и делали. А он отнес его на завод и почистил там. На тот самый завод, где «калашниковы» собирают. Нормально, да? Через проходную туда-сюда. Я считала, там все строго. В этой стране будет вообще когда-нибудь порядок?

А еще я думала, что сложно купить патроны. Просила помощи у друга, работающего в органах.

Потом пистолет продолжал лежать в сумке и молчать в промасленную тряпочку. Позднее я уволилась и сплавила его куда-то. А однажды в моей жизни прекратился и Ижевск. Я уехала в столицу.

Только иногда мы с приятелем садимся пить шампанское да вспоминаем Жорика и газовую атаку, устроенную им в туалете-коробке.

ЕЛЕНА ВАСИЛЬЕВА-
ЕФРЕМОВА

Москва

В 90-е — школьница.

СОКРОВИЩЕ

Неуютный московский март. Черствый снег, едкий ветер, ломка в природе. Время перемен в моей стране. Старый холодильник издает голодные рыки: в его большом брюхе лишь несколько кусков дефицитного масла да ценные продукты из набора гуманитарной помощи — сухое молоко, тушенка, овощные консервы.

Зато мой шкаф полон вещей. Синтетический белый пиджак, синяя футболка с забавной аппликацией, изумрудная юбка с коричневым пятном, которое не отстирывается... Американский секонд-хенд оккупировал полки, но не в этом суть.

Я — в сердцевине детства, мне десять лет. Мне все нипочем, мне лишь очень хочется быть красивой. К счастью, в нашем классе я главная модница — ведь у меня есть мама, которая умеет творить чудеса. Вооружившись выкройками из журнала Burda, она делает из старой одежды, которая завалялась на антресолях, новую, оригинальную. Солнечно-желтую куртку и шляпку с бархатным бантом — из бабушкиного пальто; смешной, задорный сарафан — из чьего-то скучного платья; стильный жакет — из ветхого кардигана.

Разложив хрустящую кальку на ковре, она перекраивает вещи, а может быть — жизнь. Наш попугай, шалун и затейник, не может оставить это без внимания. Взмах его крыльев — и бумага, громко шурша, разлетается. Попугай победно чирикает, я смеюсь, мама сердится. Так мы и живем все втроем в тесной хрущевке на окраине Москвы.

Мама очень похожа на Раису Максимовну Горбачеву. Она пользуется этим сходством и копирует стиль первой леди: порой ей удается создать настоящие шедевры, практически от-кутюр. Знакомые восхищаются маминой элегантностью, и только я знаю о том, что ее гардероб почти полностью состоит из перелицованных вещей. Но это совсем незаметно. Юбка или брюки, блузка, пиджак, а затем — серьги, а может быть, цепочка, и впору отправляться не на работу — на прием к английскому послу.

Но есть еще одно, главное украшение, которое мама использует лишь в особых случаях, — настоящие французские духи. Я восхищенно замираю, когда она бережно, едва касаясь кожи, наносит крошечные капли на запястья, дотрагивается до мочек ушей. В ней появляется шарм, изящность; светло-серые глаза становятся зелеными — как у кошки... Нежный аромат горьковато-пряных цветов разносится по квартире, преображая все вокруг, делая немного другой не только маму, но и меня.

Откуда взялись эти духи? Был ли это подарок моего отца, который ушел из семьи два года назад? Или какого-то другого мужчины? Мама молчит. Но мне кажется, я знаю ответ. Это не просто духи, это символ иной жизни: красивой и легкой. Это поэтичный запах Парижа, бунтарский дух Рима, благородный холодок Лондона. Это декольтированные вечерние платья, спортивные кабриолеты, благородные вина. Это то, о чем мама читает в книжках, которых так много в нашей квартире.

Франсуаза Саган, Фрэнсис Скотт Фицджеральд, Уилки Коллинз... Мама забирается на диван, поджимает ноги, включает бра и сидит так часами, переворачивая страницу за страницей. Челка падает на лоб, мешает чтению; на маминых коленях, засунув голову под крыло, дремлет попугай. Страшась нарушить эту блаженную вечернюю тишину, я прижимаюсь к маме и закрываю глаза. В полудреме я представляю себя взрослой — такой же красивой, как мама, только более удачливой.

Когда мама уходит на работу, я продвигаюсь чуть дальше в своих мечтах. Надев мамины платья и украшения, я подкрашиваю губы ее помадой, глаза — тенями и подолгу рассматриваю себя в зеркале. Я хороша, но все же чего-то не хватает. Одной волшебной капли, которая завершит превращение, сделает из маленького заморыша в обносках прекрасную даму, одетую по последней моде. Но эта капля — запретный плод. Мама не разрешает даже прикасаться к французским духам. И я, втайне от нее облазившая все ящики и шкафы в доме, почему-то не решаюсь нарушить этот запрет.

Но однажды ко мне приходит Катя, моя лучшая подруга, она же — соперница. Мы в вечном соревновании: кто получит больше пятерок, кому достанется главная роль в школьном спектакле, на кого обратит внимание самый красивый мальчик в классе. Мы готовимся к контрольной по биологии, тема скучная, идет через силу — нам интереснее болтать и сплетничать.

— А у моей мамы есть сережки вот с такими изумрудами. — Катя соединяет указательный и большой пальцы, получается круг с огромным радиусом.

— Ага, конечно, прям вот с настоящими изумрудами! Это просто стекло, — ухмыляюсь я.

— Ничего ты не понимаешь — это фамильная драгоценность! И когда я вырасту, мама подарит их мне! Ты просто завидуешь — твоей-то маме тебе нечего подарить. — И, глядя в потолок, она ехидно добавляет: — Разве что шмотки, перешитые из старья!

Она знает? Почему? Откуда? Как бы то ни было, такого оскорбления я не могу снести. Хочется схватить ее за волосы, исцарапать лицо, задушить. Но я должна сохранять достоинство. Мне есть чем ей ответить. Поднявшись на цыпочки, я всматриваюсь в глубь полки, где хранится мамино сокровище. Флакон с золотистыми духами манит трепетной недоступностью, подзадоривает драгоценным блеском. Я протягиваю руку, и чудо свершается: моя ладонь ощущает стеклянную тяжесть заветного пузырька.

— Это очень дорогие духи, — говорю я тихо, с придыханием. — Мама душится ими только по праздникам.

— Французские духи? Настоящие? Ух ты, дай понюхать! — Я не успеваю даже ойкнуть: Катя выхватывает у меня флакон.

Ловко открутив колпачок, она бесцеремонно выливает духи себе на запястье: не скромную, робкую каплю, как это делает мама — целый ручей. Я столбенею, в глазах щиплет от слез. Поступить так с нашим сокровищем — это преступление, страшный грех, святотатство.

— Дура! — Ярость бурлит в крови, обида ударяет в голову: не помня себя, я со всей силы толкаю Катю.

Она вскрикивает, спотыкается и плашмя падает на спину. Но еще раньше, словно стремясь предупредить это падение, флакон выскальзывает из ее рук... Катя ревет, массирует ушибленное плечо. Но мне нет до нее дела. Ведь произошло ужасное: расколотый пополам, флакон лежит на полу, и из него, капля за каплей, уходит жизнь. Я вдыхаю пьянящий запах драгоценных духов и не решаюсь пошевелиться. Так и стою, смотря на осколки нашей с Катей дружбы и маминой мечты.

...О том, что случилось, мама догадывается сразу, едва переступив порог дома. Квартира благоухает, а я виновато прячу глаза. Мама бледнеет. Сумки падают вниз. Она сползает по стенке, закрывает лицо руками. Мамочка, я не специально, я не хотела, я...

Я никогда не видела, чтобы мама так плакала. Когда ушел папа, она держала слезы где-то внутри: она была слишком гордой, чтобы признаться в том, как ей больно. А сейчас прорвалось, лопнуло, разбилось. Папино предательство, развал страны, одиночество. И она — так похожая на свои любимые духи — тонкая и хрупкая, совсем не приспособленная к новой жизни. Что же я натворила — мама, прости! Она плакала, я просила прощения, и мы обе понимали: что-то изменилось, исчезло навсегда...

...Аромат французских духов еще долго будет скитаться по нашей квартире: он впитается в ковер, застынет в занавесках, спрячется в обшивке мебели. Но он больше никогда не станет тем, чем был для нас с мамой: сокровищем, волшебным эликсиром, драгоценностью. Теперь все будет по-другому.

* * *

Квартира еще пахла этими духами, когда в ней появился дядя Андрей. Постепенно его густой мужской дух заполнил весь дом. А вскоре он смешался с другим запахом, настырным и невкусным: запахом клеенчатых сумок в клетку, туго набитых вещами. Они стояли по всем углам, теснились под журнальным столиком, угрожающе свешивались со шкафов. Время от времени дядя Андрей забирал их все, разом, чтобы через несколько дней вновь наполнить квартиру этим преходящим челночным скарбом.

У нас теперь была красивая одежда. Своя собственная, не перешитая, не перекроенная. Сделанная в Турции и Китае, она была лишена изюминки, оригинальности, но зато выглядела модно, современно. Старые выкройки из журнала Burda были подарены Катиной маме. Моя солнечно-желтая шляпа с бархатным бантом перешла соседской девочке: ее родители, научные сотрудники, все еще искали свое место в постперестроечном мире. Все налаживалось.

Мама перестала походить на Раису Горбачеву. Она покрасила волосы, сделала «химию», челка больше не лезла в глаза, мешая чтению. Впрочем, она забросила книги. По вечерам они с дядей Андреем устраивались перед новеньким японским телевизором. Загрузив в видеомагнитофон массивную черную кассету, они следили за приключениями американских суперменов.

У меня же были другие интересы. Импортная видеоприставка сделала меня самой популярной девочкой в классе — Кате было нечем крыть. За право прийти ко мне в гости и поучаствовать в приключениях «Черного Плаща» или поиграть в «Братьев Марио» разгорались кулачные бои. Я увлеченно бродила по виртуальной реальности, а попугай нервно кусал меня за ухо и щекотал клювом шею. Ему хотелось вволю полетать, пошуршать, почирикать. Но отчим строго-настрого запретил выпускать его из комнаты. «Слишком много гадит», — сказал он, захлопнув дверь. Начиналась новая весна, новое время...

Скоро сбудется то, о чем я так мечтала в своем детстве. Наступит пора изобилия, даже избытка. Жизнь будет похожа на рынок, где можно купить абсолютно все. Холодильник начнет ломиться от продуктов, в нашем спальном районе вырастут сразу четыре гигантских торговых центра.

И однажды, в канун Восьмого марта, я смогу наконец загладить свою вину. Увидев в большом парфюмерном магазине флакон тех самых французских духов, я подарю его маме. Возможно, это будет лишь моя фантазия, но на мгновение ее серые глаза превратятся в зеленые — как у кошки. Однако это продлится совсем недолго. Поблагодарив меня, она поставит флакон на туалетный столик — туда, где пылятся десятки других пузырьков, сделанных в Париже, Риме, Лондоне... Это будет совсем другая жизнь, другая эпоха. Найдется ли в ней место настоящим сокровищам?

СЕРГЕЙ КАНАЕВ

Москва

В 90-е — дошкольник,
школьник, студент;
после 90-х — журналист.

ГОСТИНИЦА «СЕВЕРНАЯ»

В начале девяностых годов мы с мамой жили в гостинице «Северная» (ныне не существующей) рядом со старейшим универмагом столицы «Марьинский». Окна фасада и логотип гостиницы — рогатый олень — ежедневно смотрели грустными, тоскливыми глазами на Сущевский Вал. Размещение в этой гостинице было недорогим: остановиться здесь мог проезжий с абсолютно любым достатком, а проживать на постоянной основе мог позволить себе любой человек, имеющий хоть какую-то мало-мальскую работу; и вполне приличным: ее до безобразия длинные коридоры были устланы отутюженными красными коврами с зелеными полосами по краям, лифт почти никогда не застревал, а на втором этаже по вечерам работал «Видеосалон», который каждый день неизменно показывал западные боевики. Несмотря на повторы сеансов, в комнате с видеодвойкой всегда был аншлаг.

Видеосалон был меккой всех мужчин, которые жили в то время в гостинице. В первую очередь, конечно, потому, что фильмы там крутили сугубо мужские: «Двойной удар», «Кровавый спорт», «Кик-боксер», «Коммандос», «Американский ниндзя». Магию видеосалона сложно передать: когда выключался свет, в переполненной комнате становилось тихо, как в библиотеке, и разговаривать можно было только героям фильмов. Яркий квадратный экран показывал нам западную жизнь, которая казалась какой-то нереальной и красивой. В маленькой гостинице посреди серой криминальной столицы, с видеокассетной пленки оживали герои, которым мы, еще пока не знавшие войн мальчишки, подражали на следующий день. Арнольд Шварценеггер, Сильвестр Сталлоне, Жан-Клод Ван Дамм, Брюс Ли... мы хотели быть ими, этими героями — спасителями обиженных, борцами за справедливость.

Но, как и все хорошее, фильмы заканчивались, и мы, огорченные, но вдохновленные, брели по своим комнатам. Те, кто побогаче, жили в небольших комнатках по двое-трое, семьями. Мы жили в комнате, где было много женщин. Спали с мамой на одной кровати: так было дешевле.

А еще по выходным в редкие дни, по вечерам, на первом этаже гостиницы открывал для посетителей свои двери банкетный зал. Людей было очень много: русские, армяне, грузины, молдаване, украинцы, чеченцы — все отдыхали в одной общей компании, а столы ломились от всяческих лакомств, которые я видел только там: заморские ананасы, печеные поросята, жареная утятина, блюда из рыбы, икра. Но главное — это, конечно, люди. Они не были похожи на тех, которых я повседневно видел в нашей гостинице. Эти улыбались, веселились и полноценно радовались жизни. Танцплощадка набивалась разными представителями общества, когда живой оркестр начинал свой концерт.

Но больше всего почему-то пользовался популярностью танец «Лезгинка». Однажды я увидел, как мальчик моего возраста под исступленные удары барабанщика по

ударной установке яростно изображал маленького орлен-
ка, а люди, огромная толпа, окружили его, аплодировали
и кидали ему под ноги деньги. Я решил, что это отличный
способ заработать. И когда вновь музыканты заиграли
народный кавказский танец, я пустился в пляс, повторяя
движения своего сверстника. Но на меня никто даже не
взглянул. Уже тогда я понимал, что это солидарность.
А точнее, ее возможное отсутствие.

А днем, после школы, мне и многим другим детям, чьи
родители в поисках счастья или приключений, а может,
и в попытке бегства приехали в столицу России, детям,
которым игрушки заменяли палки от деревьев, нам иногда совсем нечего было делать. Диафильмы можно было
смотреть лишь в темное время суток, каруселей вокруг не
было, а разрешение на прогулку можно было получить от
родителей только по их возвращении с работы. Нам ничего не оставалось, как придумывать игры на ходу, в теплич-
ных условиях гостиницы.

Однажды, совершенно случайно, мне пришла идея «поиграть в иномарки». Я собрал всех детей с этажа и при-
вел к окну в конце коридора, которое открывало обзор
на Сущевский Вал. С четвертого этажа улицу было видно
прекрасно. Игра заключалась в следующем: двое выбирали себе определенную полосу движения и начинали считать, сколько импортных автомобилей проедет по их по-
лосе. Так играли до десяти очков, затем менялись. Каждая
новая, редкая иномарка встречалась неистовым детским
криком. Мы не знали марки машин, но совершенно точно понимали, где отечественная, а где импортная. Иногда
кон шел очень долго, и мы жадно и сосредоточенно смотрели сквозь пыльные окна гостиницы на обшарпанный
миллионами шин асфальт, боясь пропустить диковинный
автомобиль...

Я понимаю, что того времени не вернуть. Как невозможно вернуть и детство. Тогда мы словно родились заново, Россия получила западную реинкарнацию, тотальный апгрейд. Мы не плачем и не рыдаем, мы живем в юной, но любимой стране, и, кто знает, быть может, доживем и до ее зрелости. Правда, если вдруг мы захотим поиграть в эту «автомобильную игру» сейчас, нам нужно будет считать русские машины, и неизвестно, насколько дольше будет каждый кон...

ИРИНА ХАРЛАМОВА

Москва

В 90-е годы — ученица средней школы, затем — географический факультет МГУ, после окончания университета и до настоящего времени работает специалистом в сфере инженерных изысканий для строительства.

СВЕТЛЫЕ БУСИНКИ ДЕТСКИХ ВОСПОМИНАНИЙ

В России 90-е годы принято считать знаковым периодом, даже целой эпохой, когда менялись жизнь, мировоззрение, пространство вокруг, вообще все. Всеобъемлющий перелом всего, что только могло сломаться и повернуться в противоположную сторону. Наверное, те, кому было лет 20 и больше, сохранили о 90-х более целостные воспоминания. Но для меня, родившейся в 1981-м, это набор фрагментов. Довольно забавных, а если посмотреть с высоты прожитых лет, то они даже впишутся в сюжет под названием «перелом сознания». На самом деле ведь новое приходило в жизнь людей независимо от возраста. Просто тогда неинтересно было это осмысливать и делать глубокомысленные выводы.

1991

В политическом значении этот год я помню только как стоп-кадр. «Лебединое озеро» по телевизору действительно показывали. Скучно, но не более того. Гораздо интереснее был последний прием в пионеры. Я как раз в него и попала, но уже тогда объявили, что дело это сугубо добровольное. Кто не хочет, может не вступать. Двое из нашего класса отказались. Скорее всего, не по собственным убеждениям, а по родительским. Но я до сих пор помню, как их звали — мальчика и девочку. Наверное, это было очень смело и вызывающе. А сама церемония имела минимальный идеологический смысл. Нам что-то рассказали, повязали галстуки (их еще надо было заранее купить и принести, а в магазинах не было, «караул, что делать?!», но все-таки успели, нашли) и включили мультики. И потом кино про «Школьное привидение». Главную героиню звали красивым заграничным именем Карола. Такие вот пионеры. Походили в синих юбочках до конца года и тему как-то закрыли.

1992

Отмена школьной формы. Самые шустрые ученики жонглировали магической фразой «Хасбулатов подписал указ», учителя пытались ухватиться за остатки порядка и дружно ругали за неприличный вид. Точнее, не совсем неприличный, и ругали не явно и не всех. Например, первым уроком в один из дней недели была математика. Кто пришел вовремя, хоть во что одетый, спокойно садился на место. Опоздавшим мальчикам обычно тоже везло. А вот девочки, посмевшие не только опоздать, но и прийти в брюках, выстраивались у доски и удостаивались какой-то ругательной речи. В смысле, воспитательной, о дресс-коде, да. Под прикрытием темы о своевременном начале урока.

1993

Родители решили испытать новинку — обучение в частной школе. Преимуществ перед государственной, конечно, было множество. Своего здания у «колледжа» (они так себя назвали, стильно и по-иностранному) не было, снимали несколько классов в обычной школе, рядом с моей. И некоторые учителя там тоже работали по совместительству. Оказалось, что они — нормальные такие люди. Даже те, кто считался очень суровым, вполне мог просто пожурить за несделанную домашнюю работу: «Ну что же ты так? Давай тогда завтра спрошу, но чтобы обязательно». И никакой двойки. Хотя спрашивать успевали всех — 10 человек же в классе. Это было весело, приятно и интересно — так учиться. У нас даже был урок шахмат. Но через месяц колледж закрыли, какие-то проблемы с лицензией. Пришлось вернуться в свою старую школу. Нас, таких «хулиганов», было четверо из одного класса. Вызывали к директору, спрашивали, как это мы так прогуляли целый месяц?! Оказывается, родители предусмотрительно не забрали из школы документы, видно, подстраховывались. В итоге кое-как доучились до мая, и меня снова отправили в частную школу. Другую, но также арендующую здание в обычной. У нее с документами все было в порядке. Она и сейчас работает, в соседнем районе и давно уже в собственном здании. Но цены такие, что даже близко не подойдешь. Собственно, из-за сильно выросших цен на такое приятное негосударственное образование я и перешла после окончания 9-го класса в государственную гимназию. Это было морально тяжело, программа заметно отличалась, но в результате я ее догнала и все равно получила хороший аттестат. А самые буйные годы школьной перестройки пересидела в спокойной обстановке, за что родителям — большое спасибо.

1994

По дороге от школы до дома, возле старого овощного магазина и автобусной остановки появились ларьки! Серенькие киоски стояли в ряд, а за стеклянными окошками виднелись совершенно необыкновенные вещи. В силу возраста я запоминала только вкусности. А некоторые дети, которым давали достаточно денег на карманные расходы, даже могли там что-то покупать. Например, необыкновенно вкусную заграничную газировку «Зуп». На самом деле она называется «7 up». Просто у семерки такой хвостик, что делает ее похожей на букву Z. Но рекламы еще не было, и мы не знали, как правильно надо читать. Продавцы, наверное, тоже, раз не поправляли. А чуть позже появился самый интересный ларек — книжный. Не серый металлический, а цветной матерчатый, с открытым прилавком. Можно было брать книги из аккуратных стопочек в руки и смотреть. Тут мое воображение поражала одноклассница. Ей нравилось читать любовные романы. Она покупала их пачками в том ларьке, да и в других похожих тоже. Набирала в руки, какие хотела, отдавала продавщице, та считала сумму и брала деньги, а купленные книжки запихивались в школьную сумку и потом прятались в комнате. Это долго не укладывалось в моей голове — как же ей такое продают? Значит, можно было.

Справедливости ради, я тоже читала книжки для взрослых, но это были многочисленные детективы в мягких обложках. Я подбирала их у родителей и читала даже совсем мужские и суровые. Но настоящим праздником был выход новой книги из серии «Детский детектив» от издательства «Совершенно секретно». Оттуда я и узнавала о жизни крутых заграничных детей, которые живут в домах, а не квартирах, смотрят кино с попкорном и содовой и раскрывают великие тайны из мира взрослых.

1996

На выборы ходить необходимо. Как иначе, ведь решается судьба страны и от каждого голоса что-то зависит. А еще за подсчетом голосов очень увлекательно наблюдать. Это две главные мысли, которые на много лет закрепились в моем сознании с 1996 года. Самым ярким воспоминанием тех выборов для меня стал ночной выпуск программы «Куклы» на НТВ. Эфир тогда закончился кадрами, когда два поезда столкнулись на путях и бодаются, кто кого с дороги скинет. Машинистами были, разумеется, Ельцин и Зюганов. Предварительные подсчеты голосов в ночи давали почти одинаковый результат у обоих.

1998

Для меня он является, по сути, окончанием эпохи 90-х. Я заканчивала школу, так что 99-й год автоматически приплюсовался к следующему этапу жизни. Зато напоследок получила от 90-х впечатлений по полной программе. Во-первых, я не сдавала выпускные экзамены в школе. Воспользовалась ситуацией, которая сейчас кажется нереальной. Просто посоветовали, и я попробовала. Принесла коробочку конфет подростковому врачу в поликлинике и сказала, что хочу освободиться от экзаменов. Повод есть — зрение –7. Понадобилась какая-то справка из школы, потом заседал местный «консилиум» — и все. В июне я была свободна.

Во-вторых, в августе на часть денег от проданной дачи меня отправили отдыхать в Грецию. Такой тур для детей, наподобие лагеря. Я уезжала 16 августа, и родители на всякий случай дали с собой денег побольше, в долларах. Ну, мало ли что. Утром я позвонила рассказать, как доехали и устроились. «Доллар уже 9 рублей! Сколько-сколько у тебя с собой денег? Ты там поаккуратнее с ними». А я вообще не любительница тратить лишнее. Так что через 2 недели привезенные мной богатства имели очень и очень большое значение для семейного бюджета.

И напоследок, мне еще в июле не хватило одного балла для поступления на бюджетное место в вуз. Предложили занять платное. Стоимость — 100 долларов в год, договор — в рублевом эквиваленте. Тогда мама как раз нашла работу, и решили, что можем себе это позволить. Все-таки с экзаменами была нервотрепка, да и место более чем приличное — один из ведущих вузов страны. Уже через год эта сумма выглядела смешной. Через пять — скромным благотворительным взносом на развитие отечественного высшего образования. Ну ладно, на развитие там даже близко не хватало, значит, «на хозяйство». Канцтовары, мыло и все такое. Приятно помочь по мере возможности.

Так прошло мое школьное детство в 90-е. Благодаря родителям, вполне легко и радостно, как и в любой другой период, хотя сложности, конечно, были. Помню проблемы с деньгами и покупкой еды, но трагедии из этого не делали, просто жили и даже позволяли себе непрактичные радости. Например, как-то мама пошла в магазин за хлебом, а вернулась без него и без денег, зато с новыми подушками. Или тайком от папы потратила последние 60 рублей на бусики из лунного камня.

Еще у родителей появился повод гордиться своей ленью, отсутствием азарта и предпринимательской жилки. Они слушали, как все знакомые несут и куда-то вкладывают деньги с перспективой многократно их приумножить. Но в нашем районе отделений МММ, «Тибета» и «Селенги» не было. Ехать на метро с большой суммой денег — страшновато, на машине в центр — это еще собраться надо, да и очереди огромные. Так и не донесли, не доехали. И потом совершенно искренне сочувствовали таким по-современному активным друзьям и соседям.

Продали и фактически проели квартиру, оставшуюся маме в наследство. Это было печально. Все мечтала, как вырасту и снова ее куплю в том доме на Сиреневом бульваре, где прошло мое раннее детство. Зато для папы это стало стимулом решиться открыть свое дело и он таки заработал деньги на том, чему учился в институте (геология). Проданную квартиру компенсировал покупкой новых двух, обеспечив обеих дочек жильем.

Я, пожалуй, буду считать те бусики из лунного камня своим собственным символом 90-х. Они, правда, слишком светлые и безоблачно-голубые. Но ведь если взрослые уже вспоминают те годы спокойно и с улыбкой, значит, тогдашним детям вообще ничего другого не остается.

АННА АЛЕКБЕРОВА

Петропавловск (Казахстан)

В 90-е училась в начальной школе, сейчас — филолог.

МОИ ДЕВЯНОСТЫЕ

Мне 10 лет. 1999 год — один из самых запомнившихся в моей жизни. Нет, ничего особенного в этот период не произошло, но очень чувствовалось, что через несколько месяцев наступит Он — двадцать первый век! Каким он будет? Что принесет? Об этом говорили в телевизионных передачах и на уроках в школе, взрослые и дети, по радио и в газетах. Это волновало всех.

Рост 140 сантиметров, вес 32 килограмма. Спасибо ежегодному медосмотру, который мы проходили в школе. Это тоже нервно и почему-то довольно унизительно. Мальчишки хихикают и пытаются подсмотреть, что же происходит, когда в одном из кабинетов школы находятся врачи, медицинские сестры и девочки.

Я одна из самых высоких девочек в классе и при этом ужасно худая. Честно говоря, в девяностые почти не было пухлых детей: в нашем небольшом городе мало кто мог позволить себе фастфуд или даже мало-мальски хорошие продукты, все ели одинаково мало и одинаково скудно. Это было веселое и жуткое время.

Всю зиму девяносто девятого года мы сидели на уроках в верхней одежде и варежках, но умудрялись негнущимися пальцами на уроках труда создавать какие-то поделки, аппликации, что-то шили и лепили. Мы искренне хохотали и честно учили уроки.

Всю зиму девяносто девятого года мы ели картошку, варенную в мундире. О, вы не представляете, какое это лакомство!

Когда картошка готова, мы с мамой сливаем воду и перекладываем картофелины в большую миску, а затем, перекидывая горяченные картофелины из руки в руку, чтобы не обжечься, снимаем шкурку.

А дальше все просто. Мама любит картошку с квашеной капустой: накладывает в глубокую тарелку капусту, туда же отправляет крупно нарезанные картофелины, поливает растительным маслом и перемешивает.

А мы с папой любим просто картошку с маслом. Картофелина сначала посыпается солью, а затем макается в растительное масло. Пища богов, честное слово! И никому такой рацион не казался убогим. По крайней мере, нам, детям, безумно нравилось, и не было мыслей о том, что кто-то богат, а кто-то — беден. Возможно, оттого что в нашем небольшом городке все были одинаково бедны.

Я некрасива. Не знаю, как чувствуют себя красивые девочки, а вот таким некрасивым, как я, живется... непонятно. Обычные девчонки могут стать хорошенькими, а как быть тем, кому природа не оставила шансов?

Мой строгий папа взял на себя функции природы и не оставил мне шансов. Он всегда переживал, что излишне открытое тело может привлечь мальчиков, излишне красивое или яркое лицо может привлечь мальчиков, что-то еще может привлечь мальчиков...

Поэтому мне покупались вещи на несколько размеров больше, не разрешалось носить брюки и стричь волосы. Словом, к 10 годам я представляла собой этакого лохматого бровастого зверька. Зато я сидела с самым красивым мальчиком в классе и, конечно, была влюблена в него!

В шестом классе я устрою ему настоящий допрос, а пока...

С завидной регулярностью — раз в неделю — я шлепалась в обморок. Девяностые сказывались на здоровье, мой гемоглобин был катастрофически низок. Кажется, тогда я была именно той, кем мечтают стать нынешние девчонки: худенькая, бледная, грустная, изможденная... Этакая аристократка в вещах с чужого плеча.

Все свободное время я читала и мечтала. Я мечтала быть красивой и волнующей, центром компании и звездой... города? Страны? Нет, всего мира! Оставаясь дома одна, я заворачивалась в покрывало, как в мантию, и сама с собой играла в королеву: вышагивала царственной походкой, отдавала приказы, странным эхом отдававшиеся в пустоте дома, медленно усаживалась на стул, как на трон и, оттопырив мизинец, пила роскошный воображаемый чай из воображаемой фарфоровой чашечки.

В 10 лет я читала — о, ужас! — классику: произведения Достоевского, Тургенева, стихи Есенина и Блока. Не любила Пушкина, возможно, мне не нравились его оптимизм и веселость, не знаю. И, конечно, я продолжала мечтать. В своем воображении я побывала на всех светских мероприятиях и балах Петербурга девятнадцатого века, ерошила пшеничные кудри Сергея Есенина в полуденный зной села Константиново, молча стояла в углу гробоподобной комнатушки Раскольникова. Я странно жила.

Из последних лет двадцатого столетия родом и мой постоянный голод. Я все время хочу есть. Даже если только что поела и чувствую, что сейчас лопну, я все равно хочу есть. Не есть даже, а жрать. Я готова съесть все вкусности мира. Я не умею оставлять сладости или фрукты на завтра, я должна съесть все здесь и сейчас. Чуть позднее это изрядно скажется на моем весе и самоощущении, ну а пока я живу в голодные, но яркие девяностые.

Каждые выходные меня отправляют к тете. И у меня нет шанса отказаться, не поехать... Хотя есть и некоторые положительные моменты: когда меня не трогают, я сижу в углу и читаю, пока остальные смотрят телевизор. Единственное условие: если вечером все сидят в зале с выключенным светом и смотрят какой-нибудь блокбастер, мне нельзя включить свет в другой комнате и читать. А смотреть все это мне неинтересно. Поэтому я сижу на полу и смотрю на книжный шкаф, на лакированной поверхности которого отражается экран телевизора. Так хотя бы интереснее.

Наверное, я лукавлю о том, что не могла отказаться. Мне просто было страшно. Мой любимый мужчина рассказывал, как в 14 лет ушел из дома и несколько месяцев жил один. Вот он смог. А я боялась. Зря, наверное. Каждый вечер в деревне я представляла, как под покровом темноты захожу в сарай, угоняю старый велосипед и уезжаю в город. Однажды даже почти решилась на это. Но испугалась.

В этом же возрасте я впервые прочла роман «Унесенные ветром» и начала мечтать о превращении в прекрасную храбрую Скарлетт. Странная полярность тех лет — то ли болезненная истеричная Неточка Незванова, то ли сильная крепкая Скарлетт О'Хара — присуща мне до сих пор. И изрядно отравляет жизнь и мне, и моим близким.

Весь декабрь 1999 года разговоры в мире были только об одном: грядет миллениум! Новое тысячелетие... Это же удивительно: родиться в одном столетии и перейти в другое!

Наступление двухтысячного года было особенным: и полуголодное — скромная картошка, селедка под шубой, оливье и мандарины, и очень обнадеживающее. Люди выходили на улицу и поздравляли незнакомцев с наступлением третьего тысячелетия. Это был один из редких моментов, когда люди всего мира объединяются не перед лицом опасности или врага, а в надежде на счастье и чудо.

И мы надеялись.

ОКСАНА АЛМАЗОВА

Алматы (Казахстан)

До и в 90-е — школьница,
в 98-м году окончила
школу, получила профессию
психолога и всегда работала
по специальности, в том числе
преподавала в вузах.

МЕЧТЫ ИЗ «КОМКА»

Моя школа по сей день находится напротив одного из самых старых и крупных рынков нашего города. И логично, что в 90-е вокруг нее понаставили коммерческих киосков, так называемых «комков». Мы частенько обходили их, разглядывали ассортимент, а одноклассники, из тех, кто побогаче, иной раз и покупали. Недавно я рассказала маме, что мечтала скупить содержимое целого киоска и лопать, сколько душе угодно.

Так в нашу жизнь вошли заграничные шоколадки, жвачки и всякие недоступные деликатесы.

Надуть пузырь из жевательной резинки, как выяснилось, целая наука. Мы специально учились и соревновались, раздражая старших, которые справедливо считали это дурным тоном. Вскоре после укоренения среди детей этой порочной практики повсюду заговорили о вреде жвачек; но сами по себе они нас и не интересовали. Мечтой каждого ребенка стал вкладыш, будь то наклейка или нет. Эти вкладыши мы собирали и хвастались во дворе. Мальчишки предпочитали вкладыши с машинами. И все сравнивали, кому какая цитата попалась из «Ловисов» (Love is...). Позднее появились также наклейки отдельно от еды и тематические альбомы, которые заполнялись наклейками. Но и тут жвачки не отстали, предлагая вкладыши с «Секретными материалами», «Сейлор Мун» и прочими любимыми героями.

Заграничные или, как мы говорили, «ненашенские» сладости без всяких картинок манили детей своей недоступностью. На зарплату можно было купить три «Сникерса». «Марс», «Баунти», «Пикник» и прочее счастье манило с экрана, но обычных родителей 90-х развести на это удовольствие не удавалось так запросто, как сейчас. Тот, кто мог лакомиться заграничными батончиками и конфетами, среди моих ровесников считался счастливчиком. Мало кто имел возможность свободно покупать их, чаще всего родственники присылали или родители-челноки привозили. Для остальных любые сладости, в общем-то, стали редкостью. Шоколадка дарилась по особым случаям и растягивалась на неделю.

Целый фурор произвели растворимые соки вроде «Юппи», «Инвайт» и «Зуко». Они были доступнее в цене, чем жвачки и шоколадки, и поначалу очень всем нравились. Теперь я понимаю, что состояли они в основном из сахара, ароматизатора и изрядного количества краски. Именно с таких соков началось разоблачение в глазах населения вредности и ненатуральности завозных продуктов. И соседи, остановившись поболтать, неизменно рассказывали истории о том, как вскрытие неумеренно потреблявшего бедолаги показало ядовито-разноцветные внутренности. Но пакетики с соковым порошком продолжали, хоть и реже, покупать — на стол, для гостей. Иногда же можно, тем более с экранов их по-прежнему ярко, задорно и настойчиво предлагали попробовать.

Реклама в 90-е стала отдельной разновидностью культуры. Особым шоу, я бы сказала. Все знали, что «Баунти» — райское наслаждение», «Чистота — чисто «Тайд»,

«Сникерс» — съел, и порядок!» Тогда многие обзавелись манерой цитировать слоганы. Также их высмеивали, и эти шутки пользовались успехом, потому как были всем понятны. Некоторых роликов специально ждали, как, например, АО МММ, обсуждали историю персонажей и новые выпуски. Названия иностранных фирм и марок постоянно были на слуху, не знать их считалось отсталым даже (и особенно!) среди старушек на лавочках.

Странно вспомнить, но мы, девчонки, коллекционировали пивные жестянки. Найти такую на улице считалось редкой удачей. Они ценились и как символ неизвестной «фирмы», и, между прочим, очень здорово растаптывались! Конечно, подобному варварству подвергались только те жестянки, которые по каким-то причинам не годились в коллекцию. Круче всего, если удавалось топнуть так, чтоб вся банка просела ровно и получился кружок.

Но еще большая удача, на грани чуда — подобрать на улице вкладыш! Банки-то выкидывали, а такую ценность какой дурак потеряет? Но соседке-подружке в этом плане везло, да и зрение у нее оказалось получше моего. Не раз во время прогулки вдоль киосков она коршуном кидалась на асфальт и выуживала из бумажного мусора фантик «Ловис». Везение пошатнулось, когда ее забрали в больницу. В тот день мы с ее старшей сестрой перемыли всю их коллекцию вкладышей с двух сторон хозяйственным мылом, освежив в памяти немереное количество цитат о том, что же такое любовь, по мнению производителей жвачек. Наклейки трогать не стали. Выкинуть накопленное богатство рука не поднялась, а вот от пивных банок мама девчонок категорично постановила избавиться. У меня собралась почти идентичная коллекция, пару пивных банок я забрала и отмыла дома, а остальные мы потопали.

В общем, в те годы, на которые выпал период моего взросления, многие наши дворовые и школьные приключения были прочно связаны с завозным ассортиментом. Мы с трепетом открывали для себя манящий и чарующий потребительский рай, где «Сникерс» казался пределом мечтаний. Конечно, только казался. Мы выросли, наелись и поумнели.

Сейчас я понимаю, что отечественные конфеты и шоколад гораздо лучше. И желание скупить содержимое киосков осталось в 90-х. Впрочем, пожалуй, не все перестали глядеть на жизнь голодными глазами.

БОРИС ПРОКУДИН

Москва

До 90-х — дошкольник.
В 90-е — школьник.
После 90-х — преподаватель МГУ.

ГОЛДЕН АКС 2

Два года из жизни я не помню, с 1993 по 1995-й.

— Борька! — кричали мне друзья с улицы. — Вылезай, дрыщ!

Я не реагировал.

Я перестал показываться во дворе, даже не подходил к окну. Меня больше не интересовали футбол, ножечки. Трансформаторные будки.

Не занимала школа. Впрочем, она меня и до этого не занимала.

Я играл в «Сегу».

Ее привез из Китая коммерсант дядя Слава. Он брал тогда у китайских партнеров галстуки и кожаные перчатки. Однажды он привез мне на день рождения приставку. И я пропал.

Я сжимал джойстик и сидел у телевизора день за днем. В школу я, конечно, ходил, но после бежал домой, в пустую квартиру, зашторивал окно в гостиной, чтобы солнце не падало на телевизор, и включал приставку. Начинала играть музыка, на экране появлялся поезд, идущий через пустыню, на крыше которого стоял Индиана Джонс, или мрачные пейзажи ночного города Готема, в небе которого всегда была полная тревожная луна... и эти пейзажи, и музыка, и приглушенный свет в гостиной (из-за зеленых штор все в комнате приобретало какой-то нездешний оттенок) возводили вокруг маленький изумрудный шатер, который существовал только для меня.

Родители, конечно, тогда начали волноваться, но к концу первого игрового года я стал относиться к «Сеге» прохладней. Более трех часов в день я не играл.

С сестрой контакт я потерял, у нас не стало общих интересов. Мама приходила с работы и первым делом трогала приставку. Сын, дававший клятвы, сидел за уроками, но «Сега» была неизменно раскалена. И маленькие лоскуты изумрудного шатра прятались под ковер.

Однако были дни, когда я не прикасался к джойстику вовсе. Я держал руки в марганцовке, лечил большие пальцы, измятые его острыми кнопками. Вот тогда... Тогда я думал о ней.

Я много раз слышал рассказы о ранней любви. Мол, мальчик каждый день дарил девочке цветы с клумбы, а потом родители отдали их в разные школы, она проплакала весь первый класс, а он так и не смог больше полюбить.

Может быть, у меня запоздалое развитие, но я впервые серьезно влюбился в двенадцать лет. В амазонку из игры «Голден Акс 2».

Действие игры происходило в средневековой стране, захваченной нечистью. С врагами нужно было сражаться, играя на выбор качком-варваром (мужиком), гномом с секирой или ею.

Ее звали Тайрис Пламя.

Она билась мечом. Удар у нее был слабенький, зато магия — лучше всех. Набедренная повязка, красный боевой лифчик и сапоги.

Когда она падала, сраженная упырем в маске палача или колдуном, ей-богу, было больно смотреть. Беззащитная, почти голая девушка, в окружении скелетов.

В игре она двигалась совсем немного: боевая стойка, поза в ударе, прыжок. Ничего особенного. Графика игры не позволяла увидеть черт ее лица. Угадывались только глаза: два пятнышка. Но все же, когда она падала, показывая изгиб тела, я чувствовал волнение. Никому я не признавался в своих чувствах, тем не менее мне становилось стыдно, когда ко мне приходил сосед, и мы садились играть в «Голден Акс» в четыре руки.

В то время моя сестра без конца читала «Властелина колец», и от нее я узнал, что в Нескучном саду, в лесном массивчике над Москвой-рекой, собираются толкинисты. Молодые люди и девушки одевались в плащи, повязывали на лоб кожаные ремешки, брали мечи и секиры и погружались в темные времена Средневековья.

«Может быть, мне нужна настоящая Тайрис, — подумал я, — девушка с мечом?» И отправился в Нескучный.

Поляну, на которой собирались толкинисты, я увидел издалека, сквозь голые безрадостные деревья и спутанные кусты... дело было весной. Бородатые мужчины с длинными волосами бились на мечах и прыгали, поднимая брызги старого черного снега, без тени улыбок на лицах, но с голыми торсами. Две барышни сидели, скрестив ноги, на туристическом коврике и смотрели в сторону реки. Рядом лежала гитара.

— Как тебя зовут? — Передо мной вдруг появилась раскрасневшаяся девица, завернутая в золотую занавеску.

— Боря, — сказал я.

— Нет! — Она махнула дрыном. — Твоего персонажа? Я — Галадриэль. А ты кто?

— Не знаю, — сказал я.

— А че пришел?!

Я молчал.

— Ты Толкиена читал?!

В этот момент за спиной Галадриэли возник сутулый парень в шляпе. Он бежал в нашу сторону с деревянным топором над головой. Галадриэль прищурилась, сжала рукоять дрына, но до последнего момента не подавала вида, а потом резко сделала шаг в сторону, повернулась, и их орудия ударились с глухим звуком.

Я помялся с минуту и пошел обратно, в сторону Ленинского проспекта, по которому под серым мартовским небом ездили машины, какие-то сердитые, и в грязи тонули троллейбусные остановки. Выходя из Нескучного сада, у калитки, я вынул из-под плаща наскоро выструганную под меч рейку (для нее я даже пришил петельку под мышкой) и бросил под куст. Прощай, оружие.

То лето мы провели на даче, а осенью я перевелся из унылой районной школы в лицей «Воробьевы горы». Тогда же «Сега» перегрелась и перестала работать. На семейном совете мы решили ее не чинить. Приставку с картриджами положили в полиэтиленовый пакет и убрали на антресоль. Решили, что подарим какому-нибудь ребенку.

ЮЛИЯ ПЕТРИЧЕВА

Москва

В 90-х — школьница.
Далее — учеба во ВГИК им.
С. А. Герасимова — киноведческий
факультет, работа в Госкино
пресс-секретарем. Затем — работа
в разных компаниях, в должности
PR-директора.

ЭКШН 90-х

В начале 90-х в нашем доме на проспекте Мира открыли супермаркет, ну или продуктовый магазин, который держала солнцевская группировка. Конечно, мы радовались такому модному по тем временам магазину, вход в который был рядом с нашим подъездом. Но нашу радость омрачила одна ночь.

Проснулись мы от кошачьего мяуканья, спасибо кошке, которая нас всех разбудила. Квартира была вся в дыму, причем в таком, что даже при включенном свете практически ничего не было видно. Жили мы, к слову, на 9-м этаже. Не понимая, что происходит, но понимая одно, что надо как-то выбираться из квартиры, иначе задохнемся, мы стали судорожно бегать в панике, закрывать щели входной двери мокрыми полотенцами, открывать окна. Но дыма становилось все больше... Тогда мой дедушка сказал, что надо всем идти на балкон... мы с мамой бросились искать кошку, а заодно захватили самые ценные для нас вещи. На тот момент для мамы это были только что купленные ботиночки в доме обуви, а для меня дорогие сердцу видеокассеты. Позже мы узнали, что люди из соседних квартир, которые тоже спасались на балконе и готовились даже прыгать вниз, если что, все-таки спасали документы и деньги. Но не мы… Эти вещи были для нас самыми дорогими.

Зайдя на балкон, который, конечно, в советские годы был захламлен всяким барахлом, поняли, что стоять здесь всем тесно. Да и дышать даже на улице становилось все тяжелей.

Наш дом был очень большой — сталинский, и многие балконы были совмещены с балконами соседнего подъезда. Это нас и спасло.

Наш героический дедушка, который уже как-то забрался на самую верхотуру, состоящую из старого шкафа и стеклянных банок, принял решение нас с мамой перебросить на другой балкон, в чужую квартиру. Так мы с ней, вцепившись в ботиночки и кассеты, сиганули к соседям.

Была уже глубокая ночь, все спали. Кто-то проснулся от грохота побитых банок. В кухню влетает испуганная женщина и видит нас с мамой в ночнушках и с ботинками в руках. За ней следом влетает мужик в трусах. Выражение их лица и их вопросы, думаю, понятны всем. Эта женщина через слово говорит ему: «Да не тарахти ты!», «Иди оденься!» Но мужчина в таком шоке, что продолжает бегать перед нами в трусах.

Мы вышли на улицу через их подъезд, где стояло много пожарных машин. Поняли, что наш подъезд, две шахты лифта горели… В сопровождении пожарных мы зашли в полуобугленный подъезд и стали в темноте и дыму подниматься к себе в квартиру пешком.

Наутро мы узнали от знакомого по соседнему подъезду, который в тот момент курил и видел, как что-то взорвалось около двери нашего подъезда и двери супермаркета. Позже узнали, что доброжелатели сводили счеты с хозяевами супермаркета. Тогда шла борьба за это «золотое место», где был магазин.

А наш героический дедушка, которого мы потом попросили убрать на балконе санки на самый верх шкафа, сказал, что туда не залезет, очень высоко. Хотя сам там сидел во время пожара всю ночь. «Ну! — сказал он. — Это только со страху, сейчас уже не смогу!»

Наши соседи после этого случая поставили бетонную стену на балконе. А мы еще долгое время от любого подозрительного запаха выходили на лестничную клетку. Кстати, надо заметить, что выходили только женщины, в халатах и ночных рубашках. В таком виде мы часто встречались все там. Мужчины сладко спали.

АВГУСТОВСКИЙ ПУТЧ

В районе станции метро «Щербаковская», ныне — «Алексеевская», на соседней улице шли танки к Останкинской телебашне. Окна дрожали, мы тоже. Тогда всех предупреждали, что на соседних домах будут сидеть снайперы, поэтому лучше ночью спать около батареи под окном. Так мы с мамой положили себе мягкие матрасы около батареи и готовились в случае обстрела ложиться туда. Ведь в соседнем доме мы видели на крыше несколько солдат с оружием. Я была школьницей, и мне было все это одновременно и страшно, и безумно интересно, но так как моя мама актриса, то воображения у нее достаточно, чтобы запугать меня окончательно. К ночи я уже боялась даже перемещаться по квартире. Слава богу, она прошла спокойно и нам не пришлось ложиться на пол, но мы были в полной готовности в любой момент скатиться вниз.

А вот утром я захотела идти к подруге. Это, естественно, вызвало бурю протеста у моей мамы, т. к. реально было страшно выходить, потому что никто не знал, чего ожидать на улице. Но я была упрямой и все-таки вырвалась из дома, тем более что у подруги меня ждала новая интересная анкета для заполнения, и мы договорились поклеить в наши песенники фотографии наших кумиров.

И вот я иду к ней и прохожу пятиэтажки, в одной из которых около окна первого этажа дежурит солдат с автоматом. На улице никого, кроме него и меня. Я понимаю, что попала. Почему не послушала маму? Но все-таки продолжаю идти вперед, но уже не настолько уверенной походкой. Про себя думаю: буду убита, изнасилована, взята в заложники... Что из этого лучше? Но я медленно прохожу мимо него, он медленно, но подозрительно смотрит на меня. Рука на спусковом крючке. Думаю, сейчас стрельнет мне в спину, сейчас прогремит взрыв в окне, сейчас начнется перестрелка, и шальная пуля меня заденет... Представляла, что сейчас творится в этой квартире, как ее всю перевернули с ног на голову, как кто-то сидит, положа руки за голову... В тот момент воображение работало на все 100%. Пока я дошла к ее дому, представила все на свете. Было очень страшно, тогда я чувствовала себя реально во время войны.

ИННА ФРАНК

Москва

В начале 90-х — студентка Дагестанского педагогического университета. В середине 90-х — переезд в Москву. Считает 90-е временем счастливой молодости, временем поисков себя.

КАК МЫ ЛЮБИЛИ В ДЕВЯНОСТЫЕ

«О, как мы любили в девяностые! Помните? Времена-то какие были... Зарождающийся капитализм. После железного советского занавеса вдруг окно открылось в Европу, в мир. И хлынуло на нас всякое.

А фильмы-то какие мы увидели! Чего стоит одна «Красотка»!

Такой интеллигентный, с благородной проседью, очень богатый Ричард Гир полюбил простую большеротую проститутку Джулию Робертс. Что он в ней нашел? Мы были гораздо краше в те годы. А он? Какие платья ей покупал, какими драгоценностями осыпал, а в конце на лимузине примчался к убогой ее каморке и кричал прямо из люка автомобиля: «I love you». Ну как тут не всплакнуть, да еще когда тебе 17 лет.

А Кевин Костнер, какой он был телохранитель у шоколадной Уитни Хьюстон! Она — красивая, талантливая, с плохим, вредным характером. А он — молчаливый, спокойный, надежный, как скала, и полюбил ее, такую противную. И бросился ради нее на пули. А она пела: «And I will always love you». Слезы из глаз.

А Алек Болдуин! Вот уж кто теребил наши сердца! С Ким Бейсинджер в «Привычке жениться» — то сходились, то расходились. И в кино, и в жизни. Алек — голубоглазый, харизматичный. Ким — бесстыдная блондинка с алыми губами. И любовь и скандалы — все на разрыв.

Тогда на задворки новой российской империи еще не пробрался «Космо» и «Эль», поэтому стилю и красоте нас учили американские красотки из голливудских фильмов.

Журнал для рукоделия «Бурда моден» заменял нам недостающий глянец.

Добротные немецкие девушки представляли нам ангоровые вязаные свитера, носимые с шифоновыми юбками.

Восторг.

Бежали за пряжей, вязали такие же. Потом бежали за шифоном, шили такие же. Вещей тогда еще маловато было.

А каковы были мужчины наших мечт? Брутальные, исключительно в бордовых, реже в темно-зеленых двубортных пиджаках с золотыми пуговицами...

Под пиджаками — черные водолазки, поверх водолазок — золотые цепи тяжелой весовой категории. На запястье — «Ролексы», на пальце — печатка.

И обязательно чтоб был на «Мерседесе» или на «БМВ». Идешь по главной улице своего небольшого городка, а он едет с открытым окном, музыка орет на всю ивановскую.

Остановится у коммерческого магазина, выйдет за чем-то и брелоком от машины играет, звенит.

Предупреждает, чтоб никто не забыл, из какой машины он вышел. По сторонам посматривает — видят ли, осознают ли, завидуют ли...

Помню, ухаживал за мной Серега, покойник уже. Было это уже в Москве.

Красавец, прямо Шон Коннери в молодости, как в «Докторе Но», только цветной и современный.

Он был первый человек в моей жизни, кто рассказал мне про Версаче.

Жуткий модник он был. Именно на нем я также впервые увидела кожаную куртку-пилот с норковым воротником.

На мой недоуменный взгляд он высокомерно спросил: «Про Версаче че-нить слышала?»

«Нет, а кто это?»

«Это крутой модельер, итальянец. Так что куртка у меня «версачевская», вот голова Горгоны изображена, — тыкал мне Серега в изображение злобной змеистой женщины. — Два косаря отвалил».

Еще Серега носил кожаные мокасины без носков и говорил, что так носят все крутые итальянцы и Джанне Версаче с ними.

А потом у него появился пейджер. Помните эти черненькие пищащие коробочки?

Мужик с пейджером тогда — это как сегодня мужик с личным вертолетом. Я Сереге на пейджер диктовала места и даты свиданий. А потом мы катались на разных шикарных машинах. Иногда я спрашивала: «Кем ты работаешь?» А он уклончиво отвечал: «Да так, кукурузу охраняю...» — «А где?» — «Да недалеко от Солнцева...»

Только потом я поняла, что это за плантации кукурузы были в Солнцеве... Погиб Сережка в автокатастрофе. Это было уже после того, как мы разбежались. Через пару лет случайно встретила его брата, который и рассказал мне все... Похвастал также, что схоронили его на Ваганьковском, где-то рядом с братьями Квантришвили.

Поплакала, конечно. Недалекое прошлое с грустным концом, подернутое временем, показалось мне более прекрасным и возвышенным. И мне даже почудилось, что между нами могло быть и что-то серьезное, ведь именно мне он предлагал как-то сходить в церковь на литургию и помолиться. Грехи, говорил, накопились.

«Ма, что это ты только что рассказывала про какие-то черные пищащие коробочки. Пейджеры, что ли... Что это за фигня такая? Это когда еще мобил не было?»

«Никакая это вам не фигня. Это еще было до вашего рождения. Вам не понять, вы не любили, как мы, в девяностые... Идите уже к своим айпадам, дайте с подружками посидеть. Да, девчонки?»

«Да-а-а-а», — раздается нестройный женский многоголосый ответ.

«Валька, наливай».

«А еще помните, у Нельки у самой первой был «Пуазон»! Черт, до чего вонючий был запах. А нам всем нравился».

«Да нам все в семнадцать лет нравилось», — сказала Валька.

Вот так вот.

ВЛАДИМИР ГУГА

Москва

В 90-е сменил массу специальностей — от арт-директора рок-клуба до менеджера по продажам. Сегодня — книжный обозреватель, координатор проекта «Народная книга», автор нескольких публицистических книг.

ОРГАЛИТ

В конце прошлого тысячелетия я, юный педагог, постоянно искал возможность подзаработать. Сил, здоровья, энергии у меня хватало с избытком, поэтому я брался фактически за любую халтуру, исключая лишь ту, что пахла криминалом. Мне приходилось играть на гитаре в холодных подземных переходах, озвучивать мыльную оперу на «Мосфильме», басить в костюме Деда Мороза «Здравствуйте, дети!», торговать книгами с лотка, драться в массовке на съемках фильма Никиты Михалкова «Сибирский цирюльник». Но самой выгодной и желанной работой в те годы у меня и нескольких моих друзей-студентов была «зачистка» небольшого московского завода от оборудования, мебели, бумаг, словом, от всего его содержимого. Новым хозяевам предприятия нужно было, собственно, не предприятие как таковое, а его помещение, которое они, видимо, собирались отремонтировать и сдать в аренду. Я в подробности последнего аккорда истории старенького завода не вдавался, понимая, что чем меньше человек знает, тем лучше он спит. Кажется, это был даже не завод, а настоящее научно-производственное объединение,

НПО в сокращении, с экспериментальными лабораториями, сборочными цехами, складами. И вот, значит, мы, несколько полуголодных, но веселых парней, лет этак по двадцать с чем-то, взяли на себя миссию этот завод освободить от его хозяйства. Кстати, к нам иногда присоединялись и девчонки из числа тех, кто покрепче и поотчаяннее. Не сказал бы, что наша работа в цехах и лабораториях старого НПО относилась к разряду «каторжной», но и особо легкой я бы ее тоже не назвал: слишком много на заводе накопилось всякой всячины — и легкой, и тяжелой, трудно транспортируемой. Помимо разнообразной мелочи, типа папок с личными делами сотрудников, нам приходилось выносить и укладывать в кузов грузовика вытяжные шкафы, массивные лабораторные столы, циклопические сейфы.

Во время перекуров я зависал над какой-нибудь архивной папкой и листал старые, покрытые пылью документы — приказы о назначениях, характеристики, табели производительности, отчеты, карточки со сведениями о работнике, и прочее, и прочее, и прочее. Особенно интересно мне было смотреть на приклеенные к документам потускневшие фотопортреты людей, давно ушедших на заслуженный отдых или на вечный покой. Вот слесарь какого-то там разряда, вот технолог, вот нарядчица, вот посудомойка, вот партийный секретарь. Ребят мое археологическое увлечение смешило, а иногда даже раздражало, так как чтение мной личных дел порой слишком затягивалось. Как-то раз в одной из расчищаемых лабораторий я обнаружил в куче пыльного хлама учебник для медицинских училищ «Наркология» под авторством Э. А. Бабаян, М. Г. Гонопольского, 1990 года издания. Цена 85 копеек. Принимая во внимание то, что я и мои друзья-студенты в те годы частенько устраивали масштабные по количеству напитков и продолжительности попойки, можно считать нахождение учебника Бабаян-Гонопольского неким «знаком свыше». Правда, я не обратил на этот знак внимания, увлекшись благодаря найденной книге чисто теоретической борьбой с пьянством. Учебник сей до сих пор стоит на полочке моего книжного стеллажа, и я его периодически почитываю.

Много, много интересного вынесли мы с завода и выкинули в реку забвения. Например, несколько упомянутых выше вытяжных шкафов. Они напоминали кухонные плиты, украденные у великанов. Эти неподъемные махины надо было спустить по лестнице с пятого, что ли, этажа (в двери грузового лифта они не влезали), затем доволочь до грузовика и закинуть в кузов. Учитывая, что в нашей бригаде грузчиков кто-нибудь всегда являлся на такелажные работы после бурной бессонной ночи, вынос и погрузка старых вытяжных шкафов превращались в дело тяжелое и опасное даже для жизни. Однажды мы не удержали вытяжной шкаф, он съехал по каменным ступенькам лестницы, погнув перила, и безнадежно застрял на межлестничной площадке. Как-то так получилось, что потолочная панель шкафа гладко зашла под висящую на стене батарею отопления, и объект намертво застрял на малюсеньком пятачке пространства. И все бы ничего, если бы между стеной и шкафом не оказался один из грузчиков — студент с философского факультета.

— Тебя что, зажало? — спросил беднягу взрослый матерый мужик, руководящий нашими действиями.

Философ лишь страдальчески исказил лицо.

— А почему же ты не кричишь тогда, чудак-человек?

— Неудобно, — простонал студент, — я стесняюсь кричать.

— Да... Ребятки, с вами не соскучишься, — резюмировал наш руководитель. — Ну-ка! Раз-два, взяли!

На предприятии, напоминающем попавшее в сети паука и постепенно высасываемое изнутри насекомое, находилось некоторое количество заводчан. Они передвигались по помещениям, словно тени. Иногда работяги просто сидели на ящиках и наблюдали за нами, покуривая. Мы с аборигенами не общались. Да и о чем с ними разговаривать? У нас свои дела, у них — свои. Вернее, не дела, а безделье. Трагическое, иссушающее, убийственное безделье, как я осознал позже. Повзрослев, я вообще многое понял и о тех рабочих, и о нас, грузчиках, и о новых хозяевах гибнущих предприятий. А тогда меня волновал вопрос, ответ на который нынче мне кажется очевидным: «Почему эти рабочие, здоровые мужичины, более крепкие и опытные во всех смыслах, чем мы, студентики-интеллигентики, сами не занимаются погрузкой-разгрузкой? Ведь они, стремительно нищающие в начале 90-х «гегемоны», могли сделать то же самое, что и мы за более скромную оплату».

Одну из заводских халтур я запомнил на всю жизнь. Наш бригадир, родственник нового хозяина завода, решил, чтобы получить в два раза больше, вдвое сократить бригаду. Арифметика простая. Таким образом, в тот злополучный день на работу вышло вместо четверых грузчиков двое — я и, собственно, бригадир. Нам предстояло поднять на какой-то там этаж пятьдесят или шестьдесят огромных оргалитовых листов. Не помню уже. А может, и сто. Этот материал предназначался уже для «новой жизни» здания. В грузовой лифт ноша не влезала. Да, собственно, лифт и не работал.

Изначально для этой работы предусматривалось четыре свежих сильных работника, а не два измотанных недавней пьянкой парня. Но мы погнались, как говорится, за «длинным рублем».

Во время переноски приблизительно двадцатого листа я понял, что скоро сдохну. То же самое чувствовал и мой напарник. Однако отступить или растянуть свои мучения мы уже не могли: нам велели «закинуть» все листы, указав конкретные временные ограничения. Так мы, два очкарика, стали главными действующими лицами увлекательного шоу, отвлекающего пожилого лифтера и двух усатых рабочих от их печальных дум. Мы карабкались со своим грузом на подкашивающихся от усталости ногах, а работники агонизирующего предприятия следили за нами остекленелыми глазами.

Кто-то наверняка скажет: «Вот и поделом им, совковым бездельникам. Привыкли, понимаешь, жить, не предпринимая никаких действий, выходящих за рамки раз и навсегда прописанных инструкций, привыкли всегда плыть по течению или валяться лежачим камнем, значит, так им и надо!»

Но я не стану поддерживать эту реплику. Думаю, рабочие просто не могли добить свой умирающий завод. Действительно, какой сын или какая дочь сможет отключить аппарат, искусственно поддерживающий жизнь своего родителя, находящегося в состоянии «овоща»? Но кто-то должен был нажать на последнюю кнопочку, закрыть тему. Вот ими и стали мы — энергичные, часто выпивающие, молодые, не склонные к рефлексии ребята. Возможно, когда-нибудь и в нашей жизни появятся такие же новые бодряки и ампутируют кусок нашего бытия или вообще поставят в хронике его истории жирную точку.

ВЛАДИСЛАВ ЩЕРБАК

Химки

В 90-е годы — воспитатель,
слесарь, столяр, счетовод,
главный бухгалтер, милиционер,
продавец, финансовый директор,
кассир, администратор ТЦ.

УНИВЕРМАГ

Уже к концу 90-х моя набитая профессиями и конторами десятилетняя трудовая книжка была заполнена наполовину. После дембеля в 1989 году я не вернулся на завод, а решил податься в культуру. Однако быстро сообразил, что в это смутное время всем не до оной, и ушел в производственный кооператив. Вскоре он стал АО, где я ненароком получил производственную травму. Из-за больного колена пошел на суперпопулярные в те годы бухгалтерские курсы, и вскоре меня перевели из слесарей в бухгалтеры. Полгода спустя мне предложили долю с дохода и должность главбуха в торгово-шмоточной фирме. Через год падение рубля свело компанию к банкротству, а меня закинуло на охрану строек — студента-заочника на тот момент нигде больше видеть не жаждали. Но и там больше года удержаться не получилось.

И тут школьный друг Шурик предложил мне встать за прилавок небольшого продовольственного магазинчика в универмаге «Московский». Тогда идея о превращении столицы в город-рынок только набирала обороты и советские торговые дома пока еще удерживали свою былую популярность. Наш большой сосед — громадный продовольственный универсам под землей — как-то не спешил делать себе рекламу на поверхности. И вся голодная рать, приезжая на три вокзала, рвалась к ближайшему входу в «Московский», где тут же благополучно упиралась в наш отдел.

По клавишам я с детства шлепал живо, а потому кассу освоил за час. В тот же день красотка-коллега в местном форменном халате попыталась взять что-то без очереди. Чуть постояв с «блатной» стороны, она обиженно скрючила губы и спросила: «Молодой человек! Когда же вы меня отпустите?» От меня отскочило быстрее, чем успел подумать: «Да кто же вас держит?» И с того момента всю смену конкретно проперло на шутки: «А какую водку посоветуете?» — «Я советую завязать с алкоголем и заняться спортом!» Или: «Что-то водка у вас вчера была не свежая! Выпили две бутылки под один беляш с приятелем — и потом так тошнило!» — «Ну так вы ж с пластмассовых стаканчиков пили? Вот с этого все и травятся!»

Нередко веселили и сами покупатели. К примеру, был случай. До одиннадцати утра покупателей много не набегало. В одно из таких преддверий к нам зашел почтенный такой дедок. Он встал поодаль и несколько минут рассматривал алкогольную стену прилавка, нервно шевеля губами. Наконец подошел и заговорил: «Молодой человек, а что такое «увéс росхéр»?» — «Не знаю, уважаемый. В школе вроде не проходили» — «Но ведь у вас же стоит!» — «Бывает, но чаще по утрам. А при чем тут это?» — «Да я не про то! Вон на верхней полке пятая слева». Пятой слева стояло французское шампанское «Ив Роше». Ну да, «Yves Rocher»!

Поначалу были проблемы с привокзальными бомжами, которые пытались устроить у нас в торговом зале спальню-столовую. С ними я после практики охранником договорился почти без слов — они прытко убрели, словно трухлявые пеньки из фильма «Морозко». Все бы ничего, но у нас продавалась самая перевариваемая и дешевая водка в округе. Вот бездомные горемыки и шли за ней, пихая вонючие пачки мятых цветных фантиков — тогдашних сотен и двухсотенных. Я как-то сразу не стал принимать от бомжей такие деньги, потому как стыдно их было давать на сдачу другим покупателям. Соответственно, обломал и с водкой. На другой день на разборки от бомжей Казанского вокзала пришел их «маркиз» — еще молодой азиат в зеленом пальто, длинном сером шарфе до пят и шапочке в цвет. Я ему пояснил, что к печальной участи некоторых моих сограждан я отношусь с пониманием, однако грязные и перетертые купюры брать отказываюсь. Шурик хотел и «маркиза» обвинить в антисанитарии, но тот сдержанно предъявил вчерашнюю справку из бани. Договорились на том, что вся продажа пойдет через него, чистюлю, но его дурно пахнущие подданные в наш отдел ни ногой.

Помимо кошерной водки, горячей останкинской колбасы, жвачки и приставок «Денди» мы торговали всякой ерундой для доброго пути, в том числе суперклеем. Как-то раз потребовалось самим немного что-то приклеить, а остатки пошли на новое развлечение — к поверхности кассового столика мы намертво прилепили мелочь. После смешно было наблюдать, как шикарно разодетые дамы, прикрыв руки сумочкой, пытались отковырнуть жалкие копейки. Перед Новым годом мы и вовсе устроили забаву — приклеили к полу железную сторублевку. Если 400 рублей стоил плотный пакет с ручками, то цена ей нынче была бы рубль. Из простого люда за монетой нагибался далеко не всякий, зато у бомжей та монета отняла покой. Конкурентом им был другой сорт людей — сторублевке, словно отбивая поклоны золотому тельцу, кланялись блондинки в норках. В итоге монету специально обученным совком в момент отколошматили местные бабули-уборщицы.

С ними тоже была история. Утро понедельника отводилось пересменке — заступала другая бригада. Когда удавалось хорошо посчитаться, то нам перепадали премиальные. Заканчивалось мероприятие по передаче активов вызовом бабулек, которые подхалтуривали влажной уборкой помещения. Нам же в это время оставалось дожидаться конца пересчета, то есть бить баклуши и курить. Вернувшись из курилки, я спросил Шурика про премию: «Ну что, бабки давали?» Он озорно оглядел гигиенический отряд и усмехнулся: «Да нет, они только пришли!» За что и схлопотал от бабулек тряпкой.

Рабочая неделя, конечно же, выматывала. По дороге домой боялся уснуть и проехать остановку — стоял. Да и сессии сдавались кое-как. Зато в то непростое время наш лабазик был островком стабильности с элементами малого бизнеса. Коллектив мало-помалу обрастал добрыми традициями. Частенько заскакивали друганы и родня — днем на перекур почти всегда можно было оторваться. Но однажды и до нас добрел господин Облом. И на вопросы друзей «Что хорошего?» мы с Шуриком радостно отвечали, что замечательно все: работа в тепле, график нормальный, платят хорошо. А на вопрос «А что плохого?», не меняя тембра бодрости, отвечали: «Да гонят нас на фиг с этой работы!» Увы, наш босс, которого и видели-то пару раз мельком, проиграл наш магазинчик в рулетку.

Странные и страшные были годы. То ОМОН перепутает офис, сперва всех закошмарит, а потом извинится и уйдет. То знакомую старушку на Пушкинской взорвут. Но больше мучили не внезапности, а неопределенность. Когда мотаешься не один месяц по объявлениям, тащишь у ребенка из копилки на проезд до бюро по трудоустройству, халтуришь на рынках, пытаешься хоть коготком зацепиться хоть за какой то доход. А то ты вдруг финансовый директор! Но в любом случае та простая работа в универмаге за прилавком вспоминается каким-то светлым пятном среди всяких стрелок-разборок и безнадеги. 90-е радовали нечасто.

СЕРГЕЙ ЛОМАКИН

Благовещенск

До 90-х, в 90-е и после них — военнослужащий Вооруженных сил РФ, в настоящее время — военный пенсионер.

ТЫ ПОМНИШЬ, КАК ВСЕ НАЧИНАЛОСЬ?

БЫЛЬ ИЗ ВОЕННОЙ ЖИЗНИ

В тот августовский день старпом начальника разведки дивизии Саня Орлов заступил на дежурство. Дивизионный химик Некрасов, которого Саня менял, не вынимая обоймы, перед тем как поставить пистолет в сейф, проверил, нет ли патрона в патроннике — процедура, обычная перед сдачей оружия, — нажал на спуск. Пуля, обдав лицо Сани ветерком, ушла в стену, а химик от неожиданности выронил пистолет на стекло, которым был покрыт стол. Стекло разлетелось. От неожиданности случившегося химик Некрасов осел на стул, тупо глядя на дырку в стене. Дежурку — старый дореволюционный подвал, переоборудованный в бункер, — заполнила сизая пороховая гарь. В общем, надо было как-то скрыть следы происшедшего, и химик, посетовав на нелегкую офицерскую судьбу, вместо того чтобы идти домой спать, пошел шакалить патрон, стекло и какой-нибудь прибамбас, чтобы замазать дырку.

Через час последствия были ликвидированы. Начальник штаба, Пал Палыч Петренко, полковник с сизой порослью на квадратной голове, катая по столу карандаш, принял доклад о смене дежурства. В то славное время каждый тащил, что мог, в особенности если что-то мог, а Пал Палыч мог, и даже очень. Одним словом, смену разрешил, не забыв напомнить, что вокруг штаба, прямо в близлежащем парке, встал лагерем цыганский табор — хрен этих цыган знает, в штаб пролезут, в «секретку», потом ищи-свищи. Зачем цыганам военные секреты — он умолчал, но счел нужным на всякий пожарный внимание на этом заострить. Дежурство обещало быть спокойным: комдив в отпуске — кот из дома — мыши в пляс.

В пляс пустились начальники служб, и часам к десяти в штабе остались женщины-машинистки, разудалые девки-телефонистки — и остальная штабная мелочь, по самое не хочу озадаченная своими начальниками, убывшими по своим начальническим делам. Остался и Пал Палыч. Он был, так сказать, на хозяйстве: ремонтирующие «ЛуАЗик» прапора требовали контроля, ибо к злоупотреблению и выходу из рабочего состояния с плавным переходом в нерабочее были весьма и весьма склонны. Ну и опять же цыгане. Из окна кабинета он созерцал табор, цыганки варили еду, грязные голопузые дети ползали под забором штаба — все эти дела внушали ему определенную тревогу. Куда уж тут слиняешь. И до обеда еще ой-ей-ей сколько времени...

Попив чайку, Саня трепался с помощником о том, что химик учудил при смене, о текущем моменте, который, на радость врагам перестройки, был не ахти — дивизия развалилась на глазах, в полках царил бардак... По черно-белому телику в дежурке показывали какую-то фигню про то, как перестройка и гласность широко шагают по стране, и вдруг, в 12 часов, вся эта мура резко прекратилась и пошло чудо советского балета — «Лебединое озеро». Не успели Саня с помощником — старлеем из отдела тыла — насладиться танцем маленьких лебедей, как по громкой связи оперативный дежурный штаба округа голосом одуревшего робота проорал о том, чтобы во всех частях личный состав посадили перед телевизорами — будет передано важное правительственное сообщение.

Война вроде как ни с кем не намечалась. Это вселяло надежду — мало ли что там в Москве намутили московские мудрецы, но аппаратура ревела, требуя сто процентов личного состава к телевизорам, оперативный округа снова и снова, как мулла, орал про важное правительственное сообщение. Передав все это в части дивизии, Саня попытался доложить Пал Палычу, но телефонистка сказала, что полковник Петренко выехал вроде на обед и связи с ним нет. Оставалось ждать этого самого сообщения. Телефоны трезвонили беспрерывно — командиры частей докладывали, что народ в разгоне, сажать к телевизорам особо некого, и что делать — собирать солдат или, как всегда, может, сойдет и так. И тут в телевизоре нарисовался ГКЧП. Не успели они рассказать, как все в стране хреново, Горбачев заболел, и ГКЧП спасет Отечество, уж будьте покойны, как пришел сигнал. Это были уже не шутки — сигнал, пришедший из округа и продублированный штабом армии, требовал привести все части и соединения округа в повышенную боевую готовность. Комдив был неизвестно где — об этом знал разве что Пал Палыч, а Пал Палыч тоже пребывал в нетях...

По такому сигналу — мать-моржиха! — все части должны подниматься по тревоге и со всей техникой и другим скарбом выходить из городков в районы сосредоточения. Что из себя представляло в условиях всеобщего бедлама это интересное мероприятие, Саня знал не понаслышке. Стоило передать сигнал в войска — такое бы началось! Внутренний голос настойчиво советовал этого не делать. Аппаратура громкой связи по-прежнему ревела, требуя то подтверждения приема сигнала, то докладов о начале и выполнении этапов приведения в повышенную боевую готовность частей дивизии, начали ли части выход из городков... В штабе армии оперативный забыл выключить громкую связь, и Саня слушал шум, гам и семиэтажные матюки — становилось понятно, что верхнее начальство не знало что делать.

Тут в бункер запросился командир зенитно-ракетного полка — весь в военной сбруе и с автоматом, с вопросом — выводить полк или нет. В штаб он примчался на «Стреле-10» — для непосвященных это такая трехосная хреновина с зенитными ракетами, на которой он гарцевал по городу, наводя страх и ужас на мирное население, которое уже знало, что в стране введено чрезвычайное положение, но с чем его едят, представляло слабо. Но вот наконец откуда-то из прекрасного генеральского далека позвонил комдив и спокойным голосом приказал никакой повышенной готовности не вводить, всем сидеть тихо-мирно, не дергаться и ждать дальнейших указаний.

Через час после начала всей этой боевой кипучей бучи в бункер, бурча: «Что тут случилось, спокойно пообедать не дадут», спустился полковник Петренко и объявил сбор офицеров. Через пару часов все собрались, но указаний никаких так и не поступало. Саня сдал дежурство оперативной группе, поднялся в отдел — там народ уже получил команду — никуда не уходить и ночевать в штабе. Неугомонный Пал Палыч тут же отправил его в полк — пригнать три БМП разведроты для охраны штаба. Народ глядел на несущиеся прямо по городу пыхающие черным солярным выхлопом машины с навьюченными оружием солдатами на броне и, видимо, подозревал нехорошее.

БМП расставили по углам штабной территории пушками в разные стороны — трепещи, враг. Трепетал враг или нет, но цыгане шумною толпою забурлили, загрузились на телеги и, не в пример доблестным воинским частям, быстро испарились. А команд так и не было, народ стал кучковаться по кабинетам и сбрасываться деньгами. Первыми испили из своих бездонных запасов тыловики. Из округа прилетел генерал надзирать за комдивом — комдив имел несчастье служить в Свердловске и был знаком с Ельциным, что наводило, наверное, командование округа на нехорошие мысли. Оба генерала к вечеру уже были, что называется, на малой кочерге и едва ли не в обнимку бродили по территории, оглядывая полководческим оком готовые к бою БМП и о чем-то вполголоса беседуя.

Закатилось августовское солнце, пала ночь, куда-то пропали генералы, а в кабинетах штаба бурлеж только начинался — кто лихорадочно искал талоны на водку, кому-то они уже были не нужны по причине того, что хватило и того, что было. А в разведотделении все было пучком — шеф был сам распорядителем талонов, сумбурный вечер предугадал, заслав с талонами переводчика в нужное место, и отделение тихо сидело под немудреную закусь, а когда она иссякла, то начальник предложил попробовать «Вискас», купленный когда-то его коту. На вкус закуска была дрянь, но с хлебом — Саня с удивлением заметил — было ничего.

За разговорами о происшедшем прошло полночи. Наиболее наглые и наиболее нетрезвые втихушку двинули домой — спать в штабе было негде. Саня пристроился на большом столе, на котором расстилали карты, и, положив под голову бушлат, провалился в сон...

Наутро потихоньку приползли те, кто ночью сбегал домой, ласково заглядывая в глаза тем, кто маялся всю ночь по кабинетам: не случилось ли, не дай бог, какой-нибудь тревоги-проверки, и, получив ответ, что ни хрена ничего не было, никто никого не строил и не проверял, выражали желание помочь в продолжении вчерашнего, но талонов на водку уже не было. Народ маялся, пил холодную воду, посылал гонцов, и к обеду некоторые изворотливые уже привели организмы в состояние легкого бодуна. Ну а разведотделение спас, как, впрочем, и всегда, сам начальник, выкатив бутылку из своих каких-то давних запасов.

Где-то в далекой Москве летели в Форос самолеты — то ли арестовывать Горбачева, то ли освобождать его с Раисой Максимовной из крымской неволи. А здесь бродили по штабу с просветленными после вчерашнего лицами офицеры, не зная, чем заняться и чего ждать. Переводчик Витек, разбитной старлей, притащил генеральские штаны, найденные где-то на территории, спорол с них лампасы, написал на них «ГКЧП» и повесил на шкаф при входе в кабинет.

Так прошел еще день. Никто ничего не командовал, БМП уехали в полк как-то сами собой, а народ ближе к вечеру разошелся по домам.

На следующее утро все встало на свои места. В 8.30 свежевыбритый комдив собрал совещание. Исходя из требований текущего момента, комдив выгнал сидящего всегда рядом с ним начальника политотдела, пояснив всем, что время политорганов навсегда кончилось. Сообщение это народ встретил одобрительным гулом, предвкушая перемены. Комдив сообщил также, что Горбачев на свободе, в Москве, что грядут реформы, ну, и все такое прочее, а пока будем служить, как и раньше, но по демократическим, видимо, канонам. Что это будет, он и сам пока представлял слабо.

Саня Орлов тоже еще не знал, что впереди — Гайдар с реформами, что армия начнет разбегаться, что все здесь сидящие через год станут гражданскими с мизерной пенсией или совсем без нее, кто-то удобрит собой армии молодых независимых республик, а совсем недалеко — целая череда чеченских войн, кровавых и безжалостных, и некоторые из сидящих здесь навсегда останутся в чеченских горах... А пока веяло свежестью грядущих перемен, надеждой на новую, еще неизвестную, но уже так долго ожидаемую жизнь...

ТАТЬЯНА СТЕПАНОВА
Подольск

В 90-е получила образование портного, преподавателя географии; работала продавцом, выполняла общественные работы. После 90-х трудилась учителем географии.

МЕЧТЫ СБЫВАЮТСЯ

Был октябрь 1993 года, вернее 3 октября — воскресенье. Мне 16 лет, я учусь в 11-м классе, поэтому еду в соседний город именно в воскресенье — единственный свободный день. Еду, можно сказать, за мечтой — теплой курткой. Какие могут быть мечты у провинциального подростка в 90-е? Чтобы было что поесть и надеть! Сколько ярких китайских шмоток, но главная загвоздка — деньги, зарплату родителям безбожно задерживают! Уже октябрь, падает первый мелкий снег, а я еще в ветровке. Впрочем, в модной куртке, такие носили все: полностью черная с трикотажной резинкой на рукавах и понизу, желтая треугольная нашивка на левом плече. Поправка: носили все мужчины. Это ветровка моего брата, он сейчас служит на Дальнем Востоке. А желтую нашивку я спорола, вышла вполне приличная черная куртка, с первого взгляда и не поймешь: мужская или женская.

Город, куда я еду, не простой, а целая столица нашей республики! Название расшифровывать не буду, все равно никто не знает. В лучшем случае нас путают с чукчами или чеченцами. Ехать до Москвы всего 10—12 часов, практически рядом живем, но такой вот парадокс. Ехать недалеко, но я в Москве никогда не была и вообще нигде не была. Родители — люди простые, работяги. Честно трудились всю жизнь на благо Родины, имеют огромное количество грамот с изображением дедушки Ленина, в детстве мне нравилось их рассматривать. Всю жизнь экономили, откладывали деньги на книжку, на светлое будущее. Светлое будущее закончилось в июне 1991 года, когда на одной книжке «сгорели» почти 3000 рублей, а на второй — почти 4000 рублей. С тех пор я испытываю стойкое отвращение к сберегательным книжкам.

Кстати, мои родители и теперь работают, но зарплату им не платят месяцами! Поэтому существует важное правило: с зарплаты в первую очередь покупается стратегический запас — мешок муки и мешок сахара. Значит, точно можно жить спокойно, с голоду не умрешь! В этот раз деньги были выделены мне, потому что скоро зима, а ребенок в ветровке. Конечно, есть еще шуба из жуткого искусственного меха травяного цвета (производство СССР), папа тайно питает надежду, что я ее надену, ни за что, лучше — смерть! В общем, отправилась я за мечтой в соседний город на огромный вещевой рынок, но это — всего лишь мечта. Денег слишком мало и ни на что не хватит. Тогда уже были тысячи, выделили мне совсем крохи, кажется, меньше 3000 рублей. Спасает юношеский оптимизм и ужас, что нечего надеть завтра в школу.

В горестных размышлениях незаметно прошли полчаса, именно столько ехать до столицы республики от нашего небольшого города — спутника именно этой самой столицы. Вещевой рынок — огромный, совмещенный с продуктовым, а все вместе — бывший «Колхозный рынок». Сначала полагалось обегать все торговые ряды снаружи, считалось, что там вещи дешевле. Хотя какие это торговые ряды? Очень часто товар лежал на земле, вернее, на клеенке. Одежду и обувь мерили здесь же, хорошо, если лето, а каково зимой? Но сервис, какой-никакой, был: небольшое зеркальце и картонка под ноги. Даже на улице ничего не нашлось на мою сумму, не стоит даже вспоминать, что было внутри рынка. Цены — космические! Провела я на рынке много времени, до самого вечера, и тут начинается самое интересное: «Правило первого и последнего покупателя».

Что за правило? На рынке существовал интересный обычай: первому покупателю делалась скидка, чтобы он был доволен и привлек удачу. Желательно, чтобы это был мужчина или некапризная женщина. Потом продавцы обмахивали полученными деньгами весь товар. С этим все понятно, по крайней мере, логично. А вот последнему скидывали, наверное, из-за хорошего настроения: день закончен — ура! В общем, мне сделали скидку, как последнему покупателю. Но подозреваю, из жалости: ребенок шатался на рынке весь день. Хотя и продавец остался в прибыли, потому что куртка нещадно топорщилась. Кому бы он ее еще, интересно, смог всучить? Остались довольными все, особенно я!

Описание уникальной куртки заслуживает отдельного внимания: куртка на синтепоне из ситцевого материала приятного фиолетового цвета, вставки на плечах из бархата болотного цвета, тесьма в тон вставок на планке куртки, кармашек с молнией на левом рукаве. Самое неизгладимое впечатление произвел капюшон с ужасным искусственным мехом! Его почти сразу было решено отодрать и не позориться. Счастью не было предела, родители, кстати, тоже были рады, наконец, я перестала ныть и стенать: «Мне нечего надеть!» Правда, при знакомых произносилась речь: «Глупая девочка поехала на рынок одна и купила какую-то ерунду, но что поделать — непослушный ребенок!» Я в это время обычно тактично молчала.

История с курткой на этом не заканчивается, потому что осень заканчивается и наступает зима! Куртка из ситца на синтепоне, вывод: нужна еще зимняя куртка? Нет, решение подсказали одноклассницы: куртку можно утеплить! Слава урокам труда в советской школе: руки растут, откуда надо и где надо заканчиваются. Я отпорола подкладку и подшила отдельно низ куртки и низ подкладки. Результат — куртка перестала топорщиться. Просто внутренняя часть был короче, поэтому лицевая часть куртки стремилась за ней — наверх. Потом мы с мамой утеплили куртку с изнанки частями совсем старой куртки. Уж не помню, из ваты или синтепона она была. Был в СССР синтепон или еще не было? У китайских умельцев он точно был. Всю эту «красоту» закрыли с изнаночной стороны подкладочной тканью — старое покрывало зеленого цвета. Получилось дешево и сердито, но главное — тепло!

У куртки была долгая и интересная жизнь. В ней я проходила всю зиму, весной самодельный утеплитель был отпорот и безжалостно выброшен на помойку. Куртка дожила до следующей осени. Потом папе каким-то чудом дали зарплату, и мне купили настоящую кожаную куртку, а потом и вовсе невиданную роскошь — длинную кроличью шубу! Я уже училась на швею в ПТУ, сейчас заведение звучит более солидно — колледж. Учили нас основательно, даже денег не брали за электричество, когда мы шили на промышленных машинках. Еще и стипендию платили! С тех, кто учился после нас, стали брать деньги за электричество, шить на промышленных машинках — это вам не шутки! На дворе капитализм, учебным заведениям перестали выделять деньги: выкручивайтесь сами.

Кстати, я очень рада, что там отучилась, хотя все знакомые были удивлены моим выбором: умная девочка и ПТУ! Просто надо было чем-нибудь заняться до следующего лета, когда можно было еще раз попробовать поступить в университет, с первого раза не получилось. В 1996 году я все-таки поступила в университет. Кстати, это тоже была моя мечта — учиться в университете! Считается, что 90-е страшные и ужасные, но жить можно было. Люди знали, как выжить, умели мечтать и главное — мечты сбывались! Сейчас и мечтать не о чем, при желании можно получить все, хотя бы в кредит. Никакого интереса: достать, найти, оторвать.

P.S.: Не дай бог опять пережить эти 90-е!!!!!!!!!!!!

АЛЕКСАНДР ШАБАНОВ

Москва

АВГУСТ 1991-го

Август 1991-го я встретил в Подмосковье, на базе отдыха преподавателей и студентов своего вуза. Оставшаяся в Москве мама однажды по дороге на работу увидала танки, замершие на мосту в квартале от нашего дома. «Первое, что подумала, — какое счастье, что мой ребенок сейчас не здесь!» А я помню ошеломление своих преподавателей, господ интеллигентов: как они расхаживали туда-сюда, говорили на повышенных тонах, курили и без конца обсуждали, что происходит и к чему это все приведет, твердили, мол, нужно ведь что-то делать... и никто не делал ровно ничего. Эта пустая говорильня так разозлила меня, что я побросал вещи в сумку и уехал в Москву, не дожидаясь окончания отдыха. Нужно действовать — так будем действовать, а не болтать, черт побери!

Но я вернулся в город на третий день, когда все уже закончилось. Только стены переходов на центральных станциях метро, помнится, еще были густо оклеены листовками прямо противоречащего друг другу содержания... Больше недели простояли остатки баррикад, и долго не были стерты надписи типа: «Забил заряд я в тушку Пуго» и «Кошмар! На улице Язов!»

* * *

Тот же август 1991-го в другой семье. Мама охает, хватаясь за голову: «Что же будет, что теперь будет?!» Семнадцатилетняя дочь сердитым тоном: «Что-что! Горячей воды еще месяц не будет!» Отключенную «на профилактику» горячую воду должны были дать по расписанию именно в этот день, 19 августа. И, в отличие от прочих прогнозов (политических и иных), этот сбылся с волшебной точностью.

ИЛЬЯ ШПАГИН

Москва

С 1991 года — электромонтажник по обслуживанию летательных аппаратов. С 1994 года — арт-директор журнала.
С 2005 года — технический директор рекламного агентства.

«ФЭД-2»

Дачный отдых в молодости мало кто любит, и я не был исключением. Но провести выходные среди друзей, с шашлыками, алкоголем и симпатичными девушками — мечта любого подростка. Компания подобралась веселая, и, несмотря на то что народу было много, все давно знали друг друга.

Мы договорились встретиться на станции «Киевская». В те времена на площади перед вокзалом раскинулся целый город из киосков и тентованных палаток. Первым эшелоном стояли бабульки с разносолами, вяленой рыбой, сушеными грибами и вязаными носками. Прилавки магазинов в начале 90-х изобилием не радовали, но если была необходимость произвести на девушек впечатление, то именно на Киевском рынке можно было раскошелиться на ликер Amaretto польского происхождения. Там же взамен крепких напитков, пропавших к тому моменту из магазинов, можно было приобрести весьма бюджетный спирт Royal. Упускать такую возможность мы, естественно, не стали, и, так как до электрички было еще достаточно времени, молодежь, рассеявшись по рынку, закупала все необходимое. Прибыв на место, я достал фотоаппарат «ФЭД-2» для того, чтобы задокументировать происходящее. В помощники я выбрал школьного друга Мишку. После школы он поступил на факультет журналистики, где фотодело входило в программу, и Мишка был единственным из присутствующих, кто разбирался в фотографии не на любительском уровне.

Все были заняты своим делом, и только Аня сидела на ступеньках веранды и грелась на солнце. Просто идеальная композиция для кадра, но стоило Мишке открыть крышку объектива, девушка быстро вскочила и, закрывая лицо руками, попросила ее не фотографировать. В течение дня мы предприняли несколько безуспешных попыток сделать кадр.

— Не люблю фотографироваться, — призналась Аня. — Все время получаюсь как свинья! Ни одной хорошей фотографии нет. То лицо перекошено, то глаза в разные стороны смотрят. Так что если у вас и получится сделать мою фотографию, она будет уничтожена самым изощренным способом.

Помню, что-то щелкнуло в тот момент у нас в голове. Нам почему-то захотелось обязательно сфотографировать Аню, и чем будет больше сделано кадров, тем лучше! Я прекрасно понимал, что переубедить барышню у нас не получится, а если снимать «в лоб», ничего, кроме испорченных кадров и негативного отношения, мы не получим.

План в голове созрел очень быстро. Тщательно замаскировав камеру, Мишка устроил фотоохоту. В азарте мы не заметили, как отсняли все запасы фотопленки, как мне казалось, с избытком припасенные на выходные. Удовлетворив инстинкт охотника, друг зарядил последнюю пленку и уже в открытую сделал несколько кадров застолья.

После вечеринки все с большим удовольствием вспоминали время, проведенное за городом, и во время очередной встречи кто-то вспомнил про фотосъемку на природе и потребовал фотографий, про которые я совершенно забыл. Проявлять фотопленку я любил сам. Меня всегда завораживал процесс проявки и печати, и к тому же так получалось значительно дешевле. Фотографии Ани я передал через друзей, что жили с ней рядом.

На следующий день Аня мне перезвонила.

— Спасибо за фотографии, — поблагодарила она. — Не мог бы ты мне еще парочку напечатать? А то мне в институт для стенгазеты нужно, а у меня нет совсем никаких... Вот только эти... Но тогда у меня у самой ничего не останется.

— Конечно, напечатаю, — пообещал я. — Постараюсь до конца недели, если тебе не срочно. Передам при первой возможности.

Разговор был недолгим и ограничился только просьбой. С Аней я еще пару раз пересекался на вечеринках, которые становились все более редкими. Те, кто обзавелся семьями, все реже находили возможность встретиться со старыми друзьями. А в конце 90-х для встречи уже нужен был серьезный повод, и, когда в начале зимы 98-го года мне позвонил старый школьный друг, такой повод представился.

— Аня умерла, — сухо сообщил голос в телефонной трубке. — В этот четверг, в 12, на «Домодедовской» встречаемся. Оттуда автобус заберет всех, кто хочет проститься. Тебя ждать?

Через друзей я знал, что Аня на последнем курсе института вышла замуж, а через 2 года у нее родилась дочь. Получается, мы не виделись с ней уже лет 6—7. В памяти у меня почему-то возник тот самый летний день, а образ сохранился, именно как на тех, сделанных втихаря фотографиях.

— Да, я буду, — ответил я и положил трубку.

Погода была под стать настроению. Серое темное небо, ветер и снег с дождем. Все моментально промокли и замерзли. Народ поделился на небольшие группы, коллеги с работы, сокурсники, родственники. Я примкнул к небольшой группе старых друзей. Гроб был закрытый. Нелепая смерть на дороге, даже не на дороге, а на тротуаре, куда вылетел автомобиль, подрезанный иномаркой. Виновник благополучно скрылся от правосудия, оставив дочь без матери, мужа без жены, а мать-старушку в неутешном горе до конца своих дней. Водка расслабила и немного согрела, при этом окончательно испортив и без того поганое настроение.

После похорон всех пригласили домой помянуть Анечку. С работы я отпросился на весь день, и не было причин отказываться от предложения. Погрузившись в старенький «пазик», все отправились к Аниной маме — Марии Николаевне. Дома уже был приготовлен стол, на котором очень быстро появились заранее приготовленные холодные закуски. Рядом со мной на мягком кресле расположилась Анина мама, которую окружили родственники. Открыв семейный фотоальбом, они рассматривали старые фотографии, а Мария Николаевна сопровождала их подробными комментариями.

— А вот тут мы с Анечкой только из роддома... маленькая такая была, кто же знал, что такая красавица вырастет, ох боже спаси и сохрани! — Старушка прикрыла лицо рукой, чуть не заплакав, и перевернула страничку.

— А вот смотрите, это в садике мы... костюм снежинки сами делали! Самый лучший наряд получился, воспитательница хвалила. — На развороте фотоальбома были аккуратно приклеены несколько детсадовских фотографий разных лет.

— Да... а вот в зоопарке, помнится, боялась она на эту лошадь садиться, ох боялась, но я рядом стояла, вон рука моя в фотокарточку попала случайно, ну да ничего, хоть так, и ладно.

Ну а это первый класс уже. Ух, как я эти гладиолусы с дачи везла! Огромнющие! Чуть в электричке мне их не поломали. Зато смотрите: Анютка с каким букетом!

А тут мы на даче. Тут она уже взрослая, третий класс окончила, я точно помню. Мы как раз яблоньку с ней вместе посадили, лето холодное было, урожая не было, всего несколько банок закрутила.

А вот в школе их фотографировали, вот весь их класс.

Дальше в фотоальбоме шла череда школьных виньеток, которые ежегодно делал школьный фотограф.

— Вот не любила Анютка фотографироваться, хоть кол на голове ей теши, — рассказывала Мария Николаевна. — А вот эту фотографию она очень любила. — На очередном развороте я вдруг увидел те самые, сделанные Мишкой и отпечатанные мной фотографии. В центре страницы был приклеен портрет крупным планом, а вокруг него были расположены еще несколько фотографий, сделанные летним вечером, в лучах заходящего солнца. Фотографии были черно-белыми, но настроение и атмосферу передавали очень хорошо. На полях и между фотографиями фломастером были нарисованы и раскрашены бабочки и цветочки, а вверху разворота каллиграфическим почерком была сделана надпись «НА ДАЧЕ С ДРУЗЬЯМИ» и чуть ниже «ИЮНЬ. 1991 ГОД». Тем временем Мария Николаевна перевернула страницу и продолжала свое повествование.

— А это Анечка в институте, ее друзья фотографировали, а вон на заднем плане даже Алексей, зятек наш, случайно в кадр попал, они тогда только приглядывались друг к другу.

А тут уже перед свадьбой на ВДНХ гулять ходили... — Мария Николаевна переворачивала странички альбома.

Свадьба, новые друзья, родственники, роддом. А вот уже на руках Ани спит дочурка Катя. Первые шаги. И снова Аня в обнимку со своей любимой дочкой, улыбается и смеется...

* * *

Домой нам с Мишкой было практически по пути. Мишка после такого мероприятия был хмурый и подавленный. Большую часть дороги мы молчали.

— А ты сейчас еще фотографируешь? — спросил я его.

— Конечно, и так, и по работе приходится. На работе мне даже «Зенит» купили, но домой я его не таскаю. А что? Кого поснимать нужно?

— Нет, просто интересно, — ответил я.

— Ну, если поснимать, то ты не стесняйся. Со своих дорого не возьму.

— А помнишь, как летом 91-го мы на даче Аньку фотографировали? Она же не фотографировалась совсем до этого. А вот ты сделал красивую фотографию, и она перестала бояться камеры.

— Конечно, помню, забудешь такое, — усмехнулся Мишка. — Весело тогда отдохнули.

— Я к тому, что молодец ты. Вот представь, что было бы, если мы тогда не устроили фотоохоту? Аня бы так и не фотографировалась. А так хоть для Кати, дочки ее, память осталась, фотографии с мамой, это же так важно для ребенка — память о маме. Для Марии Николаевны тоже отрада. Конечно, она сейчас для внучки жить будет, но и память о дочери тоже для нее важна.

— А с чего ты взял, что Аня перестала бояться камеры? — спросил Мишка.

— Мария Николаевна домашний фотоальбом показывала. А в нем только детские фотографии. И только после нашей фотоохоты все поменялось.

Мишка нахмурился, явно задумавшись не на шутку.

Через какое-то время, практически подъезжая к своей станции, Мишка вышел из ступора.

— М-м-м... да уж, — сквозь зубы пробурчал он. — Халтуры, гонорары... вот оно, мое фотоискусство. Но, видимо, и я в этой жизни что-то хорошее сделал. Ладно, бывай... — И, пожав крепко руку, Мишка вышел из вагона.

Придя домой, я тщетно пытался вспомнить, где сейчас могут быть те самые негативы. Ведь я напечатал не все, а всего лишь несколько фотографий. Мне хотелось во что бы то ни стало отыскать пленку, напечатать для Марии Николаевны и Кати все фотографии, а также несколько штук себе на память. Помнится, кто-то просил у меня негативы для печати, но что было дальше? Кто был на очереди, и вернулись ли они мне — вспомнить я не мог.

Тот самый старенький «ФЭД-2», доставшийся мне от отца, до сих пор занимает достойное место в фотошкафу среди современной аппаратуры. Меня с ним многое связывает, и, хотя снимать на него я вряд ли когда буду, для меня эта камера останется всегда первой в списке моей фототехники.

ОЛЬГА ТРАВЧУК

Киев

В 90-е — школьница.
В настоящее время —
менеджер по закупкам.

ИСТИННОМУ СОВЕТСКОМУ ЧЕЛОВЕКУ И 90-е НИПОЧЕМ!

Когда я замыслила привлечь к проекту «Были 90-х» свою бабушку и озвучила ей задачу, мне казалось, что она пришлет какие-нибудь свои колоритные воспоминания о тех годах, написанные в стиле посиделок на кухне. Однако бабушка прислала совсем иное повествование, и это меня сбило с толку. С одной стороны, очень хотелось приобщить ее видение к рассказам других людей, но с другой — было чувство, что я читаю статью в газете «Правда», очень официальную и довольно обезличенную.

В ходе размышлений о том, как же все-таки оформить этот текст для «Народной книги», подумалось, что, возможно, не стоит его как-то особенно менять — ведь это срез ментальности бабушкиного поколения, отражение образа восприятия тех людей, которые пережили войну, поднимали страну из руин.

Начать воспоминания о 90-х моя бабушка решила, что называется, со времен царя Гороха. Для меня этот факт и то количество текста, которое она посвятила войне и результатам своей трудовой деятельности, говорит о том, что с войной никакие 90-е сравниться по масштабу воздействия на сознание и близко не могли.

Бабушка пишет: «Закончив в 1955 году Сталинградский медицинский институт, я была направлена на работу в Казахстан, где отработала 50 лет врачом-невропатологом. За это время в 1984 году была присвоена высшая категория врача-невропатолога, далее присвоено звание «Отличник здравоохранения», награждена медалями «Ветеран труда», «Труженик тыла».

Работала в медсанчасти г. Усть-Каменогорска от 3-го главного управления здравоохранения СССР. Наша МСЧ обслуживала в основном работников Ульбинского металлургического завода и население промышленного района. Прошедшие годы мною прожиты трудно, но честно, добросовестно. Вспоминая о сумме прошедших лет, делю годы своей жизни на следующие этапы: счастливое детское довоенное время, затем военное время. В 1941 году, 22 июня, в 4 часа утра, под звуки оглушительной тревоги в военном городке около Гатчины Ленинградской области мы были все подняты, и мой отец, военный летчик, вылетел на боевое задание.

В первые дни войны мы (я, мама, брат) были эвакуированы в Сталинград и до времени освобождения выживали под канонадой бомб, снарядов, испытав весь ужас, тяготы, лишения, связанные с войной.

Затем наступил следующий этап: восстановление мирной жизни, учеба в холодных, неотапливаемых, неприспособленных помещениях. Шел подъем, восстановление страны».

Вначале я долго смеялась над тем, что, как говорится, где поп, а где приход. Где тема сочинения, а где — вся эта предыстория. Но потом, набирая текст на компьютере, подумала, что для какой-то части людей этого поколения (не берусь судить — большей или меньшей) не было в нашей истории, да и не могло быть, ничего тяжелее войны. Войну — и то пережили. Пили из луж, ели картофельные очистки, жили под бомбами. А в 90-е-то, как бабушка говорит, «Хлеб был всегда!», с молочными продуктами и другими было напряженно, да, но хлеб был, а значит, не голодали, а значит, ничего страшного.

Умом осознавали упадок экономики, конечно: «И вот настал конец 80-х — начало 90-х годов прошлого века. Моя жизнь продолжалась в Казахстане. Все те трудности в нашей стране, СССР, коснулись и нас, всех простых тружеников.

Резко ухудшилось социально-экономическое положение, появились задержки зарплат, пенсий, нехватка продуктов и прочего необходимого товара, появилась группа людей, называемых бомжами, сокращались предприятия, росло число безработных. В поселках области стали появляться целые улицы с многоэтажными домами, опустошенными, безжизненными, с открытыми окнами — было видно, что люди покидали их в спешке. Люди оставляли свое благоустроенное жилье в поисках лучшей жизни в других местах.

С наступлением периода независимости Казахстана начались преобразования в республике. Нам, работникам здравоохранения, под крылом УМЗ было легче переносить тяготы в эти годы. Наше предприятие не прекращало свою работу и даже оказывало спонсорскую помощь. Трудности с трудоустройством лиц трудоспособного возраста предприятие также решало. Среди принимаемых на работу были молодые люди, которые не имели профильного образования и нужной квалификации, как те работники, чей возраст был более 50 лет. Но администрация учитывала тяжелые жизненные ситуации в отдельных семьях, особенно ветеранов, когда трудоустройство их сына, дочери, внука было единственной возможностью жить, продолжать лечение, содержать инвалидов.

Проявляло внимание и правительство Республики Казахстан. В эти годы вышло постановление, которое давало право на льготы пострадавшим от ядерных испытаний на Семипалатинском полигоне в г. Усть-Каменогорске и г. Семипалатинске.

Была организована приватизация квартир. Теперь мы — жители Казахстана, стали собственниками своего жилья». Однако эмоционально для моей бабушки все это каким-либо заметным стрессом не было. Она говорит, что не понимает людей, которые вспоминают 90-е с чувством разрухи и неприкаянности. Возможно, конечно, оттого, что ей повезло с предприятием, которое и само работало (потому что было связано с развитием атомной промышленности, производило уран, бериллий, тантал), и к работникам своим относилось с участием. Бабушка вспоминает родителей моей одноклассницы, которые до распада СССР работали на другом предприятии инженерами, а потом вынужденно торговали на рынке цветами и овощами. Наверное, у них было другое ощущение тех лет.

По тому, как недолго бабушка описывала проблемы 90-х и как быстро вырулила на 2000-е, я поняла еще раз, что какого-то эпохального значения те годы для ее внутренней жизни не имели. «Это тяжелое время мы пережили, к 2000 году стало улучшаться финансовое обеспечение населения, появился достаток продуктов и прочих необходимых товаров. Особенное внимание стало оказываться и участникам ВОВ и труженикам тыла. Проводится ежегодная материальная прибавка к пенсии, установлен бесплатный проезд для участников ВОВ и тружеников тыла не только на городском транспорте, но и для поездки в страны бывшего СССР. Стали появляться мелкие и крупные предприятия, оживился средний бизнес».

Когда я спросила ее, как она ощутила развал Коммунистической партии и изменение идеологии, она довольно равнодушно пожала плечами, сказав, что никогда не была политической активисткой, в партии не состояла, эти изменения восприняла как данность. Ну было так, а теперь будет эдак. Хотя по стилю изложения и мышления, советскость моей бабушки сомнений не вызывает — вот парадокс!

Такова, видимо, специфика ее врачебной профессии: лечить людей нужно при любой власти, а от смены правящего режима конечный продукт деятельности медика не теряет своей актуальности. Особенно если тебе повезло с руководством, которое не превратилось в рвачей. Что же касается материальной стороны вопроса, то, как я уже писала выше, после войны и голода пустые полки магазинов, необходимость доставать даже гречку через связи, конечно, вызывали чувство дискомфорта, но не тотального. Вот такие они, наши старички, закаленные в этой жизни не одной руиной. Лишь бы не было войны, остальное — вполне переживабельно!

АНАТОЛИЙ УСОВ

поселение «Мосрентген»

До 86-го — кадровый военный,
в 90-е — специалист по снабжению,
заместитель председателя
кооператива, после 90-х —
пенсионер.

ЗАЛПЫ ПОБЕДЫ
И ВСТРЕЧА С ОТЦОМ
В 90-Х

Для меня, пожилого человека, всегда в памяти останутся военные годы и послевоенное время, хотя сам я не воевал, а являюсь ребенком войны.

Очень хорошо помню тот день, когда кончилась война. В то время я, мама, брат жили в военном городке г. Камышлова Свердловской области.

Вдруг к нам вбегает тетя, она находилась в возбужденном состоянии, и со слезами на глазах сказала, что все, война окончилась, Победа, может быть, ваш отец вернется с войны. А на своего мужа она уже получила похоронку. Мы с братом в чем были, в том и побежали к штабу. Еще не добежав до штаба, услышали, как пушки палят. Это были залпы в честь окончания войны.

В нашей голове промелькнула мысль, а вдруг наш папа жив, ведь он пропал без вести. Еще я помню, как я узнал о «гибели» отца. Как-то раз ко мне подошла воспитательница в детском саду и сказала: «Толя, подойди к маме». Я вышел из группы и увидел заплаканную маму.

«Толик, наш папа погиб, пропал без вести, вот я получила письмо из части», — сказала она и показала мне письмо с воинским штемпелем. Ее печаль передалась и мне. Что значит пропал? В те годы горе переживали многие. Я тоже прошел все испытания: голод, холод, одиночество, страх.

Так сказать, не было полноценного детства. Что я знал тогда об отце? Из рассказов мамы и бабушки я знал, что папа был военным, офицером, служил на Дальнем Востоке, хорошим семьянином, еще увлекался лыжами и столярным делом. Мы с братом Вадимом часто вспоминали об отце, думали, жив он или нет.

В 80—90-е годы прошлого столетия я обращался в разные организации Министерства обороны по поводу розыска отца. Как офицера в отставке, меня интересовала его служба до войны и во время ее. Переворачивая страницы его личного дела, узнал, что в г. Камышлове он учился на курсах младшего офицерского состава, был сержантом, после окончания курсов стал лейтенантом, командиром взвода. Из личного дела узнаю, что он хорошо учился, дисциплинирован, женат, после окончания курсов направлен служить на Дальний Восток, где я и родился.

В течение многих дней в 80-е годы я и мои сыновья (Вадим, Андрей) работали в читальном зале ЦАМО г. Подольска. Мы переработали много документов о боевых действиях нашей армии и добрались до тома о 39-й армии Калининского фронта. Что удалось выяснить?

С Дальнего Востока отец прибыл в Архангельский военный округ, война застала его там. В документах 39А и 29А Калининского фронта сказано, что в боевую задачу армий входило: в январе 1942 года необходимо окружить вражескую группировку противника и овладеть городом Ржевом. Мой отец служил в лыжном батальоне, вот где пригодилось умение отца кататься на лыжах. Я выяснил, что отец служил в 89-м лыжном батальоне 39А Калининского фронта. Об этом обстоятельстве узнал в 1991 году, но об этом батальоне в ЦАМО не было почти никаких документов. По всей вероятности, как объяснила мне сотрудник архива, батальон мог попасть в окружение врага, где и погибли люди. Ведь штабные документы уничтожались в самый последний момент оперативниками, чтобы они не достались врагу. Я все равно встретился с отцом в 90-е годы, узнал, где он служил, увидел его групповую маленькую фотографию, как же мне не хватало его всю жизнь. Мысленно я часто разговариваю с ним, делюсь переживаниями, радостями.

Вспоминая свои прожитые годы, считаю, что самые счастливые дни в моей жизни — это залпы Победы и «встреча с отцом».

КОНСТАНТИН РОЗАНОВ

Москва

В 90-е — студент Московского государственного педагогического института имени Ленина. После чего служил в специальном отряде быстрого реагирования Государственного таможенного комитета. В настоящее время — военнослужащий.

ПРОСТИ МЕНЯ, ДЕД!

*Посвящается Тихообразову
Константину Ивановичу*

Шел переломный 1991 год. Советский Союз развалился, исчезла цензура, и с экранов телевизоров, радио и страниц газет хлынула интересная и полезная информация. Я тогда учился на историческом факультете педагогического института и с удовольствием, жадно, поглощал ее и радостно делился с дедом.

— Ваш Ленин был сифилитиком и к концу жизни сошел с ума. Он сидел в инвалидном кресле и пускал слюни на манишку...

Точно установлено, что Ленин был особой формой гриба!

Ленин жил одновременно с Крупской, Инессой Арманд и своей секретаршей Варенькой!

Поскольку основатель партии большевиков — немецкий шпион и приехал в Россию в опломбированном вагоне для совершения госпереворота, то нынешние коммунисты должны покаяться за свои преступления против народа!

Дедушка слушал меня, болезненно морщился, мрачнел и выходил из комнаты. Но я упрямо шел за ним на кухню, в коридор и продолжал упоительно рассказывать про ужасы и бесчеловечность советской власти и ее основателя. Иногда он украдкой клал под язык валидол и старался незаметно помассировать сердце.

А потом дедушка заболел раком. Болезнь прогрессировала, операция и лекарства не помогали. Военный госпиталь в Красногорске отказался от обреченного старика и выписал его. Домой. Умирать.

Он перестал вставать с постели. У него были сильные боли, и он часто стонал. Его руки, которые стали похожи на ветви сухих деревьев, беспокойно метались над одеялом. Я колол ему обезболивающее, которое тогда выдавали по минимуму, в обрез. И были долгие часы, когда он оставался со страшными муками один на один.

Ордена и медали на красных бархатных подушечках. Мерзлые комья земли гулко стучат по крышке гроба. Солдаты из похоронной команды трижды стреляют в хмурое небо.

Поминки в столовой дважды Краснознаменной общевойсковой Академии имени Фрунзе. Очень много людей — большинство военные, но были и вольнонаемные и гражданские. Слово взял седой генерал-полковник, увешанный орденами. Он сказал: «Константин Иванович родом из простой крестьянской семьи в Ивановской области, был призван на фронт, попал в Третью гвардейскую танковую армию механиком-водителем на «Т-34», участвовал в Житомирско-Бердичевской, Проскурово-Черновицкой, Львовско-Сандомирской, Нижнесилезской операциях, в Берлинской и Пражской наступательных операциях. В его теле навсегда остались осколки от вражеского снаряда, которые не смогли извлечь врачи.

В Коммунистическую партию вступил на фронте. Там коммунисты имели единственную привилегию — идти в бой первыми, показывать пример остальным бойцам. И он был примером — дважды горел в танке, был трижды ранен. В одном из боев с риском для своей жизни вытащил из объятого пламенем танка раненого командира. Его экипаж уничтожил несколько фашистских танков и более десятка артиллерийских и пулеметных расчетов. Был награжден двумя орденами Красной Звезды, орденом Отечественной войны, двумя медалями «За боевые заслуги», медалью «За взятие Берлина». Потерял трех родных братьев, которые пали смертью храбрых в боях с врагом.

Не зря фашисты первыми разыскивали именно коммунистов и комиссаров, в плен их старались не брать — расстреливали на месте. И сражались они геройски не за спецпайки из райкомовской столовой, а за Родину! И отдавали за нее свои молодые жизни.

Именно на фронте Константин Иванович встретил свою первую и единственную любовь — связистку Евдокию Ивановну, на которой женился и с которой прожил всю жизнь.

После войны ветеран поступил в Высшее военно-политическое училище, окончил его с отличием, объездил весь Советский Союз. Служил в отдаленных гарнизонах средней полосы России, Украины, Узбекистана, Молдавии. Он был замполитом и везде учил молодых солдат любить Родину, быть храбрыми, честными, дисциплинированными воинами, которые всегда должны быть готовыми выступить на защиту Отечества. Еще долгие годы его бывшие воспитанники со всех концов Союза присылали ему письма с благодарностями и добрыми словами. Он стал кандидатом исторических наук, доцентом и в последние годы работал преподавателем в дважды Краснознаменной общевойсковой Академии имени М. В. Фрунзе.

Сейчас коммунизм не в фаворе, во многом мы сами, коммунисты, в этом виноваты. Я служил с Константином Ивановичем много лет. Точно знаю — если бы все, стоящие у руля власти в СССР, были такие, как он, мы бы сейчас жили, как в Швейцарии... И не было бы такого бардака, как сейчас».

Генерал замолчал. Молчали все. И мне стало стыдно. Дед, пожалуйста, прости меня!

Большую часть из книг по партийно-ленинской философии мы увезли на дачу. Но несколько штук и бюстик Ленина на полке в книжном шкафу, в гостиной, оставили. Я не люблю вождя мирового пролетариата. Но я уважаю своего деда и его веру. Пока я жив, бюст будет стоять на своем прежнем месте.

ВЛАДИМИР ШНЕЙДЕР
Москва

ТАКОЕ УЖ БЫЛО ВРЕМЯ...

Начну с предыстории. Одним так называемым *погожим* майским днем 1988 года мой дед, опытный педагог и маститый музыкант, отправился в салон «Оптика». Там, примеряя новые очки, он плашмя рухнул на кафельный пол: инсульт. Сотрудники «Оптики» и ее посетители, разумеется, сочли его пьяным, хотя от деда спиртным не пахло. Мобильные телефоны тогда фигурировали только в фантазиях читателей журнала «Юный техник», поэтому связаться с нами, своими родными, дедушка никак не мог. Администрация «Оптики» не придумала ничего лучшего, как выволочь старика на улицу и усадить на бордюр тротуара — свежий воздух как-никак, авось придет в себя бедолага. Не пришел.

Каким-то чудом дед смог уговорить проезжающего мимо частника (так в те времена называли лиц, занимающихся извозом), чтобы тот доставил его домой. За деньги, само собой. Поскольку дедушка утратил всяческий контроль над своим опорно-двигательным аппаратом, водиле пришлось собственноручно запихивать его в машину, за что «шеф» в итоге и слупил двойную оплату доставки. В общем, мой дед отдал ему все, что у него имелось в бумажнике, а новые очки в этой суете потерял. Не до них ему было в тот момент.

Доставив дедушку по указанному адресу, водитель помог ему, проклиная, видимо, себя за то, что связался с парализованным стариком, подняться на нужный этаж и бросил своего пассажира около двери. На беду деда, в квартире никого не оказалось. Бабушка работала, а я гостил у приятеля на даче. Сначала старик просто лежал у порога, а потом соседи усадили его на табурет. Увы, ключи от квартиры он где-то посеял. А может быть, водила их забрал. Теперь этого уже не узнать.

Так дедушка и просидел на табурете до самого вечера. Часов семь просидел. Вернувшаяся бабушка, охая и причитая, уложила его в кровать, а наутро, когда я вернулся, мы, наконец, решили вызвать «Скорую помощь». С момента кровоизлияния до вмешательства врачей прошли сутки. То есть драгоценное время оказания экстренной помощи прошло. Поэтому свою потерянную физическую форму дедушка так и не вернул, до конца дней своих оставшись парализованным на левую сторону инвалидом.

Однако человек так устроен, что даже в патовой ситуации он способен найти для себя опору в жизни. Такой опорой для моего несчастного старика стали грянувшие в 90-е годы перемены. Вообще дед давно, еще со времен раннего Брежнева, мечтал увидеть Россию процветающей, свободной страной со свободой совести и свободой рынка. Неудивительно, что, когда на политической арене возник Борис Николаевич Ельцин, дедушка как-то сразу приободрился. Надежда, льющаяся с экранов телевизора, окрылила его, очень позитивно сказавшись на здоровье. Заявления, заверения и обещания Ельцина действовали лучше всяких лекарств. Дед на радостях даже почти полностью овладел управлением левой стороной организма. Почти...

Почему же дед так радовался появлению новых перспектив? Все дело в том, что, играя в одном известном оркестре, он посетил несколько капиталистических стран. В том числе и «вызывающе» капиталистических — Англию, Японию, ФРГ. А во времена застоя такие поездки были сродни полету на Луну. Скорее даже на Марс. Уровень и стиль жизни в этих государствах у него, как и всякого нормального советского человека, вызвали шок. Забыть увиденное уже не помогли никакие передовицы «Правды» и «Известий», хотя дед по привычке выписывал советские газеты даже тогда, когда Советский Союз дал сильный крен и стал медленно погружаться в кровавую трясину хаоса.

Мой дед наивно верил Ельцину, в сказки так называемых «младореформаторов» о том, что свободный рынок и конкуренция — это такие же очевидные законы природы, как земное притяжение, например. Если кинуть камень вверх, он сначала взлетит на некоторую высоту, потом на какое-то мгновение остановится и начнет свое неминуемое движение обратно. Так устроен мир. То же самое, только немного другими словами, вдалбливалось измученным убогостью советской экономики людям, жадно впившимся в телеэкраны: если отпустить цены и не мешать развитию свободной конкуренции, все само по себе, не сразу, конечно, но неизбежно, образуется, оформится, выстроится — и бизнес, и культура, и образование. Вон как на Западе живут! А все потому, что у них свободный рынок.

Ах, как хорошо-то! Эти мантры вызывали у миллионов людей восторг. Такое уж это было поколение доверчивое. Такое уж было время. Что-то оставалось у него, у времени этого, от краснознаменного энтузиазма комсомольских строек и пятилеток в три года. А я, родившийся уже в более или менее спокойные и стабильно-безнадежные времена, зараженный быстро распространяющимся среди неформальной молодежи вирусом скепсиса, совсем не разделял странного оптимизма реформаторов. Возможность моих куриных мозгов в то время не позволяла обосновать свое недоверие (впрочем, кто вообще интересовался мнением двадцатилетнего сопляка без связей и денег), но я интуитивно чувствовал — на моих глазах разыгрывается очередная крупномасштабная афера, еще более циничная, чем некоторые проекты коммунистов.

Каждый день меняющийся мир радовал демократически настроенных людей какой-нибудь удивительной новостью. Однажды дед мне сообщил такое приятное известие: теперь все — и стар, и млад — будут владельцами государственной собственности. Кончились времена, когда народное хозяйство принадлежало кому угодно, только не народу. Наконец каждый гражданин становится собственником имущества своей страны, ибо ему будет вручен... приватизационный чек на десять тысяч рублей. Эта новость меня буквально ввела в транс. Я не мог представить, как миллионы людей будут владеть и управлять имуществом страны? Я попробовал было обсудить это дело с дедом, просто пытаясь понять технологию проекта. В итоге мы поругались, и у деда подскочило давление. Тогда я решил больше не затрагивать, беседуя с ним, политические и экономические темы. Хотя куда же в те годы можно было спрятаться от политики и экономики? Даже в правительственном бомбоубежище, выстроенном на случай ядерной войны, они бы все равно нас с дедом нашли. Вскоре выяснилось, что приватизационный чек надо просто грамотно определить, например, обменять на акции мощного производства или вложить в активы преуспевающего банка. Куда мы с дедом вложили свои ваучеры, я не помню. Также я не помню ни одного процентика, который бы мы с ним получили в результате нашей сделки с государством. Хоть на что они, эти проценты, похожи-то? Как они выглядят? Кто-нибудь их видел? Просто заваленная палочка с двумя ноликами или нечто иное? Зато я помню восторг, с каким дедушка воспринял известие о всенародной приватизации. Чем закончился этот глобальный развод, всем известно. Напоминать не надо.

Последние годы своей жизни дед прожил на голом энтузиазме, радуясь переменам, происходящим в стране и в мире. Из-за своей инвалидности он редко покидал квартиру и не знал подробностей новой жизни, бурлящей на улицах. Он не видел «новых русских», способных живьем замуровать своих конкурентов в бетонную стену, не видел стихийных торговых рядов, пестрящих выкладкой «Сникерсов», орденов и презервативов. Не видел ям чеченских боевиков. Правда, я их тоже, к счастью, не видел. Дед наблюдал эпоху перемен, не покидая дома. Но и до́ма происходили не менее интересные события, чем за его стенами. Во-первых, в одночасье сгорели все сбережения бабушки и дедушки. Ну, абсолютно все, что они отложили на старость и на «черный день», испарилось, словно капля воды, упавшая на раскаленную плиту, — раз и нет денежек! А у деда, между прочим, на книжке лежали несколько тысяч за проданные когда-то «Жигули». Пенсии бабушки и дедушки чудесным образом превратились в однодневные пособия. Эти перемены нашли свое отражение и в рационе питания, и в ассортименте домашней аптечки. «Это — шоковая терапия», — говорил несгибаемый дед, слегка прищурив глаз.

Но в целом мы как-то жили в те годы. Бабушка и дедушка отнеслись к шоковой терапии более или менее спокойно, так как в их жизни было предостаточно шока, например, война. Ну а мне вообще все было по фигу и по приколу. По приколу был и ельцинский обстрел Белого дома, во время которого я чуть не схлопотал снайперскую пулю в затылок. Но если бы меня все-таки забрали в армию и я бы оказался в плену у северокавказских сепаратистов, любящих отрезать головы у российских новобранцев, а потом швырять их в сторону укреплений противника, наверное, прикольно уже не было бы.

Как-то очень быстро опустела наша библиотека. А что? Коли грянули рыночные отношения, мы решили тоже что-то продавать. Гардероб совсем перестал обновляться и у меня, и у моих родителей, и у бабушки с дедушкой. И это все творилось в Москве, в самом обеспеченном по статистике городе на постсоветском пространстве. Что же тогда происходило в регионах? Я об этом не думал. Я и слова такого еще не знал — «регионы». Мою голову занимали совсем другие слова, мысли, идеи. Целыми днями я пропадал черт знает где, занимаясь черт знает чем. Чего уж там! В девяностые происходила колоссальная движуха, в которую, словно в воронку торнадо, были затянуты миллионы людей. А когда я поздними вечерами возвращался домой, терпеливый дед меня встречал, постукивая палочкой, неизменной улыбкой и традиционным вопросом: «Как дела?» «Нормально», — отвечал я и нырял в свою комнату. Нырял и не выныривал. Получив традиционное «Нормально», дед снова оставался один. Единственное, что вносило разнообразие в его жизнь, были новости и латиноамериканские сериалы.

Так мы и жили. Жизнь бурлила, нищета прогрессировала, дистанция отчуждения между мной и дедом росла, здоровье его ухудшалось.

Сейчас, спустя двадцать лет, я начал понимать, как тяжело и одиноко ему было — преданному всеми своими учениками, многими товарищами, страной, о которой мечтал, властью, которой верил. И даже ближайший ему человек, то есть я, отдалился от старика на астрономическое расстояние. Такое уж было время: не до сантиментов. Время? Какая ерунда!

ВАДИМ БОГУСЛАВСКИЙ

Киев

Преподаватель вуза с 1988 года,
кандидат технических наук, доцент.

БЫТИЕ И СОЗНАНИЕ

Правое колесо тележки-кравчучки слегка заклинивало, и она все время пыталась уехать в сторону. Болела поясница, и я тихо ненавидел эту бесконечную полную народу улицу, мешок морковки, привязанный к тележке, и себя самого. Холодный осенний ветер выдувал мои мозги, а по спине катились капли пота. Бросить бы все и уйти!

Внезапно кто-то хлопнул меня по плечу.

— Привет, старик! — услышал я знакомый голос. — Не продашь ли полкило морковки?

Я оглянулся и увидел Феликса, своего старого приятеля. На нем была красивая кожаная куртка и до блеска начищенные ботинки.

— Откуда дровишки? — спросил он, улыбаясь. — Ну и вид у тебя, с трудом узнал.

Я промычал что-то неопределенное.

— Нам, кажется, по пути, — продолжал Феликс. — Давай-ка я тебе немного помогу.

Я подвинулся, и мы покатили тележку вдвоем. Так было намного легче, и я вздохнул с облегчением.

— Это что, твой новый бизнес? — спросил Феликс после небольшой паузы. — Оптовые закупки для отправки на Камчатку?

— Да нет, — отвечал я, вытирая пот. — Просто запасаю на зиму. Нужно же чем-то семью кормить. Ты ведь знаешь, какая у меня зарплата.

— Да, я знаю, зарплата у тебя хорошая, но маленькая. А иногда ее совсем не платят. Впрочем, ты сам виноват. Они тебе все время намекают, чтобы ты увольнялся, а ты не понимаешь.

Феликс еще недавно был ведущим инженером в проектном институте. Когда началась эта пертурбация, он спрятал свой партбилет, уволился и сейчас торгует косметикой на рынке. У них семейный бизнес: сын ездит за товаром в Турцию, Польшу и еще куда-то, а Феликс продает.

— А почем сейчас морковка? — опять спросил Феликс без всякого интереса.

— А я что, ее покупал? Я ее заработал. День работаешь на поле и бери, сколько унесешь.

— Ничего себе, — возмутился Феликс. — Вот это да. Ну и время пришло. Чтобы ученый, вместо того чтобы решать проблемы, должен был зарабатывать морковку! Докатились, нечего сказать!

Я вдруг почувствовал желание облегчить душу, на которой столько накипело.

— Ты помнишь, как Хрущев когда-то заявлял, что нынешнее поколение будет жить при коммунизме? Мы тогда над ним подсмеивались. Так вот он был прав. Кажется, мы тогда таки жили при коммунизме, только этого не понимали. Все нам было мало. Вот и получили то, к чему стремились.

— Это они жили при коммунизме, а не мы. — Феликс остановился и посмотрел на меня с досадой. — Это у них были и зарплаты, и санатории, и пайки, и дачи, а нам только кидали кости с барского стола. А за это изволь ходить на эти дурацкие собрания и политинформации. Как вспомню, так вздрогну!

— Собрания, конечно, были дурацкие, но ты вспомни: зарплату платили вовремя, и она была не такая уж плохая, инфляции и безработицы не было совсем, а цены были по нынешним временам просто смешные. А пенсии — тут и говорить не о чем!

— Послушай, ты что, соскучился по коммунякам? — Феликс повысил голос, и в нем зазвучали металлические нотки. — Вспомни, как мы стояли в очереди за молоком, с ночи занимали, а апельсины для детей привозили из Москвы, а телевизоры распространяли по предприятиям. А теперь что? Продаются на каждом углу. Что хочу, то и покупаю, были бы бабки.

— Ну, что касается телевизоров, апельсинов и прочего, — попытался возразить я, — так это можно было уладить в два счета.

— Каким образом? — зло спросил Феликс. — Никто не мог решить проблему, а ты в два счета! Может, продашь секрет?

— Да никакого секрета нет, просто поднимать цены, пока это все не будет продаваться свободно. Так, как это у нас сейчас.

— Постой, — сказал Феликс после небольшой паузы. — Ты ведь был беспартийным. Откуда же у тебя вдруг такая идейность? Что, опять все отобрать и поделить? Так мы это уже проходили.

— Да нет, — отвечал я. — Стараюсь быть объективным. Извини, просто жизнь достала до печенок. Видишь, какими делами приходится заниматься на старости лет.

— По-моему, ты ведешь себя, как гнилой, неприспособленный интеллигент. — Феликс остановился и вытер руки носовым платком. — Вот если бы в этой тележке лежали джинсы или импортная косметика, я бы мог тебя понять. А сшибать морковку — это, извини, не для меня. Хочешь, расскажу, как ты можешь заработать? Я первую консультацию даю бесплатно.

— В торговле? — спросил я, поправляя мешок.

— А хоть и в торговле. Но ты ведь не согласишься. Ты выше этого. Ну, бувай. Надумаешь, позвони.

Феликс сделал прощальный жест рукой и исчез за углом, а я вздохнул и покатил тележку дальше.

Прошло три года. Нам подняли зарплату и стали ее платить регулярно. Хотя до прежнего уровня все еще было далеко, но зарабатывать морковку и другие овощи уже не было необходимости. Я нашел работу по совместительству, и мы более или менее уверенно сводили концы с концами. Я был очень занят и редко общался со своими старыми друзьями. У Феликса изменился адрес, и я его потерял из виду. Впрочем, о нем ходили разные слухи. По одной версии, он сказочно разбогател, жил в загородном доме и ездил на «Мерседесе», по другой — уехал в Америку.

Как-то я дремал в троллейбусе, когда через переднюю дверь ворвалась группа контролеров, больше похожая на шайку уголовников. Я поспешил показать им проездной, который они покрутили в руках и разочарованно вернули мне назад. Тем временем за моей спиной разгорался скандал.

— Еще раз прошу вас, мужчина, предъявите билет, — говорил кто-то сиплым, пропитым голосом. — Нет билета — платите штраф.

— Я же вам объясняю, что закомпостировал талон вот на этом компостере, а потом положил его в этот карман. А теперь не могу его найти, он куда-то девался. Женщина, подтвердите, вы же видели, как я его компостировал, — отвечал глухой, взволнованный голос, показавшийся мне знакомым.

— Ничего я не видела, я в окно смотрела, — сухо отозвалась женщина. — Если вы его закомпостировали, то он должен быть у вас. Не мог же он, в самом деле, раствориться.

— Он не талон компостировал, это он нам мозги компостирует. Думает, на лохов попал. Вот что, мужик, вставай, пойдешь с нами. Будем с тобой в отделении разбираться по-нашему. Что, не хочешь? Тогда плати штраф — десять гривен, — сиплый голос звучал угрожающе.

— Ребята, я вам объясню. У меня с собой нету денег. Клянусь, что я закомпостировал талон. Не могу понять, куда он пропал. Были бы деньги, заплатил бы штраф без разговоров.

Голос опять показался мне знакомым, и я обернулся. На заднем сиденье троллейбуса понуро сидел немолодой мужчина, а вокруг в бойцовских позах стояли трое молодцов с бритыми головами и татуировками на руках.

Я присмотрелся и с трудом узнал в пожилом мужчине Феликса. Он сильно постарел и был одет без присущего ему лоска.

— Парни, — сказал я, подходя поближе. — Оставьте его. Это мой знакомый. Я за него уплачу штраф.

— О, еще одно чмо болотное возникло, — насмешливо сказал крайний ко мне контролер с тяжелой челюстью и цепью на бычьей шее. — Ты лучше за себя рассчитайся.

— У него проездной, я проверял, — тихо отвечал другой, по-видимому, главный. — Ладно, мужик, давай червонец и забирай своего друга в целости и сохранности. Подфартило ему сегодня, а то потом бы на лекарства работал.

Я отдал десятку, и мы с Феликсом поспешили выйти из троллейбуса. С минуту мы шли молча.

— Ну, здравствуй, — наконец сказал я, протягивая руку. — Давно не виделись. Как ты поживаешь?

— Как я поживаю? — Голос Феликса дрожал. — Как может поживать нормальный человек в этой бандитской стране? Ты видел этих мордоворотов? В наше время они бы сидели на нарах, а теперь порядок наводят.

— Я думаю, что они специально подбирают таких выродков, — отвечал я. — Иначе с нашей публикой не справишься. Нашли им применение.

— Слушай, большое тебе спасибо, — Феликс остановился и снова протянул мне руку. — Ты меня вроде как бы спас. В наше время из-за такой ерунды можно поиметь большие неприятности. Куда запропастился этот проклятый билет, ума не приложу...

— Да забудь об этом, оно того не стоит, — прервал его я. — Расскажи лучше о себе. Я тут слышал, что ты чуть ли не в Америку уехал?

— Нет, это сын мой уехал, а я пока еще здесь. Хотя тоже подумываю, но не знаю как. У меня тут такие проблемы, что голова кругом идет. Хочешь послушать?

Я утвердительно кивнул.

— Мы с сыном увлеклись бизнесом. Вначале все шло хорошо. Ты ведь помнишь, что мы занимались косметикой? Так вот, решили расширить дело. Потребовались деньги. Ну, мы, недолго думая, продали нашу трехкомнатную в центре и купили двухкомнатную без телефона на массиве. На разницу сын приобрел в Польше партию товара, причем часть денег пришлось одолжить. Думали, рассчитаемся без проблем. Да только вышло иначе. Ты не устал от моих россказней?

Я покачал головой.

— Ну, тогда я продолжу. Сын снял возле рынка помещение и оборудовал там склад. Как-то недели через две утром мы пришли за товаром. Смотрим: замок взломан, дверь открыта, а нашего товара и след простыл. Короче говоря, нас здорово кинули. Сын считает, что это кто-то из своих постарался, кто был в курсе дела. Ну, ты видел такое? Мне и сейчас не верится!

Феликс вытер вспотевший лоб, и я заметил, что он тяжело дышит. Сделав небольшую паузу, он продолжал:

— Таким образом, мы остались на нулях и еще с большим долгом. А те узнали о нашей беде и стали трясти. Поставили нас на счетчик. Каждый день новые требования и новые разборки. Сын стал от них убегать, да разве от них спрячешься? Кончилось тем, что он уехал, а точнее сказать — удрал в Испанию, а меня тут оставил на растерзание. В моем возрасте куда-то ехать бесполезно, никто на работу не возьмет, да и жена болеет. А они каждый день приходят и выспрашивают, где сын. Заявляют, что если его нет, то мы должны за него рассчитаться. Грозятся нас замочить, если мы не продадим квартиру и не вернем им бабки. Вот такие у меня пирожки со сметаной. А ты говоришь — контролеры. Это так, укус комара.

Потрясенный услышанным, я несколько минут шел молча. Потом остановился и спросил у Феликса, не пробовал ли он заявить в милицию.

— В милицию? — Феликс иронично прищурился. — Эх ты, наивная душа! Ты думаешь, что это прежние времена? Я попробовал заикнуться, так мне так популярно объяснили, что все вопросы сразу отпали. Сейчас не поймешь, где у кого «крыша». Ну, в общем, ты меня понял!

— Что же вы будете делать? — спросил я в растерянности.

— Что делать? Если сын не заработает и не вышлет бабки, придется продавать квартиру. А куда самим деваться, ума не приложу. За границу поздно, на кладбище рано. И жена качает права, во всем меня обвиняет. Вот так и живем, день прожили, и ладно.

Феликс достал сигарету и чиркнул зажигалкой. Я молчал, не зная, что ему сказать. После нескольких затяжек он продолжал:

— Развели бардак в державе. Это что, демократия? Всякая нечисть из щелей повылазила. Слушай, мы с женой иногда вспоминаем, как мы раньше жили, и у нас слезы на глазах. Можно было бесплатно окончить институт, получить квартиру и спокойно жить и работать. Медицина бесплатная, милиция тебя охраняет. Ну, за границу нельзя поехать, ну, цензура, так это все не основное. Сейчас возьмешь эту газету или журнал, так волосы дыбом поднимаются. Работать никто не хочет, все крутятся, деньги из воздуха делают. Не страна, а цирк!

— Ничего, — попытался успокоить его я. — Все обойдется, вот увидишь. Главное — не падать духом. Через несколько лет будем все это вспоминать, как страшный сон.

— Хотелось бы верить. — Феликс остановился и протянул мне руку. — Что-то мы с тобой заболтались. Извини, что нагрузил тебя своими проблемами. Я тебе позвоню, привет твоим. Ну, пока, рад был тебя повидать.

Мы разошлись в разные стороны. Феликс свернул за угол, а я с тяжелым сердцем пошел к троллейбусной остановке, размышляя о злоключениях друга. И вдруг мне вспомнилась бесконечная, полная народу улица, мешок морковки и Феликс в элегантной кожаной куртке и до блеска начищенных ботинках, предлагающий бесплатную консультацию. И я в который раз задал себе сакраментальный вопрос: «Так что же все-таки в нас первично — бытие или сознание?» И как всегда не смог на него ответить.

СОДЕРЖАНИЕ